KB150252

안라(아라가야)의 위상과 국제관계

안라(아라가야)의 위상과 국제관계

2018년 5월 25일 초판 1쇄 발행

글쓴이 백승옥 · 이주헌 · 이동희 · 하승철 · 다나카 도시아키
번 역 주홍규

펴낸이 권혁재

편 집 권이지

제 작 동양인쇄주식회사
펴낸곳 학연문화사
등 록 1988년 2월 26일 제2-501호
주 소 서울시 금천구 가산디지털1로 168 우림라이온스밸리 B동 712호

전 화 02-2026-0541
팩 스 02-2026-0547
E-mail hak7891@chol.com

책값은 뒷표지에 있습니다.
잘못된 책은 바꾸어 드립니다.

ISBN 978-89-5508-383-5 93910

안라(아라가야)의 위상과 국제관계

백승옥 · 이주헌 · 이동희 · 하승철 · 다나카 도시아키

학연문화사

발 간 사

최근 가야사에 대한 관심이 높아 가고 있다. 이러한 때 이 책이 발간되게 되어 기쁘다. 정치와 역사 저술의 목적이 전혀 다른 것 같지만 실상은 그렇지 않다. 예부터 역사는 정치를 하는 거울로 여겼다. 중국 송(宋; 960~1279)나라 사람 사마광(司馬光; 1019~1086)은 정치의 바탕을 역사를 통해서 찾아볼 수 있을 것이라고 여겼다. 방대한 양의 역사서 『자치통감(資治通鑑)』은 그러한 생각에서 쓰여 진 것이다.

정치권의 역사에 대한 관심은 반길만한 것이다. 그러나 주의를 할 필요도 있다. 역사 연구는 사실(史實)을 바탕으로 하여야 하며, 연구의 목적도 순수하여야 한다. 그래야만 역사를 통하여 현실을 직시할 수 있고, 보다 나은 미래로 나아 갈 수도 있는 것이다.

이 책은 함안군에서 주관하고 (사)부경역사연구소와 (재)한국산업관계연구원이 공동으로 주관한 제9회 아라가야 학술회의의 결과물이다. 2017년 11월 21일(화) 함안문화예술회관 다목적홀에서 함안 군민들과 관련 학자들이 모인 가운데 발표와 토론의 형식으로 5시간 동안 학술회의를 진행하였다. 주제는 '아라가야의 위상과 국제관계'였다. 학술회의 후 정리된 내용은 부경역사연구소에서 발간하는 학술지 『지역과 역사』 42호(2018년 4월 30일 간행)에 특집호로 편집하여 내기로 하였다. 그런데 『지역과 역사』는 한국연구재단 등재지로서 유력 학술지이긴 하나, 독자층이 전문가들에게만 한정적이라는 지적이 있었다. 이에 전문 학술지와는 별도로 일반인들도 쉽게 접할 수 있는 단행본을 출판하기로 의견을 모았다.

책의 이름을 "안라(=아라가야)의 위상과 국제관계"로 하였다. 안라(安羅)는 아라가야(阿羅伽耶)를 의미한다. 지금의 함안시역에 존재했던 가야의 국명을 우리는 아라가야로 알고 있지만, 가야 당대에는 아라가야라는 나라 이름을 사용하지 않았다. 이는 후대(신라 말 또는 고려 초)에 생겨난 이름이다. 아시량(阿尸良), 아라(阿羅), 아나(阿那), 안라(安羅) 등이 당시 국명을 표현한 것들이다. 이들은 모두 우리말 '아ㅅ라'라는 나라를 표기한 것이다. 현대 음을 기준하여 볼 때 사잇 시옷은 'ㄹ'받침의 음가를 나타내는 것이므로 '아ㅅ라'는 '알라'로 읽혀진다. '알라'의 음차자로 가장 가까운 것이 '安羅'이다. 따라서 함안 지역에 있었던 국명으로는 '安羅' 또는 '安羅國'으로 표기함이 가장 적절하다고 생각한다. 그러나 현재 아라가야라는 국명이 일반화되어 있음으로 독자들의 이해를 돕기 위해 둘을 병기했다. 책 내용에서도 어떤 필자는 안라를 어떤 필자는 아라가야를 사용하고 있다. 본서에서는 이를 통일하지 않고 그대로 두었다. 이 또한 안라(=아라가야) 연구의 현실이기 때문이다.

이 책의 구성은 5편의 논고로 이루어 졌다. 이러한 구성은 3번에 걸친 학술 자문회의에서 토론을 거쳐 이루어졌다. 각 주제 설정의 목적은 그동안의 안라사 연구를 되짚어 보고, 향후 연구의 지향점을 도출하는 것에 두었다. 아울러 전체 가야사 속에서 안라사가 차지하는 위상에 대해서도 살펴보기로 하였다. 이에 고고학과 문헌학에서의 정리를 각 각 1편씩 준비하였다. 이주헌과 백승옥의 글이 이에 해당한다. 그리고 안라의 형성과 영역 변화에 대해서 고고학적으로 살펴보는 내용을 추가 했다. 이동희의 글이다. 안라는 바다 건너 왜(倭)와 활발한 교류를 하였다. 이에 대한 고고학과 문헌학의 글을 준비하였다. 하승철과 다나카 도시아키(田中俊明)의 논고가 그것이다.

가야사 연구는 그 연원이 짧은 것은 아니다. 그러나 일반 시민들이 이해하기 쉬울 정도로 일목요연하게 정리가 되어 있지는 않다. 근본적인 이유는 사료가 태부족이라는 점이다. 한국고대사 연구의 기본사서인 『삼국사기』에서의 가야는 신라와 백제의 주변 역사로서 단편적으로만 나와 있다. 『삼국유사』에는 「가락국기」가 실려 있지만 가야사 전체 역사가 아닌 경남 김해에 존재했던 가락국만의 역사를 소략히 정리하고 있을 뿐이다. 부족한 문헌 사료를 뒷받침해 줄 수 있는 유물과 유적은 상대적으로 많다고 할 수 있다. 하지만 고고학적 자료는 역사적 사실을 직접 말해 주는 것은 아니다. 검증과 검토를 거쳐 자료로서의 활용도를 높이는 단계에 있다고 할 수 있다.

가야사 정리가 제대로 안된 이유가 사료 부족에만 있었던 것은 아니다. 근대적 역사 연구 방법론을 통해 가야사를 처음 연구한 사람들은 일본인들이었다. 그런데 그들의 연구 목적은 순수하지 못했다. 한반도 조선에 대한 식민지 개척의 명분을 학술적으로 뒷받침하기 위해 연구를 진행하였다. 따라서 정치적 목적을 가진 가야사 연구는 애초부터 바른 길을 걸을 수 없었다. 권력에 영합하여 줏대 없이 행동하는 것을 어용(御用)이라고 한다. 일본 제국주의 어용학자들에 의한 가야사 연구는, '고대 일본의 대화정권(大和政權)이 4세기부터 6세기까지 약 200년 동안 한반도 남부지역을 지배 통치하였다'는 이른바 '임나일본부설(任那日本

府說)'을 낳게 되었다. 이는 일제의 조선침략을 미화시키는 논리가 되었다. 임나일본부설에 의거하면 침략은 침략이 아니었다. 옛 땅을 회복한다는 명분으로 작용하였다. 또한 국수주의를 부추기는 주요한 원동력이 되었다. 가야사는 이러한 일제 식민사관의 폐해를 입었다. 이로 인해 가야사는 당연히 처음부터 본래의 모습이 아닌 왜곡된 모습으로 태어날 수밖에 없었다.

이러한 폐해를 가장 심하게 받은 것이 안라사라고 할 수 있다. 함안 지역에 대한 일본인들의 고고학적 발굴조사도 임나일본부설을 물증으로 확인하기 위해 이루어졌다. 『일본서기』 속의 임나일본부 기사는 안라에 집중되어 있다. 그러나 이제는 새로운 연구가 이루어져야 한다. 임나일본부설로 왜곡되었던 안라사의 자리에 올바른 안라사를 정립해야 한다. 그리고 안라사는 안라사만으로 끝내서는 안 된다. 전체 가야사의 복원, 나아가 한국고대사의 정립에도 기여하여야 한다. 이를 위해서는 안라사 정립을 위한 중장기 계획이 필요하다. 그리하여야 임나일본부라는 괴물에 의해 100년 이상 허송세월한 시행착오를 다시는 겪지 않게 된다. 무엇보다 중요한 것은 함안 군민들을 비롯한 국민들의 꾸준한 관심과 참여이다.

2018년 5월 일

집필자를 대표하여

백승옥 씀

차 례

加耶史 연구의 흐름과 安羅國史

백승옥 국립해양박물관

Ⅰ. 머리말

최근 가야사 연구가 활기를 띠고 있는 듯하다. 문재인 대통령이 가야사에 대해 언급한 이후, 가야사 연구가 국정 과제에 들어가면서부터 문화재청과 관련 지방자치단체가 연구에 앞장을 서고 있다.[1] 어쨌든 가야사 연구의 진척을 위해서는 반길 일이다. 또한 가야고분군 세계유산 등재를 위한 연구도 활발하다.[2]

함안군도 가야사 연구 대열에서 빠질 수 없는 곳이다. 사실 함안이 가진 가야문화유산의 양과 질에 비해, 그동안 그 연구대상에서는 홀대 받아온 느낌이다. 가락국(=금관가야)과 가라국(=대가야)의 故地 김해와 고령에 비교해 보면 더욱 그러하다.

회고해 보면, 원래 함안은 지역민들이 중심에 되어 가야사를 연구한 발상지였다. 아라가야향토사연구회가 1996년 이후 매년 발간한 『安羅國古城』(1996), 『함안 고인돌』(1997), 『安羅國關係論文集』(1997), 『安羅古墳群』(1998) 등은 매우 의미 있는 성과들이었다.[3] 이러한 사업들이 더 이상 발전

---

1 김해시, 『가야사와 가야불교사의 재조명』, 동국대학교 세계불교학연구소 제8차 학술대회, 2017. 가야문화권 지역발전을 위한 포럼, 『잊혀진 가야사 -영호남 소통의 열쇠로 거듭나다-』, 가야문화권 지역발전 시장 · 군수 협의회, 2017. 양산시, 『양산에서 가야의 숨결을 찾다』, 양산의 고대사 정립과 가야문화연구를 위한 학술토론회, 2017.

2 경남발전연구원, 『가야고분군 세계 유산적 가치 비교연구』, 가야고분군 세계유산 등재추진 학술대회, 2017.

3 아라가야향토사연구회, 『安羅國古城』, 유적답사자료 총서 1집, 1996; 『함안 고인돌』, 유적답사자료 총서 2집, 1997; 『安羅國關係論文集(1)』, 1997; 『安羅古墳群』, 유적답

적으로 계승되지 못했음은 안타까운 일이다. 2000년대 이후 김해시와 고령군이 가야사 연구에 쏟아 부은 예산과 열정을 비교해 보면 더욱 그러하다.

무슨 일이든 준비와 계획이 충분하지 못하면 실패하기 쉽다. 그래서 향후 안라국사 연구의 중장기적 계획이 필요하다. 이를 위해서는 그동안 연구가 어떻게 진행되어 왔으며, 전망은 어떠한가에 대해서 살펴볼 필요가 있다. 본 발표의 목적은, 가야사 연구의 흐름과 안라국사 전개과정을 정리하여 살펴봄으로서, 앞으로 해결해야 할 과제가 무엇인지를 명확히 하는 데에 있다.

Ⅱ. 가야사 연구의 흐름

광복 후 가야사 연구의 큰 흐름은 일제 식민주의 사관에 의해 왜곡된 역사상을 바르게 잡는 방향으로 나아갔다. 소위 임나일본부설의 극복 문제는 거의 모든 연구자들의 뇌리 속에 있었다. 식민주의 사관의 극복문제는 결코 도외시되어서는 안 되는 것이기도 했지만, 객관성과 과학성을 담보하는 연구경향과는 일정한 거리가 있었던 것도 사실이다.

60년대, 70년대의 가야사 연구는 임나일본부의 고수 및 변용으로의 연구와 이를 반박하는 연구들로 이루어져 왔다. 김석형의 '삼한 분국론'은 임나일본부를 전면적으로 부정하는 획기적인 연구이다. 하지만 충분한 검

사자료 총서 3집, 1998.

토없이 북한의 정치적 상황과 궤를 같이하여 하나의 시각으로 오늘날까지 일관되고 있다. 북한의 연구가 공동연구방식을 취한 반면 남한학계의 연구는 개별연구방식을 취하였다. 따라서 다양한 시각에 의한 연구가 진행되었다. 남한학계, 북한학계, 일본학계는 각각 그들이 가지고 있는 미묘한 역사인식의 차이로 인해 가야사 연구는 객관성을 상실할 수밖에 없었다.

70년대 후반 이후 고고학적인 성과는 가야사 연구에 큰 진전을 보게 되었다. 김정학에 의해 시도된 문헌사학과 고고학과의 접합은 이후 가야사 연구에 있어서는 필수적인 사안으로 자리잡게 되는 것이다. 그리고 애초 쓰에마츠 야스카쓰(末松保和)의 임나일본부설은 극복된 것처럼 보였다. 그리고 80년대 이후 미・소 냉전체제 붕괴는 가야사연구의 국제화를 가져와 동북아시아 4국의 학문적 교류를 원활히 하는 계기가 되었다. 이는 보다 객관적 시각에서 가야사를 연구할 수 있는 토대를 가져왔다고 할 수 있다. 그러나 아직도 한반도는 분단된 상태로 존재하며 그러한 상태 속에 사는 사람들의 인식차이 또한 존재한다.

방법론에 있어 70년대의 연구가 기본 문헌자료에 고고학적 연구성과를 원용한 단계라고 한다면, 80년대는 그러한 바탕 위에 『일본서기』의 가야 관계기사 내용을 적극적으로 이용하기 시작한 단계라고 할 수 있다. 광복 이전 소위 임나일본부설의 주요 근거로 작용했던 『일본서기』는 그 동안 터부시 되어왔던 것이 사실이다. 그러나 우리 측 문헌 자료가 매우 영세하기 때문에 상대적으로 풍부한 『일본서기』의 내용은 결코 버릴 수 없는 사료들임에는 틀림없다. 다만 흔히들 '복어'에 비유하듯 철저한 사료 비판이 전제되지 않으면 위험성이 높은 것도 사실이다.

80년대에 접어들어 가야사는 가야 자체 역사를 우선시해야 된다는 당위성의 제창과 함께 새로운 시각의 연구 방향이 설정되었다. 가야 각국사에 대한 주목이다.[4] 이는 그 동안 올바른 방향성의 결핍 상태에 있던 가야사 연구에 있어서 획기적이라 할 정도로 중요성을 갖는 것이지만 충분한 성과를 거두었다고는 볼 수 없다. 자료의 영세성에 기인한 것이지만 논리의 비약도 눈에 띠이며, 각 지역마다의 기초연구도 결핍되어 있기 때문에 애초 기대했던 성과에는 미치지 못한 것이었다.

가야사의 해명에 있어서 영세한 문헌기록은 연구에 있어 기본적인 한계로 작용하고 있다. 이를 보완해 줄 수 있는 것이 고고학적인 연구 성과이다. 그러나 상대적으로 많은 고고학적인 자료도 충분한 검토와 식견없이 사용하는 한에 있어서는 문제를 오히려 미궁 속에 빠뜨리는 결과를 초래할 우려도 있다. 이러한 점은 우려만으로 거치는 것이 아니라 직접 나타나는 현실임은 가야사 관계논문들을 천착해 보면 실감할 수 있는 일이다.

90년대에 들어와 가야사는 비로소 한국고대사상에서 삼국사와 어깨를 나란히 할 정도는 아니라 할지라도, 어깨를 견줄 정도는 되었다. 혹자는 이를 시민권을 획득하였다고 표현하기도 한다. 이러한 상황은 한국사 연구에 있어서 이른바 제3세대들의 활약에 의해 만들어 질 수 있었다. 김태

---

4 부산대학교 한국민족문화연구소 · 가야사 정책연구위원회, 『가야각국사의 재구성』, 혜안출판사, 2000. 백승옥, 『加耶 各國史 硏究』, 혜안출판사, 2003.

식, 백승충과 더불어 일본 유학에서 돌아온 李永植,[5] 延敏洙,[6] 李根雨[7] 등이 그들이다. 이들은『일본서기』를 보다 정치하게 분석하여 임나일본부의 해명과 고대한일관계사의 연구뿐만 아니라 가야를 중심에 둔 가야사 연구에도 노력을 경주하였다.

90년대 들어 새로운 연구경향의 하나는 가야 각 개별국에 대한 구체적 연구가 제출되기 시작하였다는 점이다. 咸安의 阿羅加耶에 대한 연구를 진척시킨 權珠賢과[8] 昌寧의 比斯伐加耶에 대한 연구를 진척시킨 白承玉의

5 李永植,「伽倻諸國의 國家形成問題 -「伽倻聯盟說」의 再檢討와 戰爭記事分析을 中心으로-」『白山學報』32, 1985;「6세기 중엽의 加耶와 倭」『加耶史論』, 고려대학교 한국학연구소, 1993;「百濟의 加耶進出過程」『韓國古代史論叢』7, 1995;「六世紀 安羅國史研究」『國史館論叢』62, 1995;『加耶諸國と任那日本府』, 吉川弘文館, 1993.

6 延敏洙,「六世紀前半 加耶諸國을 둘러싼 百濟・新羅의 動向 - 소위 '任那日本府'說의 究明을 위한 序章 - 」『新羅文化』7, 東國大學校 新羅文化研究所, 1990;「任那日本府論-소위 日本府官人의 出自를 중심으로-」『東國史學』24, 1990;『고대한일관계사』, 혜안, 1998.

7 李根雨,「日本書紀 任那關係 記事에 관하여」『清溪史學』2, 1985;「百濟本記와 任那問題」『加羅文化』8, 慶南大 加羅文化研究所, 1990;「6世紀代 加耶諸國의 국가구조에 대한 試論」『加耶와 新羅』, 김해시, 1998.

8 權珠賢,「阿羅加耶의 成立과 發展」『啓明史學』4, 1994;「安邪國에 대하여」『大邱史學』50, 1995.

9 논고를 시발로 김태식,[10] 이형기,[11] 노중국(등),[12] 조인성[13] 등의 연구결과가 있다. 地域史硏究의 일환이기도 한 가야 각국사에 대한 연구는 가야사연구를 보다 구체화시켰다는 점에서 이후 가야사연구에 있어서 새로운 방향을 제시한 것이었다고 평가 할 수 있다. 이외에도 가야사 연구자로서 李熙眞,[14] 南在祐,[15] 이용현[16] 등이 있다.

90년대 고고학계의 특징은 재단 등의 형태로 등장한 발굴 전문 단체들이다. 영남 매장연구원, 경남문화재연구소, 경상북도문화재연구원 등이 그들이다. 이러한 단체들의 성립 배경은 국토개발 등으로 인한 발굴용역 건수의 증가와 더불어 문화에 대한 국민의식의 성숙이었다. 정부도 문화

---

9 白承玉,「新羅・百濟 각축기의 比斯伐加耶」『釜大史學』15・16合, 1992;「比斯伐加耶의 形成과 國家的 性格」『韓國文化硏究』7, 1995;「「卓淳」의 位置와 性格 -『日本書紀』관계기사 검토를 중심으로 -」『釜大史學』19, 1995;「固城 古自國의 형성과 변천」『韓國 古代社會의 地方支配』, 韓國古代史硏究會編, 신서원, 1997.

10 김태식,「咸安 安羅國의 成長과 變遷」『韓國史硏究』86, 1994.

11 이형기,「非火伽耶에 對한 一考察」영남대학교 대학원 석사학위논문, 1994;「小伽耶聯盟體의 成立과 그 推移」『民族文化論叢』17, 영남대학교 민족문화연구소, 1997;「星山伽耶聯盟體의 成立과 그 推移」『民族文化論叢』18・19合輯, 영남대학교 민족문화연구소 1998;「阿羅伽耶聯盟體의 成立과 그 推移」『史學硏究』57, 한국사학회, 1999;『大加耶의 形成과 發展 硏究』, 경인문화사, 2009.

12 盧重國,「大伽耶의 政治・社會構造」『加耶史硏究 -대가야의 政治와 文化-』, 慶尙北道, 1995.

13 趙仁成,「6世紀 阿羅加耶(安羅國)의 支配勢力의 動向과 政治形態」『加羅文化』13, 1996.

14 이희진,『加耶政治史硏究』, 學硏文化社, 1998.

15 南在祐,「安羅國의 成長과 對外關係 硏究」成均館大學校 大學院 博士學位論文, 1998;『安羅國史』, 2003, 혜안출판사.

16 李鎔賢,「五世紀末における加耶の高句麗接近と挫折-顯宗三年紀是歲條の檢討-」『東アジアの古代文化』90, 1997・冬;「加耶諸國の權力構造-「『任那』復興會議を中心に一」『國史學』164, 1998;「加耶의 姓氏와 '金官國'」『史叢』48, 1998.

재 보호법을 개정하여 일정규모 이상의 국토개발 현장은 사전 조사를 의무화하였다.

한편, 1995년 6월 27일부터 수많은 우여곡절 끝에 실시된 본격적인 지방자치제는 옛 가야가 있었던 지역을 중심으로 가야사에 대한 관심이 높아졌다. 김해시와 고령군의 경우 해마다 학술대회를 개최하였다.

1993년 경상북도의 지원에 의해, 1995년 발간된 『加耶史硏究 - 대가야의 政治와 文化 -』는 가야사 연구에 중요한 성과물이었다고 평가된다. 한국고대사학회 소속 10명의 연구자들의 공동 작업에 의해 만들어진 이 책은, 비록 대가야에 한정된 연구이긴 하지만, 대가야의 역사 지리적 환경, 정치와 사회, 사상과 신앙, 고분문화 등 총체적으로 조명한 연구로서 이후 연구에 있어서 모범을 보인 연구들이라 할 수 있다.

김해에 본관을 둔 성씨들 종친회가 중심이 되어 설립한 재단법인 가락국사적개발연구원의 가야사 연구 지원 사업도 활발히 이루어 졌다. 『한국고대사논총』 10권의 내용 속에는 가야 관련 중요 연구 성과가 담겨 있다. 『가야고고학논총』 1(1992)과 2(1997)는 이 시기 가야고고학의 수준을 보여주는 성과물로 볼 수 있다. 사료에 대한 역주 작업도 진행되었는데, 『譯註韓國古代金石文』 1~3(1992), 『日本 六國史 韓國關係記事 原文』(1994)과 『日本 六國史 韓國關係記事 譯註』(1994)도 연구원의 지원 하에 이루어졌다.

2000년대 들어 가야사 연구는 가야사정책연구위원회와 한일역사공동연구위원회의 연구 성과가 주목된다. 가야사정책연구위원회는 당시까지 축적되어 온 가야사의 연구 성과를 종합·정리하여 가야사 연구를 진작시키고, 가야지역의 각종 문화유산을 연구자와 일반 시민들이 쉽게 접근하여 활용할 수 있도록 그 토대를 마련하기 위해 만들어진 조직이었다. 당시 교육인적자원부의 지원이 이루어진 이 위원회는 『가야사연구 및 교육에 대한 정책연구』 외에 『가야 각국사의 재구성』(2000, 혜안출판사), 『한국 고대사 속의 가야』, 『학교교육과 사회교육으로서의 가야사』, 『가야 고고학의 새로운 조명』, 『가야의 유적과 유물』(2003, 학연문화사), 『가야, 잊혀진 이름 빛나는 유산』(2004, 혜안출판사) 등의 성과물을 내었다.

한일역사공동연구위원회는 2001년 한국과 일본 양국 정상의 합의에 의해, 양국 간 이견을 빚고 있는 역사현안에 대해 양국의 전문가들이 공동으로 연구하는 한국 측 위원회로서, 2002년 탄생했다. 2005년 최종보고서를 제출함으로서 활동을 마친 위원회는 그 결과를 10권의 연구논집으로 출판하였다. 그 가운데 가야사와 관련된 것은 제1권, 『광개토대왕비와 한일관계』(2005, 경인문화사), 제2권, 『왜 5왕 문제와 한일관계』(2005, 경인문화사), 제3권, 『임나 문제와 한일관계』(2005, 경인문화사)이다.

김해시도 가야사 연구 사업에 많은 노력을 경주하였다. 학술대회의 결과물인 『加耶史論集』 1(1998)를 비롯하여 현재까지 해마다 학술대회의 개최와 논문집 발간에 지원을 하고 있다. 2017년의 주제는 '가야인의 불교와 사상'이었다.[17] 대가야의 故地, 고령군의 대가야박물관도 매년 학술회의를 연 다음 그 결과물을 꾸준히 내고 있는데, 올해까지 11회의 대가야사 학술회의를 개최하였다.[18] 다라국의 고지인 합천박물관에서도 2005년 제 1회

17 인제대학교 가야문화연구소, 『가야인의 불교와 사상』, 제23회 가야사국제학술회의 자료집, 2017.

18 고령군 대가야박물관, 『쟁점 대가야사 - 대가야의 국가발전 단계』, 제11회 대가야사 학술회의 자료집, 2017 : 『대가야 문물의 생산과 유통』, 대가야 학술총서 10, 2016 : 『대가야의 고분과 산성』, 대가야 학술총서 9, 2014 : 『대가야의 정신세계』, 대가야 학술총서 7, 2009 : 『5~6세기 동아시아의 국제정세와 대가야』, 대가야 학술총서 5, 2007 : 『악성 우륵의 생애와 대가야의 문화』, 대가야 학술총서 3, 2006 : 『大加耶와 周邊諸國』, 대가야 학술총서 1, 2002.

학술회의를 시작으로 가야사를 밝히는 사업을 잇고 있다.[19] 부산의 복천박물관에서도 가야 관련 전시와 시민강좌, 학술회의를 열고 있다.[20] 대학에서의 연구 성과도 주목된다. 인제대학교 가야문화연구소에서는 학술대회와 그 내용을 묶은 연구서를 내었는데,『加耶諸國의 王權』(1997, 신서원) 등이 있다. 함안군에서도 부정기적으로 학술대회를 개최하는 등 관심을 가졌다.[21] 이에서 발표된 논고들은 가야사 연구의 폭과 깊이를 더 하게 되었다.

2002년,『미완의 문명 7백년 가야사』 3권을 출판한 김태식은,[22] 그 이후 쓴 논문을 모아 또 다시 3권의 연구서를 내 놓았다.[23] 사국시대라는 시대 명칭이 가야사를 중시해야 된다는 점에서는 반가운 일이긴 하다. 그러나 가야제국의 존재 형태가 단일의 연맹체나 하나의 國으로 통합되지 못한 상태이기 때문에 그 명칭이 적합하다고 보기는 어렵다.

反연맹체론자인 이영식은 그간 개인의 연구 성과를 집대성한『가야제국사연구』를 최근 출간했다.[24] 書名에서도 알 수 있듯이 가야는 통합되지 못한 채 개별 각국별로 존재하다가 각각 멸망된 것으로 보고 있다. 남아있

---

19 합천군,『고분연구에 있어서 옥전고분군의 위상』, 제1회 다라국사 학술회의 자료집, 2005.

20 복천박물관,『수영강에서 꽃핀 부산문화』, 복천박물관 특별기획전 도록, 2017;『가야의 고고학』, 제6기 고고학 시민강좌 자료집, 2013.

21 함안군,『고대 함안의 사회와 문화』, 함안박물관-함안문화원, 2011;『安羅國(=阿羅伽耶)의 發展과 對倭交涉』, 부산대학교 한국민족문화연구소, 2013 :『안라국(=아라가야)과 '임나일본부'』, 부산대학교 한국민족문화연구소, 2014.

22 김태식,『미완의 문명 7백년 가야사』 1~3권, 푸른역사, 2002.

23 김태식,『사국시대의 가야사 연구』,『사국시대의 사국관계사 연구』,『사국시대의 한일관계사 연구』(이상 모두, 서경문화사, 2014)

24 이영식,『가야제국사연구』, 도서출판 생각과종이, 2016.

는 관련 자료들로 보아 가야제국의 존재형태는 가야 고총고분이 존재하는 한 지역을 단위로 존재했을 가능성이 높다.

보고서 형태로 출간된 것이지만 2014년의 『가야문화권 실체 규명을 위한 학술연구』 성과가 있다.[25] 이 연구에 참가하기도 한 신라고고학 전공자인 이희준은 그동안 가야고고학에 꾸준한 관심을 보여 왔는데, 이를 모아 『대가야고고학연구』를 발간하였다.[26]

이상 살펴본 가야사 연구의 흐름을 보더라도 함안의 안라국사 연구는 활발히 이루어졌다고는 볼 수 없다. 그 원인은 결국 관심의 부족이었다고 생각한다.

Ⅲ. 안라국사의 전개

1. 安邪國과 국명의 표기

가야의 전신인 변한 12國은 『삼국지』 위서 동이전 한조에 보인다. 그 가운데 安邪國을 '弁辰安邪國'으로 기록되어 있어 변한 종족이 주종을 이루는 나라임을 알 수 있다. 현 함안지역에 존재했던 소국으로 비정한다. 삼한 소국들 중에서도 비교적 세력이 큰 나라들에게는 '加優呼'했는데, 안야

---

25 주보돈 등, 『가야문화권 실체 규명을 위한 학술연구』, 가야문화권 지역발전 시장·군수협의회, 2014.

26 이희준, 『대가야고고학연구』, 사회평론, 2017.

국의 경우 그에 해당했다.[27] 삼한 소국의 수장들에게 일반적으로 붙이는 명칭은 臣智였다. 그런데 그들 가운데 우월한 신지들에게는 그 우월함을 나타내는 별도의 호칭을 첨가했던 것이다. 안야국의 신지에게 붙인 것은 '踧支'였다. 이는 안야국 신지의 경우, 안야국 뿐만 아니라 주변의 소국을 아우르는 지역연맹체의 수장 역할을 했을 것으로 판단한다. 그러한 지역연맹체를 안야지역연맹체라고 불러도 좋을 것이다.

안야국이 지역연맹체단계를 거쳐 지역국가[28] 단계인 安羅로 성장하게 된다. 그 국명은 다음과 같이 보이고 있다. 『삼국사기』 지리지에는 阿尸良國과 阿那加耶로 나타난다.[29] 『삼국사기』 열전 물계자전에는 阿羅國으로, 『삼국유사』 오가야조에는 阿羅伽耶, 『일본서기』에서의 安羅[30] 阿羅,[31] 등의 모습으로 보인다. 『양직공도』의 前羅[32]를 安羅로 보는 설도 있다.[33] 그

27 『三國志』 韓條, "(上略) 臣智或加優呼 臣雲遣支報 安邪踧支 濆臣離兒不例 拘邪秦支廉之號."

28 지역국가의 개념에 대해서는 백승옥, 「加耶諸國의 존재형태와 '加耶地域國家論'」 『지역과 역사』 제34호, 2014 : 「가야 '연맹체설'의 비판과 '지역국가론' 제창」 『쟁점 대가야사, 대가야의 국가발전 단계』, 제11회 대가야사 학술회의, 2017 참조.

29 『三國史記』 卷34, 雜志3 康州 咸安郡條, "咸安郡 法興王以大兵滅阿尸良國[一云阿那加耶] 以其地爲郡 景德王改名 今因之 領縣二 玄武縣 本召彡縣 景德王改名 今召彡部曲 宜寧縣 本獐含縣 景德王改名 今因之."

30 『日本書紀』에 보이는 安羅 용례는 모두 33예이다. 맨 처음 나오는 곳은 神功紀 49년조이다. 소위 가야 7국 평정기사 속에 보인다. 이외 繼體紀에 6회, 欽明紀에 26회(安羅, 安羅日本府, 安羅人, 安羅王, 安羅國 등의 형태로 보임)이다. 광개토태왕릉비문 속에서는 '安羅人戍兵'의 형태로 보이는데, 모두 3회 보인다. 그러나 이를 국명으로 보지 않고 '安'를 동사로 해석하는 설도 있다.

31 安羅國을 지칭하는 阿羅는 欽明紀에 1회, 推古紀에 1회 보이고 있다.

32 『梁職貢圖』, 百濟國使臣圖經, "普通二年(521)其王餘隆遣使奉表云 (中略) 旁小國有叛波 卓 多羅 前羅 斯羅 止迷 麻連 上己文 下枕羅等附之."

33 金泰植, 「6세기 전반 加耶南部諸國의 소멸과정 고찰」 『韓國古代史研究』 1, 1988,

러나 경북 慶山의 押督國으로 비정하는 설과[34] 김해 南加羅로 비정하는 설[35] 등이 있어 안라의 또 다른 표기로 보기는 어렵다.

이들 중 '某가야'의 형태는 가야연맹 존재 당시의 이름이 아니라 新羅末 高麗初에 생겨난 이름으로 추정한 견해[36]가 타당하다고 인정되며, 阿尸良에서의 '尸'는 古語에 사잇 시옷 'ㅅ'의 표기로 阿尸良은 '아ㅅ라'를 표기한 것이고, 이는 阿那, 또는 阿羅로도 표기된 것으로 보인다.[37] 따라서, 阿尸良, 阿羅, 阿那, 安羅, 등은 모두 '아ㅅ라'라는 國을 표기한 음차 혹은 훈차한 것으로 볼 수 있다. 현대음을 기준하여 볼 때 사잇 시옷은 'ㄹ'받침의 음가를 나타내는 것이므로 '아ㅅ라'는 '알라'로 읽혀진다.[38] '알라'의 음차자로 가장 가까운 것은 '安羅'로 보여지므로, 현 함안 지역에 있었던 국명으로는 '安羅' 또는 '安羅國'으로 표기함이 가장 적절한 것으로 여겨진다.

204쪽의 주97.

34 李弘稙, 「梁 職貢圖 論考 - 특히 百濟國 使臣 圖經을 중심으로 -」『高大60周年紀念論文集(人文科學篇)』, 1965; 『韓國古代史의 硏究』, 新丘文化社, 1971, 416~417쪽.

35 武田幸男, 「文獻よりみた伽耶」『伽耶文化展』, 東京國立博物館, 1992, 16쪽의 有力伽耶諸國名の對照表.

36 金泰植, 「加耶의 社會發展段階」『한국 고대국가의 형성』, 한국고대사연구회편, 1990, 55~56쪽.

37 金廷鶴, 「加耶史의 硏究」『史學硏究』 37, 1983, 57쪽.

38 '尸'가 外破의 r, 즉 rV의 표기에 차용됨은 李炳銑, 『韓國古代國名地名硏究』, 螢雪出版社, 1982, 213~223쪽 참조.

2. 성장의 계기와 권역

1) 성장의 계기

安邪國이 소국 단계에서 지역연맹체로 나아가는 시점은 타 지역연맹체보다 조금 빨랐을 가능성은 있다. 이는 김해의 남가라 지역연맹체의 경우도 마찬가지인데, 이들은 모두 삼한시기부터 두각을 나타냈던 國들이다. '桓靈之末 韓濊彊盛 郡縣不能制 民多流入韓國'의 기사를 중시한다면, 後漢 말 이미 삼한의 주요 중심국들은 주변에 있는 소국들과 통합 또는 연맹을 추진하였을 것으로 보인다. 따라서 가야지역에 있어서 지역연맹체의 본격적 형성은 3세기 중·후엽 무렵부터라고 하더라도, 김해와 함안 지역에 있어서는 2세기 말엽 경으로 소급시켜 볼 수 있을 것이다.

安羅가 가야제국 중 비교적 강력한 國으로 성장하게 된 것은 주변 소국을 병합하면서 부터라고 보아야 할 것이다. 칠원의 漆浦國은 浦上八國의 일원이었는데, 포상팔국 전쟁 이후 함안의 안라에 복속된 것으로 보인다. 또한 진동만을 통해 해안으로도 진출했을 것으로 보인다. 3세기 중·후엽에서 4세기 전반대의 시기에 일어났던 浦上八國 전쟁의 결과 安羅는 획기적 성장을 이루게 되었던 것이다.[39]

浦上八國이 모의하여 阿羅國을 공격하자 아라국이 신라에 사신을 보내어 구원을 요청하고, 신라는 이에 王孫인 㮈音으로 하여금 近郡 및 六部의 軍隊를 보내어 팔국의 兵을 물리치고 아라국을 구하는 상황이 이른바 1차 포상팔국 전쟁의 내용이다. 비록 신라의 도움이 있기는 하였으나 결과적

---

39 포상팔국 전쟁에 대해서는 백승옥, 「포상팔국 전쟁과 지역연맹체」『가야의 포구와 해상활동』, 인제대학교 가야문화연구소·김해시, 2011 참조.

으로는 安羅가 포상팔국을 물리치고 승리하였다. 安羅는 浦上八國연맹과의 힘의 비교에서 결코 뒤지지 않았던 것으로 보인다.

이후 安羅國 성장의 계기도 이 전쟁에서 구할 수 있을 것 같다. 浦上八國이 전쟁을 일으킨 목적은 安羅지역으로의 진출이었다. 그들이 가지고 있는 입지조건상 교역에는 좋은 조건을 가지고 있었지만, 海上으로부터의 외세 침입에 대비할 수 있는 안전지대와 농경지의 확보, 내륙지역에 대한 교역망의 확보가 필요했던 것이다. 浦上八國은 이러한 조건을 보충하기 위해, 그들 주변에 있으면서 호조건을 갖춘 安羅로 진출하고자 했던 것이다.

그러나 결과는 浦上八國의 패배로 나타났다. 이는 역으로 戰勝國 安羅의 해안으로의 진출과 함께 浦上八國 중의 일부 국이 安羅의 영향권 속에 들어오는 결과를 가져왔다. 3세기 중 · 후엽~4세기 전반 대 安羅의 성장은 이러한 전개 과정 속에서 이루어지게 되었던 것이다. 즉, 칠원 지역의 장악과 진동만으로의 진출은 安羅가 바다를 통해 해외로 나아갈 수 있는 발판 마련에 성공한 것으로 볼 수 있는 것이다. 이후 安羅國은 이미 확보하고 있던 성장 잠재력 위에 浦上八國이 가지고 있던 장점이 결합됨으로 해서 급속한 성장을 이루는 것으로 보인다.

4세기 대 이후 함안지역에서 南加羅圈 뿐만 아니라 新羅系 및 倭系 등 외래계 토기문화의 양상이 다양하게 보이는 것도[40] 해상을 통한 교역이 가능했던 까닭이었다. 그리고 지역연맹체에서 고대국가로의 성장은 연맹 지역에 대한 장악력의 강화 속에서 이루어졌을 것이다. 安羅의 경우 그 시기는 5세기 전반 대 이후로 생각된다. 그 논거는 말이산고분군 속의 고총

40 이주헌, 「阿羅伽耶에 대한 考古學的 檢討」『가야각국사의 재구성』, 혜안, 2000, 265~283쪽.

고분 축조 시점을 기준한 것이다.

安羅國 지배층의 묘역으로서 고총고분군 형성이 갖는 정치 사회적 의미는 크다. 이는 4세기 대 이전 함안과 그 외곽지역에서 보이는 묘역의 형성과는 차원을 달리하는 것이다. 고총고분의 축조는 피지배층에 대한 지배층의 배타적 이데올로기가 작용한 것이다. 또한 분산되어 있던 권력이 집중화를 보여주는 한 표징이며, 지배자 혹은 권력자 개인의 존재가 아닌 지배계층의 출현을 보여주는 것이다.[41]

2) 圈域

권역은 史的 전개 과정에 따라 변화한다. 따라서 시기별로 구분해서 볼 필요가 있다. 安羅國의 권역도 마찬가지이다. 小國단계에서는 함안 분지에 머물러 있었을 것이다. 주변 지역으로의 진출, 즉 칠원 지역과 鎭東灣으로의 진출은 4세기 전반 이후 浦上八國 전쟁에서 승리한 후에 이루어졌을 것으로 보인다.

『日本書紀』의 기록으로 보아 6세기 대 安羅國은 동북쪽으로 낙동강을 경계로 신라와 대치하고 있었음을 알 수 있다.[42] 그리고 신라의 군현설치가 복속지역의 사정을 고려한 것으로 본다면 咸安郡의 속현으로 편재된 玄武縣과 宜寧縣 지역을 安羅 말기의 권역으로 볼 수 있을 것이다.[43] 현무현은 지금의 함안 군북지역이며, 의령현은 지금의 의령읍 일대이다.

---

41 백승옥, 「가야의 왕릉급 고분에 대한 역사적 해석」『韓國古代史研究』 88, 2017, 151~159쪽.

42 『日本書紀』卷19, 欽明 5年(544) 11月條, "竊聞 新羅安羅 兩國之境 有大江水 要害之地也."

43 『三國史記』卷34, 雜志3 康州 咸安郡條.

기존의 연구에서 권역 설정의 잣대로 사용한 지표는 山城과 토기문화권의 분포양상이었다. 그러나 이는 문제가 있을 수 있다. 지표로서 사용되고 있는 山城들은 그 축조 연대가 불확실 한 경우가 많다. 그리고 산성은 주변의 지형을 이용하여 축성하기 때문에 산성의 위치만으로권역을 설정하는 것은 한계가 있는 것이다. 그리고 토기의 분포상과 관련해서는, 문화적 양상이 정치적 추이를 어느 정도 반영하는지에 대한 근본적 의문이 있을 수 있는 것이다. 고고학 연구자들의 경우 대개 문화적 양상은 정치적 양상을 반영하는 것으로 보고 있는 것 같다. 그러나 회의적으로 보는 연구자가 없는 것은 아니다. 필자는 문화적 양상이 정치적 양상을 어느 정도 반영하는 것으로 본다. 그러나 이 문제는 출토 유물의 양과 공반 출토유물 상황 등을 충분히 살펴 본 후 결정하여야 할 것으로 생각한다.

5세기 대 安羅의 권역을 상정해 볼 수 있는 것은 화염문투창 토기의 분포지역이다. 이 토기의 분포상을 토대로 安羅國의 권역을 설정해 보면, 지금의 함안군 전체와 구 마산시를 포함한 창원시의 일부, 의령군 남부 지역과 진주시의 일부로 볼 수 있다.[44]

3. 安羅王 阿羅斯等과 그의 외교활동

1) 아라사등의 정체

『日本書紀』 卷6, 垂仁天皇 2年 是歲條에 意富加羅國의 왕자 阿羅斯等이

44 백승옥, 「4~6세기 安羅國의 영역과 '國內大人'-칠원지역 고대사 복원의 일단-」『釜大史學』 제30집, 부산대학교사학회, 2006, 272~277쪽.

라는 인물이 나온다.[45] 意富加羅國에서의 意富는 일본 음으로 '오호'로 읽혀진다. 그 의미는 '크다'이다. 따라서 이제까지는 대부분 그를 금관가야(= 김해 남가라국), 또는 대가야(= 고령 가라국)의 왕자로 보아 왔다. 그러나 '오호'는 '크다'라는 의미이므로 다른 가야국들 가운데 세력이 큰 가야국이었다면 그 후보가 될 수 있다. 안라국도 가야제국 가운데 또한 유력 가야국이었다. 안라국도 '오호 가야국'으로 불릴 수 있는 것이다. 따라서 阿羅斯等을 기존 2개국의 왕자로만 한정하여 논할 수는 없다.

사료 A) :

① 이 때문에 加羅가 新羅와 결당하고 日本을 원망하였다. 가라왕이 신라왕녀를 아내로 맞아들여 드디어 아이를 가졌다. 신라가 처음 왕녀를 보낼 때 100사람을 함께 보내어 그녀의 종으로 삼았으므로 받아들여 여러 縣에 나누어 두고 신라의 의관을 입도록 하였다. 阿利斯等은 그들이 옷을 바꾸어 입었다고 성내며 사자를 보내 소환시켰다. 신라는 크게 부끄러워하여 그녀를 돌아오게 하려고 하여 "전에 그대가 장가드는 것을 받아들여 나는 즉시 혼인을 허락하였으나 지금 이와 같이 되었으니 왕녀를 돌려주기 바라오"라고 말하였다. 가라의 已富利知伽[어떤 인물인지 잘 모른다.]가 대답하기를 "부부로 짝지어졌는데 어찌 다시 헤어질 수 있겠소.

---

45 『日本書紀』卷6, 垂仁天皇 2年 是歲條 細注, "〔一云御間城天皇之世 額有角人 乘一船 泊于越國笥飯浦 故號其處日角鹿也 問之日 何國人也 對日 **意富加羅國王之子 名都怒我阿羅斯等 亦名日于斯岐阿利叱智于岐**〕".

또한 아이가 있으니 어찌 그를 버리고 가겠소"라고 말하였다.[46]

② 이 달에 近江毛野臣을 安羅에 보내 조칙으로 新羅에 권하여 南加羅·㖨己呑을 다시 건립하도록 했다. 百濟는 將軍君尹貴·麻那甲背·麻鹵 등을 보내 안라에 가서 조칙을 듣도록 하였다. 신라는 蕃國의 관가를 깨트린 것을 두려워하여 大人을 보내지 않고 夫智奈麻禮·奚奈麻禮 등을 보내 안라에 가서 조칙을 듣도록 하였다. 이에 안라는 새로이 高堂을 짓고 칙사를 인도하여 올라가는데 國主는 뒤따라 계단을 올라갔고 國內의 大人으로서 미리 堂에 오른 사람은 하나 둘이었으며 백제사신 장군군 등은 당 아래에 있었다. 그 뒤로 몇 달 동안 두세 번 당위에서 모의했는데 장군군 등은 뜰에 있는 것을 한탄했다.[47]

③ 任那王 己能末多干岐가 내조하였다.[己能末多라고 하는 사람은 아마도 阿利斯等일 것이다].[48]

④ 임나 사신이 上奏하여 말했다. "毛野臣은 드디어 久斯牟羅에 사택을 짓고 두해 동안 머물렀다. ~(중략)~ 이때 阿利斯等은 그가

---

46 『日本書紀』卷17, 継体天皇 23年(529) 三月是月, "由是加羅結儻新羅 生怨日本 加羅王娶新羅王女遂有兒息 新羅初送女時 幷遣百人 爲女從 受而散置諸縣 令着新羅衣冠 阿利斯等嗔其變服 遣使徵還 新羅大羞 飜欲還女曰 前承汝聘吾便許婚 今旣若斯 請還王女 加羅已富利知伽〔未詳〕報云 配合夫婦 安得更離 亦有息兒 棄之何往".

47 『日本書紀』卷17, 継体天皇 23年 三月是月, "是月 遣近江毛野臣使于安羅 勅勸新羅 更建南加羅㖨己呑 百濟遣將軍君尹貴 麻那甲背 麻鹵等往赴安羅式聽詔勅 新羅恐破蕃國官家 不遣大人 而遣夫智奈麻禮 奚奈麻禮等往赴安羅 式聽詔勅 於是 安羅新起高堂 引昇勅使 國主隨後昇階 國內大人預昇堂者一二 百濟使將軍君等在於堂下 凡數月 再三謨謀乎堂上 將軍君等恨在庭焉".

48 『日本書紀』卷17, 継体天皇 23年 四月戊子, "任那王己能末多干岐來朝〔言己能末多者 蓋阿利斯等也〕".

> 작은 사항들만을 일삼고 기약한 바에 힘쓰지 않음을 알고 여러 번 조정으로 돌아가기를 권했으나 돌아가지 않았다.[49]

사료 A)-①로 미루어 보아 아리사등은 이른바 가라와 신라의 결혼동맹을 파탄으로 이끌며, 신라에 적대적 인물로 나온다.[50] 이러한 그의 성향이 어떠한 배경 속에서 나오는 것인지를 살펴봄으로서 그 출신지 추적에 실마리를 찾고자 한다.[51]

대가야(= 가라국)는 백제가 남진하여 자국영토를 잠식해 오자 신라와 522년에 이른바 결혼동맹을 맺는다.[52] 신라는 伊湌 比助夫의 누이(妹)를 가야국에 시집보낸다.[53] 『新增東國輿地勝覽』 권29 高靈縣 建置沿革條의 기록에는 약간의 차이가 있으나 거의 동일한 내용이 있어 결혼 동맹의 사실성을 높여 준다. 崔致遠의 「釋順應傳」을 인용하여 『삼국사기』 에서의 비조부가 比枝輩로 기록되어 있으며, 그의 딸(女)로 기록되어 있다.[54] 여기에

---

49 『日本書紀』 卷17, 継体天皇 24年 九月, "任那使奏云 毛野臣遂於久斯牟羅起造舍宅淹留二歲 ~中略~ 於是 阿利斯等知其細碎爲事不務所期 頻勸歸朝 尙不聽還".

50 『日本書紀』 卷17, 継体天皇 23年(529) 三月是月, "由是加羅結儻新羅 生怨日本 加羅王娶新羅王女遂有兒息 新羅初送女時 幷遣百人 爲女從 受而散置諸縣 令着新羅衣冠 **阿利斯等嗔其變服 遣使徵還 新羅大羞 飜欲還女曰 前承汝聘吾便許婚 今旣若斯 請還王女 加羅己富利知伽(未詳)報云 配合夫婦 安得更離 亦有息兒 棄之何往 遂於所經拔刀伽 古跛 布那牟羅三城 亦拔北境五城".**

51 이하 아라사등에 대해서는 백승옥, 「'日本書紀'에 보이는 阿羅斯等의 정체와 그의 외교활동」 『한국민족문화』 51, 부산대학교 한국민족문화연구소, 2014 참조.

52 이에 대한 전론으로서는 白承忠, 「加羅 · 新羅 '결혼동맹'의 결렬과 그 추이」 『釜大史學』 20, 1996가 있어 참고된다.

53 『三國史記』 권4, 신라본기4, 법흥왕 9년조(522), "春三月 加耶國王遣使請婚 王以伊湌比助夫之妹送之".

54 『新增東國輿地勝覽』 所引 崔致遠의 釋順應傳에는 "大伽倻國月光太子 乃正見之十世

서의 가야국을 김해의 南加羅로 보는 견해도 있다.[55] 그러나 사료 A)-①에서의 가라국은 고령 가야세력으로 보아야 할 것이다. 加羅王 已富利知伽는 신라와의 동맹을 깨트리고 싶지 않았다. 하지만 529년 결혼은 파탄된다. 이 때 가라왕은 이뇌왕이다. 이가 곧 『일본서기』에 보이는 已富利知伽이다. 가라는 결혼할 적에 신라 왕녀를 따라온 여종들을 여러 縣에 나누어 배치했다. 여기서 縣은 『일본서기』의 표현이다. 가야에 縣이 실재했는지에 대해서는 보다 깊이 있는 연구가 필요하다.

이러한 과정에서 아리사등은 신라에 강경대응으로 맞서고 있다. 이러한 정치적 성향은 已富利知伽와는 다르다. 이는 기부리지가는 가라국의 사람이며, 아리사등이 속한 나라와는 정치적 입장이 달랐기 때문으로 볼 수 있다. 당시 가라국은 신라와 동맹 관계였다. 백제가 가라국의 세력권인 기문대사 지역을 잠식해 오자 그에 따른 위기의식으로 인해 신라와의 동맹관계 유지는 필요한 것이었다. 반면 안라국은 입장이 달랐다. 당시 남부가야제국의 실질적 리더였던 안라국은 신라의 西進에 대해 강경대응이 불가피하였다. 가야의 두 축이었던 가라국과 안라국은 정치적 입장에서 차이가 있었던 것이다.

『日本書紀』 卷17, 継体天皇 23年 삼월조에 倭臣으로 기록된 毛野臣이 나오는데, 그는 위의 사료 A)-④에도 등장한다. 사료의 내용으로 보아 아리사등과는 밀접한 관련을 갖는 인물로 보인다. 양자의 활동 무대도 가야 남부지역으로 보인다. 그러나 毛野臣은 『일본서기』편찬 시 필요에 의해,

---

孫 父日異腦王 求婚于新羅 迎夷粲比枝輩之女 而生太子".

55 李根雨, 「6世紀代 加耶諸國의 국가구조에 대한 試論-阿利斯等의 己叱己利城을 중심으로-」『加耶와 新羅』, 김해시 제4회 가야사 학술회의, 1998, 87쪽.

가상으로 설정된 인물일 가능성이 높다.[56] 그렇다면 그와 아리사등과의 관계, 그리고 안라국 주변에서 활동하는 인물로 보는 것에 한계는 있다. 그러나 그가 『일본서기』 찬자에 의해 의도적으로 삽입된 인물이라 하더라도 안라국과의 관계와 활동 무대에 있어서는 부정할 필요는 없다고 본다. 아리사등을 안라국인으로 추측할 수 있는 근거이다.

사료 A)-③를 보면, 『일본서기』 찬자는 아리사등을 己能末多干岐와 동일 인물로 보고 있다. 그리고 그를 임나왕이라고 하고 있다. 여기서 주요점은 임나가 어디인지이다.

『日本書紀』 卷17, 繼體紀 21年(527) 6月條에, "近江毛野臣 率衆六萬 欲住任那 爲復興建新羅所破南加羅・喙己呑 而合任那(近江毛野臣이 무리 6만을 이끌고 임나에 가서 신라에게 파괴된 남가라・탁기탄을 다시 일으켜 임나에 합치려고 하였다.)"라고 기록하고 있다. 그리고 같은 책, 繼體紀 23년 3월조에는 "是月 遣近江毛野臣 使于安羅 勅勸新羅 更建南加羅・喙己呑(이 달에 近江毛野臣을 安羅에 보내 조칙으로 신라에 권하여 南加羅・喙己呑을 다시 건립하도록 했다.)" 이는 近江毛野臣의 동일 행동에 대한 중복 기술로 보인다. 그런데 그가 간 곳에 대해 한곳은 임나로, 다른 한 곳에서는 안라로 쓰고 있다. 결국 近江毛野臣이 도달한 지점은 안라이지만 21년조에서는 임나로 기록한 것으로 볼 수 있다. 이로보아 사료 A)-③에서의 任那王 己能末多干岐는 安羅王 己能末多干岐로 보아야 한다. 이로 보아 아리사등은 다름 아닌 안라국왕인 것이다.[57]

---

56 백승옥, 「'安羅高堂會議'의 성격과 安羅國의 위상」 『지역과 역사』 14, 부경역사연구소, 2004, 12~19쪽.

57 백승옥, 「'日本書紀'에 보이는 阿羅斯等의 정체와 그의 외교활동」 『한국민족문화』

2) 阿羅斯等의 외교활동[58]

사료 A)-①를 통해 보면, 아라사등은 이 시기(6세기 초) 신라의 가야지역 잠식 의도를 파악하고 있었던 것으로 보인다. 이 때문에 아라사등은 反新羅 강경론를 펼칠 수밖에 없었을 것으로 보인다. 『삼국사기』에 의하면 금관가야(= 남가라)가 신라에 멸망한 연대는 532년 이다. 그런데 『일본서기』 계체기를 살펴보면, 금관가야는 529년 이전에 이미 신라의 수중에 들어간다.[59] 이에 안라국에서 이미 신라에 복속된 남가라, 탁기탄 등의 부흥을 위한 회의가 개최된다. 이를 안라고당회의라 부른다.[60] 사료 A)-②를 바탕으로 안라고당회의에 참가한 인물들은 정리하면 〈표 1〉과 같다.

〈표 1〉 安羅 高堂會議 참가자[61]

	참가자	소속국	기타
1	安羅國主	安羅國	
2	國內大人 1	〃	
3	國內大人 2	〃	
4	將軍君尹貴	百濟	百濟使臣
5	麻那甲背	〃	〃
6	麻鹵	〃	〃 등
7	夫智奈麻禮	新羅	新羅使臣

51, 부산대학교 한국민족문화연구소, 2014, 151~155쪽.

58 이 절의 내용은 백승옥, 위의 논문, 2014, 160~164쪽을 재정리한 것이다.

59 백승옥, 앞의 논문, 2004, 20~21쪽.

60 이에 대한 專論이 백승옥, 앞의 논문, 2004이다. 안라고당회의와 관련한 본고의 논지도 이에 따른다.

61 백승옥, 앞의 논문, 2014, 161쪽 〈표 2〉의 전재.

	참가자	소속국	기타
8	奚奈麻禮	〃	〃등
9	近江毛野臣	倭	倭使臣

안라고당회의에는 9명의 인물이 참가하고 있다. 安羅國主에서의 '主'는 '王'를 가리킨다. 안라왕이다. 이는 곧 아라사등이다. 國內大人를 가야 남부제국의 수장들로 해석한 견해가 있다.[62] 그런데 안라고당회의에는 안라국 외 또 다른 가야가 참여한 흔적을 발견할 수 없다. 따라서 國內大人은 安羅國 예속하의 세력으로 봄이 타당할 것이다. 이들은 안라국 주변에 존재했던 小國 혹은 읍락이었다가 안라국에 편입된 곳의 수장층으로 보인다. 이들은 安羅國이 체제를 정비하는 과정에서 이들을 중앙 관료로 편입시켰거나, 자치권을 인정받으면서 自國에 존재하고 있었을 수도 있다. 『일본서기』에서는 이들을 '國內大人'으로 표현한 것으로 보인다.[63]

안라고당회의에 백제 사신으로 참석한 이들은 將軍君尹貴와 麻那甲背, 麻鹵의 3명이다. 그런데 欽明紀 2년(541) 4월조에서 백제 성왕이 加羅에 보낸 사신 중에, 下部 中佐平 麻鹵, 城方 甲背昧奴 등이 보인다. 그리고 欽明紀 4년(543) 12월조에서 백제 성왕이 조서를 군신들에게 두루 보이는 과정에서, 성왕의 군신 가운데 中佐平 木劦麻那, 下佐平 木尹貴 등이 보인다. 여기서 下部 中佐平 麻鹵는 회의에 참석했던 麻鹵와 동일인이며, 城方 甲背昧奴는 麻那甲背와 中佐平 木劦麻那와 동일인으로 보인다. 그리고 下佐平 木尹貴는 회의에 참석했던 將軍君尹貴와 동일 인물로 보인다. 이러한 내용으로 보아 안라고당회의에 참석한 백제 사신들은 당시기 실재 존

62 金泰植, 앞의 책, 1993, 201~202쪽.

63 백승옥, 『加耶 各國史 硏究』, 혜안, 2003, 274~275쪽.

재했던 인물이었을 것으로 보인다.

회의에 참석했던 신라 사신으로서는 夫智奈麻禮와 奚奈麻禮가 있다. 等이라는 용어로 보아 그 외에도 따라왔던 인물들이 더 있었던 것 같다. 신라에서 奈麻는 17관등 중에서 경위 11관등에 속한다. 이들은 타 자료들에서 보이는 역할들로 보아 주로 외교업무를 담당했던 것 같다.[64] 이들은 관등으로 보아서는 비교적 낮은 신분을 소유한자들이다. 사료에서 보면, '新羅恐破蕃國官家 不遣大人(신라는 번국의 관가를 파괴한 것을 (추궁 받을까)두려워하여 大人을 보내지 않았다)'이라 하고 있어, 奈麻의 지위를 짐작케 한다. 그러나 奈麻는 신라에서 엘리트에 속한 인물들이었을 것이다. 奈麻는 迎日 冷水里碑(503년 건립)와 蔚珍 鳳坪碑(524년 건립)에 모두 보이는데, 이들의 소속부는 모두 喙部, 또는 沙喙部이다.[65] 당시 신라에서 탁부와 사탁부는 국왕이 직접 관할하는 部였다. 나마 관등의 관리는 왕이나 또는 왕족들과 가까운 신료들이었을 것으로 보인다.[66]

안라고당회의의 주재자는 안라국왕인 아라사등이다. 회의 개최의 목적은 당연히 안라국의 자존이었다. 이를 위해 이미 신라에 의해 멸망한 남가라, 탁기탄 등의 남부 가야 제국을 復建시켰야 했다. 그리고 백제의 침략의도를 분쇄해야 했다.

이러한 회의에 신라와 백제가 참석한 것은 이미 이 회의의 결말은 예측

---

64 전덕재, 「'上古'期 新羅의 팽창과 주변 諸'小國'의 編制」, 서울대학교 대학원 석사학위논문, 46~47쪽.

65 冷水里碑에는 後面에 '典事人 沙喙 壹夫智 奈麻'가 보이며, 鳳坪碑에는 喙部 소속 '牟心智 奈麻', 沙喙部 소속 '十斯智 奈麻'가 보인다. 한국고대사회연구소 편, 『譯註 韓國古代金石文』 제2권, (財)駕洛國史蹟開發硏究院, 1992, 3~23쪽.

66 전덕재, 『新羅六部體制硏究』, 一潮閣, 1996, 130쪽.

가능한 것이었다. 신라가 참석한 목적은 그 동안의 교섭 파트너였던 가라국과 결별하고, 안라국을 새로운 파트너로 삼기 위해서였을 것이다. 신라는 남가라 등 남부 가야제국으로의 진출 이후 보다 以西로의 진출을 위해 가야 내부 사정 파악이 필요했다. 이에 6세기 대 남부 가야제국의 실질적 리더가 된 안라국의 의중을 알 필요가 있었다. 이것이 신라가 안라고당회의에 참석한 목적이었던 것으로 보인다.

백제 측 사신들은 이 회의에서 홀대를 당한다. 백제는 513년, 기문과 대사 지역을 장악한 후, 이로 인해 가라국과는 결별한다. 이후 가야 서남부 지역으로의 진출을 노리고 있는 상황이었다. 안라고당회의에 참석하고는 있지만 홀대를 당하는 것은 백제의 남하정책이 안라국의 이해와는 상충되는 것이었기 때문이었다.

아리사등은 애초 신라에 대해서는 강경론자였다. 그러나 529년 안라고당회의에서는 신라와의 연계를 모색했다. 사실 신라와 백제는 모두 안라의 적이었다. 아리사등은 백제의 가야 잠식 의도를 직접 목격한 후부터 태도를 달리 하였던 것이다. 아리사등은 백제를 견제할 새로운 배후 후원자로 신라를 선택한 것으로 보인다. 안라고당회의는 이러한 각국의 이해관계가 섞인 가운데 열리게 된다. 회의의 파탄은 예견할 수 있는 것이었다. 회의 후 백제는 그 침략의도를 그대로 나타낸다. 531년 乞乇城에 군대를 주둔시킨다.[67] 걸탁성은 지금의 진주지역으로 추정되는 바, 안라국 관할권 내인 것이다. 회의의 실질적 당사자는 안라와 신라로 볼 수 있는데, 양자는 이후 약 10여 년간은 우호관계를 지속한 것으로 보인다. 540년대 후

---

67 『日本書紀』 卷19, 繼體天皇 25年(531) 12월조.

반 안라는 다시 친백제 노선으로 돌아선다.

사료 A)-③으로 보아 아라사등은 곧 倭로 건너간다. 이는 회의 실패로 인한 또 다른 자구책의 모색에서 나온 행보였을 것으로 보인다. 신라와 백제의 가야 잠식 상황을 타개하고 안라국의 자존과 이미 멸망한 가야제국의 부활을 위해 국왕이 직접 바다를 건넜던 것이다. 아라사등의 渡倭 목적은 원군 요청이었을 가능성이 높다. 아리사등이 일본(= 倭)에서 만난 인물은 大伴大連金村이었다.[68] 이후 아리사등은 귀국 후 가야 부흥을 위해 노력한다. 계체기 23년 9월조에 의하면, 아리사등은 百濟, 新羅, 倭의 틈바구니 속에서 고군분투한다. 하지만 효과를 보지는 못한다. 아래 〈표 2〉는 아리사등의 활동 내용을 표로 정리 한 것이다.

〈표 2〉 아라사등의 활동 내용[69]

시기	내 용	출처
529년 3월	加羅國과 新羅의 결혼동맹과 관련 신라인들의 對加耶 간첩활동에 대해 강경 대응함	『日本書紀』卷17 継体紀 23年 3月條
〃	이미 멸망한 가야(남가라, 탁기탄)의 復建과 안라국의 自存과 독립을 위한 안라고당회의 개최	〃, 是月條
529년 4월	渡倭하여 大伴大連金村을 만나 신라 · 백제의 가야 잠식에 대한 방어책 논의	仝 4月條
〃	倭로부터 돌아옴	〃, 是月條
〃 9월	倭(毛野臣으로 상징)의 횡포를 막고자 함. 倭세력의 축출을 위해 신라와 백제 2국 군사 요청.	〃, 9月條

68 『日本書紀』卷17, 継体天皇 23年 夏四月條.

69 백승옥, 앞의 논문, 2014, 164쪽 〈표 3〉의 전재.

4. 6세기 대 주변정세와 安羅國의 멸망

6세기 대 安羅國은 남부 가야제국들을 주도해 가면서 東쪽과 西쪽에서 蠶食해 들어오는 新羅와 百濟에 대하여 군사적 또는 외교적으로 대항하였다. 그리고 倭와도 활발한 외교적 접촉을 하고 있음이 사료에 보인다.

安羅의 대외관계에 대해서는 安邪國 단계의 對二郡 관계, 3세기 말~4세기 초에 일어난 것으로 보이는 浦上八國전쟁 기사에서 보이는 주변 浦上八國과 신라와의 관계, 5세기 초 고구려 남정 때의 대외관계 등 간간이 그 면모를 살펴볼 수 있는 자료는 있다. 그러나 5세기 대까지의 자료는 그 편린일 뿐 구체적 모습을 엿 볼 수 있는 자료는 없다고 보아야 할 것이다. 그러나 6세기 대가 되면 사정이 달라진다. 『日本書紀』繼體·欽明紀에는 가야지역을 둘러싼 주변국들 즉 고구려, 백제, 신라, 왜 등의 제국들이 서로 각축을 벌이는 모습들이 비교적 풍부히 실려 있다. 이른바 任那日本府 관계기사들도 이곳에 집중되어 있음도 주지의 사실이다.

그러나 비교적 풍부한 사료들이라 할지라도 액면 그대로 믿을 수 없는 많은 위험이 내포되어 있는 것이 이 시기 해당사료들이기 때문에 철저한 사료비판을 행하지 않으면 안된다. 이 시기 사료들이 대부분 百濟三書를 바탕으로 구성되긴 했으나 8세기 일본의 고대 천황주의사관에 의해 왜곡윤색되었기 때문이다. 특히 이 시기 사료들에 등장하는 인물들의 성격이나 지명비정을 잘못함으로서 빚어지는 사실 왜곡도 주의해야 할 것이다. 사료에 등장하는 지명·국명의 경우 음상사와 상황 논리에 의해 비정되어지는 경우가 대부분이다. 결정적 자료가 없는 한 어쩔 수 없는 형편이다. 그러나 문제는 지명·국명의 비정에 따라 역사적 사실 해석이 치명적으로 달라진다는 점이다. 여기에서는 구체적 지명 비정 등에 대해서는 專論이 필요할 것이므로 할애를 하고, 安羅에 초점을 맞추어 6세기 대 상황을 조명해 보고자 한다.

신라와 백제의 가야 지역 진출이라는 압박 속에서 安羅에서는 이미 신라화된 南加羅・喙己呑지역 문제의 해결을 위한 회의가 열린다. '安羅高堂會議'라고도 불리는 이 회의에는 倭, 百濟, 新羅가 참석하고 있다. 여기서 백제는 홀대를 받는다. 신라는 매우 소극적으로 회의에 참석하고 있다.

安羅高堂會議의 성격이 압박해 들어오는 신라와 백제에 대한 安羅 중심의 가야 자구책임을 생각할 때, 이 회의의 결과는 뻔한 것이었다. 급기야 백제는 531년에 安羅지역까지 진출하여 乞乇城을 조영하기까지 한다.[70] 이를 신라세력의 압박에 대한 安羅의 요청으로 보기도 한다.[71] 어떻든 백제가 安羅 지역으로의 진출 사실은 분명한 것이다. 신라 또한 가야지역으로의 잠식은 꾸준하였다[72].

한편, 安羅高堂會議에 加羅가 참석하지 않고 있음은 주목되는데, 이는 백제의 多沙津 진출에 대한 安羅의 비협조적 자세에서 빚어진 결과일 것으로 보인다. 또는 이 회의가 反新羅的 성격이 있는 만큼, 加羅는 新羅와의 관계를 지속시키기 위하여 불참했을 가능성도 있다.[73]

이상이 530년대까지의 사정이라면 540년대의 상황은 『日本書紀』 欽明紀에 비교적 상세하다. 安羅와 加羅를 필두로 한 가야제국들의 대표가 백

---

70 『日本書紀』 卷17, 繼體天皇 25年(531) 12月條.

71 山尾幸久[白承玉(譯)], 「任那日本府에 대하여」 『加耶史論集』 1, 김해시, 1998, 41쪽.

72 『日本書紀』 卷18, 宣化 2年(537) 10月條.

73 안라고당회의에 대해서는 이하에서 보다 상세히 서술한다.

제에서 聖王과 더불어 이미 신라에 복속된 가야국들의 復建을 위한 회의를 하고 있다.[74] 회의를 주도하는 이는 백제 성왕이다. 그러나 가야 제국들의 생각과 백제가 의도하는 바와는 서로 달랐던 것 같다. 백제가 진정 가야제국의 복건을 희망했었을 지도 의문이다.

백제의 이러한 태도는 다분히 북쪽의 고구려를 의식한 결과였을 것이다. 백제는 향후 고구려와의 대전을 생각해야 했다. 이를 위해 신라와는 동맹 내지는 우호적 입장의 유지가 필요했다. 때문에 신라가 가야지역으로 진출 하더라도 이를 적극적으로 제지할 수 있는 입장이 아니었다. 성왕의 언급을 보면 백제의 이러한 현실을 알 수 있다. 근초고 · 근구수왕 때의 형제 관계 등을 운운하지만 구체적 대안 제시가 없다. 명분만 강조할 뿐이다. 安羅를 중심한 가야제국들은 이러한 백제의 의도를 읽었는지, 신라와 通計하고 있다.[75] 아마도 백제와 연합해서는 희망이 없다고 판단했을 것이다. 백제는 544년 2차 사비회의를 개최한다.[76] 이 때 백제 성왕은 이른바 3계책을 내세운다. 그러나 加耶와 倭만 내세우고 백제는 뒤에서 물자만 대는 소극적 대책이었다. 그러면서도 백제군의 가야지역 주둔의 필요성은 강조하고 있다.[77] 그리고 安羅에 있는 친신라계 인사들을 축출할 것을 요구한다. 회의에 참석한 가야의 사신들은 安羅王과 加羅王에게 논의 하겠다 하면서 물러 나온다.

安羅는 백제와 신라로부터는 自存의 문제를 보장받을 수 없음을 알고,

---

74 백승옥, 앞의 논문, 2004.
75 『日本書紀』卷19, 欽明 2年(541) 7月條.
76 『日本書紀』卷19, 欽明 5년(544) 11월조.
77 『日本書紀』卷19, 欽明 5년(544) 11월조.

북쪽 고구려와의 연계를 도모한다.[78] 그러나 高句麗는 548년 獨山城 전투에서 新羅와 百濟 동맹군에게 대패한다.[79] 고구려에 대한 기대가 무너지자 이후 安羅는 다시 백제에 의존하게 된다. 이때 安羅는 백제에 부용적 위치였을 것으로 보인다. 그런데 백제가 554년 管山城에서 벌어진 신라와의 전투에서 대패한다. 이에 백제는 더 이상 가야지역에 대한 영향력 행사가 어렵게 되었다. 이러한 상황에서 안라는 더 이상 버티지 못하고 신라에 복속된다.

安羅지역이 언제 신라에 복속되는가?『삼국사기』지리지 함안군조에 "법흥왕이 대병을 일으켜 阿尸良國[또는 阿那加耶라 한다]을 멸망시키고 그 땅을 함안군으로 삼았다"라고 되어 있어 安羅가 신라 법흥왕 때에(514~539)에 신라에 복속된 것으로 전하고 있다. 그런데『일본서기』에서의 安羅는 550년대까지 존재하고 있다.『삼국사기』의 기록이 비록 우리 측 기록이긴 하나『일본서기』가 전하는 구체적 기록을 무시할 수 없다. 이에서는 오히려『일본서기』를 믿음이 옳을 것이다. 대부분의 연구자들도『삼국사기』기록을 불신하는 입장을 취하고 있다.

『日本書紀』卷19, 흠명천황, 22년조에 의하면, 신라는 561년 무렵 왜(일본)에 사신을 보내 친선을 도모하고자 한다. 그런데 왜는 이에 불응한다. 이에 신라는 阿羅 波斯山에 왜에 대비하는 성을 쌓는다.[80] 여기서 阿羅는

---

78 『日本書紀』卷19, 欽明 9년 4월조.

79 『三國史記』卷26, 百濟本紀4 聖王 26년(548) 정월조. 羅濟간의 동맹은 이후 551년 한강유역 탈환에까지 이어진다.

80 『日本書紀』卷19, 흠명천황, 22년조에 의하면, 신라는 久禮叱及伐干을 보내 倭와의 관계 개선을 하려고 하였으나, 왜 측의 무성의로 무산된다. 이후 신라는 阿羅 波斯山에 성을 쌓아 왜(일본)을 대비하는 것으로 기록되어 있다.

곧 安羅이다. 따라서 신라의 安羅로의 진출 시기는 이 이전일 것이다. 『삼국사기』 지리지의 安羅 멸망 기록은 신라의 安羅 통합과 관련된 전승이 이어져 오다가 기록된 것으로 보아야 할 것이다. 이러한 사료를 바탕으로 신라의 안라 통합을 560~561년 사이로 봄이 타당할 것이다. 학계의 견해도 대개 이를 따른다.[81]

Ⅳ. 맺음말

이상 가야사 연구의 흐름과 안라국의 역사를 정리해 보았다. 아래에서는 연구사의 흐름 속에서 안라국의 역사와 관련된 부분을 중심으로 향후 연구 과제(방향)에 대해 전망해 보는 것으로써 맺음말을 대신하고자 한다.

첫째, 임나일본부설로 왜곡되었던 가야사의 자리에 올바른 가야사를 정립하는 일이다. 이는 6세기 대 안라국의 역사를 정립하는 일이기도 하다. 이를 위해서는 다음과 같은 문제들이 해결되어야 한다.

① 加耶諸國의 존재형태에 대한 정리가 필요하다.[82] 그동안 『삼국유사』의 오가야조 등을 근거로 가야제국은 연맹체의 형태로 존재했었다고 설명되어 왔다. 가야전기에는 김해의 금관가야가 중심이 된 가야연맹체가, 후

---

81 白承忠, 앞의 학위논문, 1995, 275~286쪽. 南在祐, 앞의 책, 2003, 291~297쪽. 李永植, 「六世紀 安羅國史 硏究」 『國史館論叢』 62, 1995, 129~132쪽.

82 백승옥, 「加耶諸國의 존재형태와 '加耶地域國家論'」 『지역과 역사』 34, 2014 : 「가야 '연맹체설'의 비판과 '지역국가론' 제창」 『쟁점 대가야사 - 대가야의 국가발전 단계』, 고령군 대가야박물관 · (재)대동문화재연구원, 2017.

기에는 고령의 대가야가 중심이 된 연맹체가 존재했었다고 보는 것이다. 이러한 연맹체론 속에서는 안라국사가 제대로 정립될 수 없다.

② 加耶의 社會發展段階는 어떠했는가? 部族聯盟體段階라고 하면서도 구체적으로 연맹의 형태 및 연맹의 내용은 밝혀내지 못하고 있다. 부체제론 및 초기 고대국가론, 고대국가론 등이 학계에 제기되어 있는 상태이다. 안라국의 내부구조를 밝히는 작업에 더욱 수력해야 한다. 이를 통해서 국가발전단계를 논할 수 있을 것이다. 관련하여 말이산고분군과 남문외고분군과의 상호관계에 대해서도 천착하는 연구가 나와야 할 것이다.

③ 加耶諸國들이 존립하고 또 존재할 수 있었던 기본 동력은 무엇인가? 이는 加耶史 자체의 性格究明을 위해서도 가장 시급한 부분이 아닌가 한다. 안라국의 해양적 성격에 주목할 필요가 있다. 당시 지리적 환경과 진동만으로의 진출과 관련된 연구가 더해 져야 할 것이다.

④ 前期加耶에서 後期加耶로 넘어가게 되는 원인은 무엇인가? 樂浪의 소멸과 高句麗의 남침을 주원인으로 들고 있으나 加耶 내부사정 등 다른 요인도 충분히 있었을 것이다. 아울러 시기 구분의 문제도 해결과제이다. 최근 고고학계의 일각에서 제기된 유이민 이동에 의한 후기가야 건국설의 검토가 필요하다. 타당성 여부를 떠나 그에 대한 검토 자체가 안라국사, 나아가 가야사의 내용을 풍부하게 할 수 있는 것이다.

⑤ 地名과 인명에 대한 연구가 필요하다. 『三國史記』, 『三國遺事』, 『三國志』〈魏書〉 東夷傳 韓條 및 『日本書紀』 등에 나오는 加耶 諸小國들의 위치비정을 잘못함으로써 그 후의 歷史研究에 상당한 혼란과 어려움을 가져왔다. 現在로서 기록상에 보이는 諸小國들의 위치를 모두 정확하게 찾는다는 것은 불가능한 일이겠지만 牽强附會식의 위치비정은 止揚되어야 할 것이

다. 또한 『일본서기』 등에 나오는 가야인의 인명에 대한 연구가 필요하다.

⑥ 加耶 諸小國들의 심도 있는 個別研究가 필요하다. 그동안 비교적 자료가 많은 高靈과 金海 정도가 研究가 되었을 뿐, 그 외의 加耶 諸小國들은 거의 研究가 전무한 상태이다.

둘째, 가야사가 갖는 사적 의의를 한국 고대사상에 어떻게 위치 지울 것인가? 라는 문제이다. 이는 가야사 연구가 왜 필요한가? 의 문제이다. 물론 첫째 문제와 표리관계를 갖는 것이지만 숙고해야 할 문제라고 생각한다. 한국사의 전체적 흐름 속에서 가야사를 정리해야 할 것이다. 가야사를 어떻게 위치지울 것인가? 이는 가야사가 어차피 지역사이기 때문에 제기되는 문제이기도 하다. 지역사가 가지는 의의는 지역사만으로 머물러서는 결코 성립될 수 없기 때문이다.

안라국사는 안라국사만으로 끝내서는 안 된다. 함안의 역사는 안라국사만의 역사가 아니기 때문이다. 그동안 주목하지 않았던 안라국의 멸망과정은 물론 그 후의 함안 역사에 대해서도 관심을 가져야 한다.

안라국의 멸망과 관련하여, 안라국이 법흥왕대(514~540)에 신라에 복속되었다는 기사는 문제가 있다고 앞서 언급하였다. 『삼국사기』의 찬자가 진흥왕(540~576)대 라고 할 것을 법흥왕 대라고 잘못 기록한 것으로 봄이 정합적이다. 그렇지만 대병으로 멸했다는 기록은 결코 무시할 수는 없다고 본다. 신라는 왜 대병을 투입했을까? 이는 안라가 강국이었을 것이기 때문이었을 것이다.

상대와의 전쟁에서 상대가 강국일 때는 起兵하지 않는 것이 전쟁의 일반적 상식이다. 그러나 상대가 아무리 강적이지만 전쟁을 하지 않으면 안 되는 상황이라면 자신의 상당한 출혈을 감수하고서라도 상대를 공격해야만 했을 것이다. 신라가 안라를 공격하지 않으면 안 되는 상황이란 어떤 것이었을까? 이러한 점을 추구함도 당시 안라국의 위상을 이해하는데 유용할 수 있을 것이다.

또한 안라국의 대외관계에 대해서도 연구가 필요하다. 대 백제, 고구려, 신라와의 관계. 他 가야 諸國들과의 관계와 그 속에서 안라국의 위상 등에 대한 연구가 진척되어야 할 것이다. 그동안 가야사 연구가 임나일본부라는 괴물에 의해 100년 이상을 허송세월한 시행착오를 다시는 격지 않아야 할 것이다. 안라국사의 중장기적 안목과 계획이 필요한 이유이다.

【참고문헌】

金泰植,『加耶聯盟史』, 一潮閣, 1993.

김태식,「咸安 安羅國의 成長과 變遷」『韓國史硏究』86, 1994.

김태식,「廣開土王陵碑文의 任那加羅와 '安羅人戍兵'」『韓國古代史論叢』6, 한국고대사회연구소, 1994.

김태식,『사국시대의 가야사 연구』,『사국시대의 사국관계사 연구』,『사국시대의 한일관계사 연구』, 서경문화사, 2014.

李永植,「六世紀 安羅國史 硏究」『國史館論叢』62, 1995.

이영식,『가야제국사연구』, 도서출판 생각과종이, 2016.

白承忠,『加耶의 地域聯盟史 硏究』, 부산대학교 대학원 문학박사 학위논문, 1995.

白承忠,「6세기 전반 백제의 가야진출과정」『百濟硏究』31, 2000.

趙仁成,「6世紀 阿羅加耶(安羅國)의 支配勢力의 動向과 政治形態」『加羅文化』13, 1996.

李鎔賢,「五世紀末における加耶の高句麗接近と挫折-顯宗三年紀是歲條の檢討-」『東アジアの古代文化』90, 1997・冬.

이용현,「加耶諸國の權力構造-「『任那』復興會議を中心に一」『國史學』164, 1998.

부산대학교 한국민족문화연구소・가야사 정책연구위원회,『가야각국사의 재구성』, 혜안출판사, 2000.

宣石悅,「浦上八國의 阿羅國 침입에 대한 考察 -6세기 중엽 남부가야제국의 동향과 관련하여-」『加羅文化』14, 1997.

南在祐,『安羅國史』, 혜안, 2003.

白承玉,『加耶 各國史 硏究』, 혜안, 2003.

백승옥, 「'安羅高堂會議'의 성격과 安羅國의 위상」『지역과 역사』 14, 2004.
백승옥, 「安羅國史 정리를 위한 몇 가지 史料檢討」『伽倻文化』 17, 2004.
백승옥, 「4~6세기 安羅國의 영역과 '國內大人'」『부대사학』 30, 2006.
백승옥, 「포상팔국 전쟁과 지역연맹체」『가야의 포구와 해상활동』, 인제대학교 가야문화연구소·김해시, 2011.
백승옥, 「'日本書紀'에 보이는 阿羅斯等의 정체와 그의 외교활동」『한국민족문화』 51, 부산대학교 한국민족문화연구소, 2014.
백승옥, 「加耶諸國의 존재형태와 '加耶地域國家論'」『지역과 역사』 34, 2014.
백승옥, 「'任那日本府'의 所在와 등장배경」『지역과 역사』 36, 2015.
백승옥, 「가야 '연맹체설'의 비판과 '지역국가론' 제창」『쟁점 대가야사 - 대가야의 국가발전 단계』, 고령군 대가야박물관·(재)대동문화재연구원, 2017.
백승옥, 「가야의 왕릉급 고분에 대한 역사적 해석」『韓國古代史硏究』 88, 2017.

The flow of the Gaya history(加耶史) research and the history of Anraguk(安羅國史)

Beack Seoung-ok Korea national maritime museum

The purpose of this article is to present the way how to research the history of Anraguk which had existed in South Gyeongsang Province Haman county in the future. This is because it requires long term perspective and plan to study Anraguk history. To achieve the purpose, this paper gathered the flow of Anraguk history studies which had been conducted until a recent date and arranged the history of Anraguk. As a result, we believe that the following issues are to be resolved.

① The arrangement about the existence forms among Gaya countries is needed. Meanwhile, Gaya empires have been described in the form of federation on the basis of Ohgayajo(五伽耶條) in Samgukyusa(三國遺事). It has been described that in the early of Gaya , Geumgwan Gaya of Gimhae was the center of the federation, and in the late Gaya, Daegaya of Goryeong was the center of the federation. But the history of Anraguk cannot be established properly in this theory of federation.

② We should focus more on the task to illuminate the internal structure of the Anraguk. It will enable us to discuss the stage of development of Anraguk.

③ The researches about the dynamics which made Anraguk exist are necessary. In this regard, the marine nature of Anraguk should be noted on. The study regarding the geographical environment at the time and the expansion to the ocean through Jindong bay should be added.

④ It is necessary to study about the foreign relations of Anraguk. The research about the relationship with the other Gaya countries(諸國) and the status of Anraguk among them as well as relationship between Anraguk and Baekje, Goguryeo, Silla, Wae(倭) should be progressed.

⑤ The studies about place names(地名) and human names are also required.

Keywords : Gaya, Study on the history of Gaya, Anraguk(安羅國), Study on the history of Anraguk, King of Anraguk(安羅國王)

아라가야에 대한 연구 동향과 향후 전망

이주헌 국립부여문화재연구소

Ⅰ. 머리말

가야를 주제로 한 가야사 연구가 본격화된 것은 1980년대 이후로 활발하게 전개된 국토개발과 동시에 진행된 고대사 관련 유적에 대한 발굴조사에서 축적된 고고자료와『일본서기』의 재해석에 힘입은 바 크다. 더욱이 90년대에 들어서면서 이러한 경향은 더욱 가속화되어 경상도 일원에 분포했던 가야문화에 대한 실체를 찾는 하나의 동력원으로서 의미 있는 역할을 하였으며, 최근에는 한국고대사에서 '사국시대론'이 논의되는 상황에 이르렀다. 그 동안 축적된 가야사 관련 연구성과는 가야사회의 발전과정을 연대순으로 재구성하는 바탕이 되었을 뿐만 아니라, 김해의 가락국, 고령의 가라국(대가야)을 중심으로 한 가야사 연구경향에서 벗어나 함안의 아라가야(안라국) 및 고성의 소가야(고자국)를 포함한 가야각국에 대한 심층적 연구가 이루어지는 변화를 가져왔다. 더욱이 지방자치제도 실시에 힘입어 지역의 정체성과 관광자원을 확보하고자 노력한 행정기관의 관심은 가야각국사의 연구 활성화에 기폭제와 같은 역할로 한 몫을 한 것은 부인할 수 없는 사실이다.

가야는 여러 가지 이유로 중앙집권적인 정치체제를 완성하기 못하고 멸망한 미완의 문명으로 평가되고 있다.[1] 하지만, 가야의 개별 소국은 높은 생산력과 기술력을 바탕으로 수백 년 동안 한국사에서 중요한 위치를 차지하며 독자적인 역사를 지속하였다는 점은 주목되어야 할 부분이다. 이는

1 김태식,『미완의 문명 700년 가야사』, 푸른역사, 2002.

가야각국이 한국고대사의 주변부가 아니라 고대사회발전의 중심에서 주체적인 역할을 담당했던 정치집단이었음을 보여주는 것이자, 삼국과의 함께 가야사를 제대로 이해하는 것이야 말로 한국고대사의 실체에 가장 가깝게 접근하는 것이며 곧 고대 한일관계사의 쟁점인 임나일본부설을 극복할 수 있는 최적의 대안임을 지적한 학계의 평가[2]는 경청할 만한 것이다.

그 동안 가야의 사회발전단계를 연맹단계로 저급하게 인식하고 있었던 것은 가야의 정치와 사회발전을 지나치게 낮추어 본 과거의 통념에서 비롯된 것이다. 가야의 여러 정치집단들은 그 발전정도가 달랐으며, 더구나 대가야나 아라가야는 정치적으로 고대국가 단계로까지 나아간 것으로 최근에는 논의되기도 한다. 특히, 가야의 존재형태에 대한 연구에서 아라가야의 위상은 더욱 높아지고 있는 경향이며, 다양한 시각에서 함안지역 고대 정치체에 대한 의미부여가 진행되고 있다.[3] 따라서, 본고에서는 함안지역 고대사의 대부분을 차지하고 있는 아라가야에 대한 연구 동향과 주요 쟁점사항에 대하여 문헌과 고고학 분야를 통합적으로 언급하고, 앞으로 다루어져야 할 연구 과제와 방향을 전망해 보고자 한다.

---

2 남재우, 「식민사관에 의한 가야사연구와 그 극복」『한국고대사연구』 61, 2011, 183~187쪽.

3 남재우, 「가야연맹과 대가야」『대가야의 성장과 발전』, 고령군 대가야박물관, 2004, 71~80쪽.

Ⅱ. 연구동향과 쟁점

1. 아라가야의 성립

한국고대사에서 논의되고 있는 쟁점가운데 하나로 기원전1세기의 변한 시기부터 가야가 시작되었다고 보는 전기론적 관점과 가야는 변한사회를 모태로 발전하였지만, 사회규모와 정치구조를 엄격하게 구분하여 변한과 가야를 이해하려는 전사론적 관점이 현재 학계에서는 서로 맞서고 있다. 전기론은 주로 문헌사료를 검토하여 가야사회의 계기적인 발전과정을 추적하면서 주로 언급되고 있으며, 고고자료를 연구하는 측에서는 전사론적 인식이 대다수를 차지하고 있어 동시기의 역사 상황에 대한 서로 간 이해의 폭은 다소 크다고 할 수 있다.

학계의 이러한 인식은 낙동강하류역을 중심으로 한 금관가야에 적용 가능한 틀로서 아라가야나 가라국(대가야)을 대상으로 변한사회에서 가야로의 변화과정에 대해 문헌과 고고자료상으로 정합하게 설명하기에는 적절한 것이 아니라고 판단하는 의견도 있다. 즉, 아라가야의 경우, 변진안야국과 아라가야의 성립과 발전과정을 구체적으로 보여주는 고고자료가 충분치 않으므로 전기론적인 입장에서 역사기록 그대로를 사실로 받아들이는 견해와 현재까지 확인된 고고자료를 근거로 새로운 해석을 시도를 하고자 하는 견해가 있다. 특히, 전사론적 입장을 견지한 고고학 연구자 중에는 김해나 부산지역과는 달리 함안에서 3~4세기대에 해당하는 고고자료가 거의 확인되지 않는 현상에 주목하고, 이 지역에 있던 고대의 정치체인 안야국과 아라가야의 성립과 발전과정은 기존 문헌사학자들이 주장하는 변진안야국에서 시간의 흐름에 따라 보다 큰 정치체인 아라가야로 성장하였다는식의 일반론적인 주장은 더 이상 성립될 수 없다고 보았다.[4] 또한, 5세기 이후에 속하는 고고자료가 아라가야의 진정한 정체를 분명하게 보여주고 있는 것이고, 4세기말까지 확인되지 않았던 정치체의 존재가 5세기에 들어서서 갑자기 나타나게 된 이유에 대한 궁극적인 고민이 필요함을 조심스럽게 제기하였다.[5] 즉, 말이산고분군을 중심으로 확인되고 있는 김해 계통의 목곽묘(Ⅱ류형)와 갑주·마구류·몇몇 기종의 토기류는 앞 시기 함안지역의 고고자료와는 계통적으로 전혀 연결되지 않고 돌발적으로 등장한 것이므로 그 의미를 새롭게 인식할 필요가 있는데, 이것은 아라가야의 성립을 증명해 주는 많은 자료들이 김해지역에서 함안지역에 들어온 것이다. 이러한 현상은 함안에서만 일어난 것이 아니라 범서부경남지역 차원에서 동시에 일어났을 가능성이 높으며 당시 광역에 걸쳐서 이 같은 변화를 야기할 만한 역사적인 변동으로는 AD.400년 광개토대왕의 남정에서 초래된 결과로 해석하였다.

아라가야의 성립과 전개과정에 대한 가설의 사실여부를 떠나서, 실증적인 고고자료를 적절하게 조합하여 해석한 이 견해가 더욱 설득력 있는 객관적인 모델로 받아들여지기 위해서는 함안지역의 고분뿐 만 아니라, 취락의 입지와 규모 및 분화, 생산물품의 방식 및 시스템, 제사체계, 사회적 신분 표현 방식 등의 다양한 성격의 자료에 대한 추가적인 증거 제시와 종합적인 검토가 우선적으로 진행되어야 할 것을 지적하는 견해도 있지만,

4 조영제, 「아라가야의 고고학」『고고학을 통해 본 아라가야와 주변제국』, 경남발전연구원 역사연구센터, 2012, 8~10쪽.

5 조영제, 「고고자료를 통해 본 안라국(아라가야)의 성립에 대한 연구」『지역과 역사』 14, 2004, 58~60쪽.

범서부경남지역 고고자료의 변화와 연동하여 볼 때 일단 경청해 둘 만한 것으로 평가된다.

한편, 함안지역에는 전기와질토기 문화만 존재하고 후기와질토기단계의 구체적인 유구나 유물이 확인되지 않으므로 3세기대 안야국의 실체에 대하여 부정적으로 해석할 것이 아니라, 말이산고분군내 조사 유구와 유물의 면밀한 재검토를 통하여 후기와질토기 단계 유구를 추적해 보아야 한다는 의견도 있다.[6] 즉, 해당시기의 목곽묘가 심하게 도굴되었거나 또는 마갑총의 충진토에서 출토된 조합우각형파수부장경호 동체부편과 함께 3세기대의 화로형기대편이 존재하는 것으로 보아서도 후대의 대형 분묘들에 의하여 이미 심하게 훼손되었을 가능성을 고려해 둘 필요가 있다는 것인데, 이는 말이산고분군 북쪽 능선일대의 미발굴지역과 1930년대 경전선 철도개설로 인해 단절된 부분에 후기와질토기 단계 목곽묘들이 존재하였을 가능성을 제시한 것이다.

『삼국지』 위서 동이전에 기록된 안야국의 실체를 함안지역에서 고고학적으로 확인하기 위해서는 향후 적극적으로 검토되어야 할 견해로 파악되지만, 말이산고분군내 북쪽 구릉지를 중심으로 발견되고 있는 함안지역 목관묘의 특징은 영남지역에서 발견된 다른 목관묘들과 크게 차이가 나지 않으며, 유물의 구성에 있어서도 각 기종별 형식간의 흐름이 연속적이라기보다는 단절적인 모습을 보이고 있고 동시기의 경주 조양동유적 · 김해 양동리유적 · 창원 다호리유적들에 비해서 유물의 조합상이 단순하고 유물의 출토량도 현저하게 적은 양상을 보이고 있다. 이는 말이산고분군을

6 박광춘, 「아라가야 토기의 편년적 연구」 『함안 도항리 6호분』 동아세아문화재연구원, 2008, 282쪽.

중심으로 조성된 목관묘 집단은 동시기에 존재하였던 변 · 진한의 동일한 문화권역내에서도 뚜렷한 중심세력을 형성하지 못하고 그 세력이 미약한 주변지역이었던 것으로 추정되고 있다.[7] 이러한 전기와질토기문화는 곧 이어서 대형의 목곽묘가 축조되고 다량의 철제품의 부장과 함께 신식의 와질토기, 즉 노형토기나 대부장경호 등이 부장된 후기와질토기문화로 이행하게 되는데, 말이산고분군에는 아직까지 이 단계에 속하는 확실한 목곽묘가 조사된 바가 없는 것은 부인 할 수 없으므로, 향후 말이산고분군이 아닌 함안의 다른 지역에 3~4세기의 유구가 존재할 가능성도 결코 배제할 수는 없을 것 같다. 더욱이, 윤외리 · 황사리 · 예둔리 등 남강연안 일대를 중심으로 4세기대의 목곽묘문화가 확인되고 있는 점에 주목해 본다면 통형동기가 신고된 사도리 인근에 위치한 군북면 월촌고분군 일대에서 아라가야의 성립을 보여줄 수 있는 Ⅱ류형 목곽묘의 존재 가능성을 예측하며 해당 유적에 대한 단계적인 학술조사가 적극적으로 추진되기를 제안하고자 한다.

2. 포상팔국의 전쟁과 대상국

『삼국사기』와 『삼국유사』에 모두 기록되어 있는 포상팔국의 전쟁[8]은 가야사의 내부적인 발전과정에 대한 사실적인 내용을 담고 있는 중요한 기

7 김 현, 「함안 도항리목관묘 출토 와질토기에 대하여」 『도항리 · 말산리유적』, 경남고고학연구소, 2002, 131~132쪽.

8 『三國史記』 권2, 新羅本紀 2, 奈解尼師今條.
『三國史記』 권48, 列傳 8, 勿稽子傳.
『三國遺事』 권5, 避隱 8, 勿稽子傳.

록으로서 일찍부터 주목을 받아 왔으며, 내용의 중요성만큼 이나 논자에 따라서 다양한 입장으로 이해되어 왔다. 대체로 삼국 중심적인 시각에서 파악하여 가야를 사이에 두고 대립한 신라와 백제의 영역확장과정으로 이해하는 관점[9]과 가야세력의 주체적 발전과정에서 사회내부의 발전모습을 보여주는 것으로 가야사의 변화적 계기로 이해하려는 입장[10]으로 나누어 지며 전쟁의 시기, 전쟁대상국, 포상팔국의 위치, 전쟁의 성격등에 대해서 다양한 견해가 제시되어 있다.

전쟁의 시기에 대하여서는 3세기 초반설[11], 3세기 후반~4세기 전반설[12], 4세기 전반설[13], 6세기 중엽설[14], 7세기 초반설[15] 등으로 다양하며 3세기 초반설을 제외하고는 기본적으로『삼국사기』의 초기기년에 대한 의문을 바탕으로 하고 있고, 그 외의 견해는 근본적으로 가야의 발전과정에 대한 획기 설정 차이에 기인한다. 그리고 획기의 근거 또한 낙랑을 중심으로 하는 한반도 남부사회내 교역체계상의 변화라는 관점에 의거하여 연구자들 각자의 기준에 의해서 전쟁의 시기를 설정하고 있다. 대체로『삼국사

9 선석열,『삼국사기 신라본기 초기기록문제와 신라국가의 성립』부산대학교박사학위논문, 1996. 이종욱『신라국가형성사연구』, 일조각, 1982.

10 김태식,『가야연맹사』일조각, 1993. 백승충,「1~3세기 가야세력의 성격과 추이」『부대사학』13, 부산대학교 사학과, 1986, 27~32쪽. 남재우,『안라국의 성장과 대외관계연구』성균관대학교박사학위논문, 1998.

11 천관우,『가야사연구』일조각, 1991. 이현혜,「4세기 가야사회의 교역체계의 변천」『한국고대사연구』1, 1987, 159~167쪽. 백승충, 위의 논문, 1986, 27~32쪽. 권주현,「아라가야의 성립과 발전」『계명사학』4, 1993, 20~25쪽.

12 백승옥,「고성 고자국의 형성과 변천」『한국고대사연구』11, 1997, 171~177쪽.

13 김태식,「함안 안라국의 성장과 변천」『한국사연구』86, 1994.

14 김정학,「가야사의 연구」『사학연구』37, 1993. 선석열, 위의 논문, 1996.

15 三品彰英,『日本書紀朝鮮關係記事考證』上卷, 吉川弘文館, 1962.

기』 물계자전과 『삼국유사』의 서술내용이 비슷하고 전쟁 3년 뒤에 가야가 왕자를 인질로 보냈다는 기록이 첨부되어 있는 것으로 보아 포상팔국의 전쟁은 신라 나해왕대에 일어났던 사실임은 분명한 것으로 볼 수 있으며 『삼국사기』 초기기록에 대한 수정론적인 시각에서 나해왕대의 기년설정은 3세기 후반 또는 4세기 전반대로 정리될 수 있다.

또, 전쟁의 대상국에 대한 문제에 있어서는 대부분의 논자들이 가라 즉, 김해지역으로 비정하고 있으며 낙랑을 통하여 선진적문물을 받아들이고 있었던 김해 구야국이 낙랑의 일시적 쇠퇴나 낙랑의 소멸에 근거하여 교역을 통한 재분배기능을 상실함으로서 인근에 있던 포상팔국이 해상교역권을 둘러싸고 김해 구야국을 침략하게 되었다는 것이다.[16] 이와는 달리 『삼국사기』와 『삼국유사』 물계자전은 나해왕14년 이후의 17년, 20년의 사실이 연대기적으로 구체적인 내용까지 포함하여 기록되어 있으므로 열전에 기록된 아라국이 전쟁대상이었을 가능성이 높다는 지적도 있다.[17] 결국, 기존의 연구경향은 대체로 포상팔국과의 전쟁대상국을 加羅와 阿羅 중에서 하나만을 취하려는 고정적인 시각을 가지고 이 전쟁의 성격을 파악하려는 입장인 것이다.

한편, 포상팔국의 전쟁에 대해 고고자료를 적용하여 해석을 시도해 볼 만한 여지도 있다. 즉, 3세기대 이후 영남지역 주요세력의 근거지인 울산 하대유적·부산 노포동유적·동래 복천동유적·김해 양동리유적 등에서 발견되고 있는 목곽묘(Ⅱ류)가 함안지역에서는 확인되지 않고 있는 점은

16 김태식, 앞의 책, 1993. 백승충, 앞의 논문, 1986. 27~32쪽.

17 선석열, 앞의 논문, 1996, 남재우, 앞의 논문, 1998. 三品彰英, 앞의 책, 1962. 田中俊明, 『大加耶聯盟の興亡と任那』 吉川弘文館, 1992.

창원 다호리유적과 공통적인 현상이다. 따라서, 양 집단에서 동시에 나타나는 이러한 고고학적 현상을 포상팔국의 전쟁과 관련하여 이해하는 것도 하나의 방법일 것으로 생각된다. 변한사회내에서 함안 말이산유적 집단은 안야국의 주요한 정치세력으로 인정되어지며, 창원 다호리집단은 낙동강 수계 뿐만 아니라 육로를 통해서도 근거리에 위치한 김해세력, 즉 양동리 고분군과 대성동고분군 축조집단과 밀접한 관계를 유지하고 있었던 것으로 보아 가라의 변경에 자리한 중요거점세력으로 파악될 수 있다.[18]

고고자료의 분석을 통해서 알 수 있는 것처럼 말이산유적과 다호리유적의 양 집단은 낙동강과 남강수계를 장악한 동남부지역 교역의 중심지로서 서로 경제적 · 정치적인 공조체제가 형성되었을 것으로 파악된다.[19] 이는 문헌기록에 보이는 포상팔국의 전쟁 대상국은 사료의 기록대로 가라와 아라 모두가 될 수 있으며, 특히 여기에서 가라는 다호리집단이 중심을 이루고 있는 것으로 파악된다. 결국 고고자료와의 접목으로 포상팔국 전쟁의 대상국을 기존 문헌연구자의 분석경향과 같이 굳이 하나로 만 한정시켜서 해석할 필요는 없을 것 같다. 그리고 포상팔국의 전쟁시기도 3세기 전반대의 상황을 비교적 자세하게 다루고 있는 『삼국지』 위서 동이전에 이 전쟁에 대한 언급이 전혀 없는 것으로 보아 적어도 3세기 전반대 이후의 사건으로 파악될 수 있고, 전쟁 시 빼앗아 온 포로가 6천인이라는 기사의 내용으로 보아서도 당시 변진한의 사회발전정도와 비교해 볼 때 일국의 규모로 보기에는 수치상 문제가 된다. 후대에 비정된 전쟁참여국들의 비정위

---

18 다호리유적은 행정구역상 창원시에 속해 있으나, 지리적으로 보아 창원분지를 벗어난 외곽에 위치하여 있고 낙동강을 통하여 김해지역과 서로 연결되어 있다.

19 이주헌, 「함안도항리 목관묘와 안야국」 『문화재』 34, 2004, 27~35쪽.

치를 고려하여 볼 때에도 포상팔국의 전쟁기록은 가라와 아라의 양 지역에 해당되는 기록내용으로 볼 수 있다.[20] 더욱이, 포상팔국의 전쟁이후에서 4세기후반에 이르기까지 말이산고분군과 다호리고분군내에 목관묘에 이어 목곽묘(Ⅱ류)의 축조가 지속적으로 진행되지 않고 있는 점도 양 지역이 대규모 전쟁의 피해를 직접 받은 당사자였음을 암시하는 것은 아닐까? 어쨌던, 포상팔국의 전쟁과 대상국의 관련 문제는 향후 다양한 시각에서 전쟁의 성격에 접근하는 안목과 기존의 연구성과를 재검토하는 적극적인 연구자세가 필요할 것으로 생각한다.

3. '안라인수병'과 남정론

광개토왕릉비문의 '안라인수병'에 대한 해석문제는 안라를 국명으로 보고 '안라인으로 구성된 수병' 으로 이해하는 견해와 '라인을 안치하였다' 라고 이해하는 견해로 크게 두 부류로 나누어진다. 먼저, 안라를 국명으로 이해하는 경우에 있어서는 세부적으로 그 성격을 보는 시각에 따라 ①'안라인의 지키는 군대'로 해석하고 고구려와 신라군에 대적하는 왜의 근거지로 추정한 것[21] ②왜 장군이 통솔하고 안라인 병사로 이루어진 군대로 왜

20 전쟁에 참여한 포상팔국의 위치에 있어서도 칠포국은 지금의 칠원지역에 비정되고 있는데 이지역은 도항리유적과 다호리유적의 사이에 해당되며, 사천으로 비정되는 사물국은 사천만을 통한 해상진출 뿐만 아니라 남강수계를 이용한 서부경남 내륙지로 진출하는 교두보이다. 따라서 지리적으로 볼 때, 史勿國(사천)-古史浦(고성)-柒浦國(칠원)을 연결하는 라인과 柒浦國(칠원)-骨浦國(마산, 창원남부)의 연결라인은 모두 함안과 창원북부지역, 그리고 김해지역을 둘러쌓고 있는 형세이므로 이들의 공격대상국은 자연히 아라와 가라로 볼 수 있다.

21 管政友, 「高麗好太王碑銘考」『史學雜誌』 24(2-11), 1891, 49~50쪽. 今西 龍, 『韓國古

군의 별동대로 본 것[22] ③안라국인으로 구성된 수비병이나 임나일본부의 용병이 아니라 백제를 돕는 동맹군으로 이해한 것[23] ④안라국의 군대가 고구려군과 동맹하여 백제-왜-임나가라군과 싸우는 동맹군 또는 고구려의 연합군으로 파악한 것[24]으로 보는 견해가 제시되어 있다. 또한 비문의 '安羅'를 안라국으로 보는 기존의 설을 부정하고 '安'을 서술어로 보아 '라인수병'과 띄워 읽으며 과거 일본인 연구자가 임나일본부의 용병이라고 한 해석은 억측이라 파악하고, 고구려 군대가 어떤 성을 탈취한 후 ⑤'신라인을 안치시켜 수병파수 했다'로 해석한 것[25]과 ⑥'고구려가 순라군을 안치하여 지키게 하였다'로 해석한 것[26]으로 '라인'의 주체를 다르게 보고자 하는 의견이 각각 제시되기도 하였다. 특히, 아라가야와 관련하여 비문의 '고구려의 남정' 기사를 개괄적으로 검토하면서 4세기 말 이전에 우호관계에 있던

史の硏究』, 近澤書店, 1937, 338쪽.

22 末松保和, 『任那興亡史』, 吉川弘文館, 1956, 74쪽.

23 김석형, 「삼한 · 삼국의 일본열도내 분국에 대하여」『력사과학』 1963-1호, 1963. 박진석, 『호태왕비와 고대조일관계연구』 연변대 출판사, 1993. 김정학, 앞의 논문, 1993. 이영식, 「가야제국의 국가형성문제」『백산학보』 32, 1985, 69~81쪽. 천관우, 앞의 책, 1991. 김현구, 『임나일본부연구-한반도남부경영론 비판-』 일조각, 1993. 백승충, 앞의 논문, 1995. 연민수, 「광개토왕비문에 보이는 대외관계-고구려의 남방경영과 국제관계」『한국고대사연구』 10, 1995, 240~250쪽.

24 신채호, 『조선상고사(이만열 역주)』 형설출판사, 1983. 山尾幸久, 『古代の日朝關係』 橋書房, 1989. 남재우, 앞의 논문, 1998. 유우창, 「'가야-고구려 동맹'의 형성과 추이」『역사와 세계』 44, 2013, 11~28쪽.

25 王健群, 『廣開土王碑硏究(임동석 역)』, 역민사, 1985.

26 高寬珉, 「永樂十年高句麗廣開土王の新羅救援戰について」『朝鮮史硏究會論文集』 27, 1990. 김태식, 「광개토대왕비문의 임나가라와 '안라인수병'」『한국고대사논총』 6, 1994, 86~105쪽. 백승옥, 「광개토왕릉비문의 건립목적과 가야관계기사의 해석」『한국상고사학보』 42, 2003. 49~52쪽.

안라국과 고구려, 그리고 5세기부터 이른바 가야제국의 중심세력으로 부상하는 가라국과 고구려의 새로운 관계, 즉 '가야-고구려 동맹'의 성립을 강하게 엿볼 수 있는 단초가 된 사건으로 평가한 최근의 견해[27]는 주목된다. 더욱이 '안라인'의 실체를 고구려 동맹군으로 상정하고 남정 이후에 조성된 것으로 추정되는 함안지역의 대형고분군인 말이산고분군의 존재와 그 곳에서 출토된 화염형투창토기 · 차륜형토기 · 연화문장식금동판편 · 금동제대금구 · 등잔형토기 · 마갑총 출토 마갑을 고구려와의 동맹 증거로 파악한 것은 함안지역에서 확인된 고고자료를 적극적으로 활용하여 광개토왕릉비문의 '안라인수병'의 이면에 숨어 있을 아라가야의 정치적 상황을 재구성해 보고자 하는 진전된 시각임은 분명하다.

그러나, 함안지역에서 확인된 유적과 유물을 고구려 남정과 직접 관련지어 언급하기에는 아직 해당유물에 대한 충분한 검토가 이루어지지 않은 상태이다. 따라서, 함안 마갑총에서 출토된 마갑의 존재에 대하여 안라가 백제의 동맹군으로 고구려군과의 전투에서 이를 획득하였을 가능성이 가장 크다고 본 견해[28]나 동맹관계를 맺은 아라가야에 사여한 것으로 이해하는 것[29]은 모두 실체가 없는 가설에 불과할지도 모른다. 이는 고구려의 남정은 400년에 일어났으나 함안 마갑총은 함안지역 도질토기의 편년을 고려해 본다면 적어도 5세기 중엽의 시점에 해당한다. 이는 남정 사건과도 한세대 이상의 시기차가 존재하며, 이후 마갑이 피장자의 분묘에 함께 매납되는 프로세스가 논리적으로 갖추어져야하기 때문이다. 또한, 고총고

27 유우창, 앞의 논문, 2013, 18~21쪽.

28 이영식, 「가야와 고구려의 교류사 연구」『한국사학보』 25, 2006, 61~65쪽.

29 유우창, 앞의 논문, 2013, 20쪽.

분으로 조성된 함안 말이산고분군의 존재와 출토유물을 근거로 아라가야가 고구려에게 궤멸되지 않았으며 오히려 고구려와는 매우 우호적인 관계를 단적으로 보여주는 증거라고 강하게 피력하고 있는 것 역시 당시 고구려와 동맹관계를 맺고 있음이 확실한 신라에서 조차 5세기 중엽이후가 되어서야 고총이 출현한다는 신라고고학의 연구 성과와도 정합하지 않는다. 결국, 함안 말이산고분군내에서 비교적 이른 시기에 축조된 것으로 연구자간에 의견이 일치하는 말이산34호분이 5세기 중엽 이후에야 비로소 고총의 형태로 조성되었을 것이므로[30], 고구려군의 남정 이후 5세기 초반 무렵의 함안지역 정세변화에 대해서는 새로운 측면에서 검토가 필요할 것으로 생각된다.

한편, 이와 관련하여 고구려 남정이후 영남지역의 정세변화를 스케치한 견해는 당시 아라가야의 모습을 추정해 보는데 약간의 도움을 줄지도 모른다. 이는 고구려 남정이 진행된 5세기 초반 이후 낙동강 서안에 위치한 여러 가야의 성격과 존재양상에 대해서도 합리적인 해석의 틀로서 해당지역의 도질토기문화를 정치하게 분석하여 그 양상을 파악 한 것[31]으로 이제는 어느 정도 통설로서 자리를 굳혀가고 있는 상태이다. 이에 의하면 5세기 이후 신라양식토기문화가 침투하지 않은 영남의 남해안지역에 기반을 둔 도질토기문화를 계승 · 발전시킨 가야의 지역을 비신라계가야라고 규정하였는데, 구체적으로는 함안 · 합천 · 고성 · 진주 · 거창 · 고령 등 낙

30 김두철, 「부산지역 고분문화의 추이」『항도부산』 19, 2003 : 「신라 · 가야의 경계로서 경주와 부산」『영남고고학』 70, 2014.

31 신경철, 「五世紀における嶺南の政勢と韓日關係」『謎の五世紀を探る』 讀賣新聞社, 1992.

동강 서안에 위치한 가야세력집단으로 이들 가야세력도 5세기 후엽의 도질토기문화에서 보면 '친백제계가야'와 '비백제 · 비신라계가야'로 나눌 수 있다고 보았다. 금관가야를 맹주로 하는 전기가야연맹은 고구려군의 대영남지역 군사작전으로 와해되어 후기가야로 재편되면서 금관가야를 비롯한 영남지역의 정치세력은 몇 개의 그룹으로 분열되는데, 정치적으로 신라에 기울지 않은 범가야권은 '종적연맹체'의 대가야연맹, 관할영역을 직접 통치하는 구조의 아라가야, 그리고 복수의 유력고분군이 대등하게 정치적으로 연합한 '횡적연맹체'인 소가야연맹으로 구성되었고, 이것이 5세기 후반이후 가야의 전반적인 모습이자 이미지로 이해하였다.[32]

또한, 영남지역에서 4세기대의 공통양식에서 5세기 전반이후 몇 개의 지역으로 구분되는 지역적 특색을 지닌 토기양식이 성립되는 배경을 고구려 남정에 의한 김해세력의 충격과 동요에 따라 낙동강하류역 주민이 영남의 내륙지역으로 이주하게 되었고, 이에 따라 낙동강하류지역의 토기가 서부경남의 각지로 이식되었으며 이것이 서부경남에서 아라가야를 비롯한 가야제국이 성립하게 되는 주요한 요인인 것으로 보는 견해[33]도 제시되고 있다. 더욱이, 대성동고분군 축조 중단부터 '비신라계지역'의 각 정치체의 체제안정시기까지의 불안정기를 '토기형식의 난립기'로 표현하고, '비신라계가야' 지역은 '토기형식의 난립기'에는 정치체가 성립되지 않았거나, 존재하였다 하더라도 매우 불안정하였을 것으로 보았다. 이와 같이 '비

32 신경철, 「가야스케치」『고고광장』 창간호, 2007, 222~225쪽; 「삼국시대 영남의 정세변동과 소가야고분군」『경남의 가야고분과 동아세아』, 2010, 81쪽.

33 조영제, 「서부경남 가야제국의 성립에 대한 고고학적 연구」, 부산대학교 박사학위논문, 2006; 「서부경남 가야 수혈식석곽묘의 수용에 관한 연구」『영남고고학』 40, 2007, 61~71쪽.

신라계가야' 지역이 금관가야의 몰락-대성동고분군 축조중단-이후 일정한 공백기간-토기형식 난립기-을 거친후, 다시 제가야-대가야, 아라가야, 소가야-의 정치체가 등장하는 점은 이 무렵 경주 중추부-혹은 '친신라계가야' 지역-의 그것과는 다른 형국이며, 전기가야에는 가야가 신라를 압도한 반면, 후기가야가 되면 전기와는 달리 가야가 역전 되는 것으로 보았다.

이와 같은 광개토왕의 남정론에 대하여 사료적 근거가 약하고, 고구려 남정을 확대하여 해석하는 것은 부적절한 것이라며 강하게 이의를 제기한 견해[34]는 통설적 견해로 자리를 잡아가고 있는 400년 남정을 기점으로 가야사를 전후기로 구분하여 보고자 하는 가야연맹체론에 큰 타격을 주고 있다. 그들은 ①고구려 남정으로 가야권에 변화가 있었다고 하더라도 왜 하필 대가야가 그를 틈타 유력세력으로 부상하게 되는 것인지 ②어떤 배경과 과정을 거친 것인지 ③대가야 부상의 동력은 어디로부터 비롯한 것이지 등에 대한 납득할 만한 논리가 없으며, 가야사의 체계적인 이해를 위해서 반드시 다루어야 할 본질적인 대상을 놓고 연구자 간의 세밀한 검토가 필요함을 역설하였다. 나아가, 신라적석목곽분의 기원과 부장된 금공위세품 및 무구·마구류의 유래를 밝히기 위해 광개토왕비문을 적극 이용하려는데 기원을 두며 출발한 남정론은 신라권에서 많은 발굴자료가 축적됨으로써 이미 근거를 상실하였고 더 이상 주장하기에 곤란한 상태에 이른 것[35]으로 파악하고 있다.

---

34 주보돈, 「고구려 남진의 성격과 그 영향-광개토왕 남정의 실상과 의의-」『대구사학』 82, 2006. 송원영, 「금관가야와 광개토왕비 경자년 남정기사」, 부산대학교 석사학위논문, 2010.

35 주보돈, 「가야사 연구의 새로운 진전을 위한 제언」『한국고대사연구』 85, 2017, 18~20쪽.

또한 남정론의 유력한 근거로 제시하고 있는 대성동고분군 축조중단과 고구려 문물의 유입은 그 실체가 없는 것임을 고고학 자료로서 역설적으로 증명하는 주장도 활발하게 전개되었다.[36] 즉, 최근의 발굴성과에 의하면 ①대성동고분군은 남쪽 구릉으로 지속적으로 축조 ②임나가라 종발성으로 추정되는 봉황토성 또한 5세기 후반까지 사용 ③그 동안 고구려의 영향으로 짐작했던 삼연계의 마구를 비롯한 갑주류와 무기류 또한 이미 4세기대에 삼연과 직접적인 교류를 통한 이입을 확인 ④5세기를 전후 한 시기에 금관가야지역에서 고구려의 영향으로 볼 수 있는 급격한 사회변동-묘제의 변화나 선진유물의 이입 등 미확인 ⑤금관가야가 5세기경에 멸망했다는 것은 사실로 받아들이기 힘들며 금관가야의 쇠퇴는 6세기 전반까지 점진적으로 진행 ⑥남정의 피해를 입은 아라가야가 5세기 대 이후 꾸준히 성장하고 있는 사실과 복천동고분군이 남정이후에도 계속적인 발전을 이루고 있는 점 등을 들어 남정설을 부정하고 있다.

그리고, 금관가야의 쇠퇴원인은 고구려의 남정 보다는 가야 내부의 분열과 신라중심의 교역체계 개편으로 인한 것[37]으로 보아야 함을 강조하였다. 따라서 기존에 통설적 견해로 받아들여졌던 남정설에 대해 문헌과 고고학 분야에서 제기된 '남정부정론'은 향후 아라가야의 연구에도 적지 않은 영향을 줄 것으로 생각되는데, 말이산고분군 축조세력을 고구려 남정에 따른 금관가야세력의 이동에 초점을 맞추어 해석한 견해[38]나 고구려와 안라

36 송원영, 「광개토왕비 경자년 남정기사의 고고학적 고찰」『한국고대사학회 129회 정기발표회』, 2012.

37 백승충, 앞의 논문, 1995.

38 조영제, 앞의 논문, 2006.

국을 동맹관계로 파악한 기존의 연구[39]는 재검토되어야하며, 이를 대체 할 새로운 시각과 해석 틀이 아라가야의 연구에 절실히 필요한 시점이다.

4. 임나일본부와 안라

일본인 학자를 중심으로 에도(江戸)시대부터 현재까지 주로 이루어진 임나일본부에 대한 연구동향은 ①출선기관설 ②일본내 분국설 ③가야 거주 왜인설 ④백제군사령부설⑤외교사절설 ⑥재안라제왜신설 등으로 나누어 볼 수 있다.

① 출선기관설은 왜의 야마토(大和)조정이 4세기~6세기까지 200여 년 동안 한반도 남부지역에 존속하였으며, 이를 거점으로 가야를 지배함은 물론 신라 · 백제에도 정치 · 군사적인 영향력을 행사하는 등 식민지와 같은 형태로 경영하였는데, 그 중심적 통치기관이 바로 '임나일본부'라고 인식한 일본학계의 통설을 대변하는 견해이다.[40]

② 일본내 분국설은 60년대 초 임나일본부에 대한 일본 학계의 편향된 견해에 대해 본격적으로 제기된 반론이다. 이 설은 선사시대 이래 삼한 · 삼국의 주민들은 일본열도로 이주하여 각기 자신들의 출신지와 같은 나라를 건국하여 모국에 대하여 분국과 같은 위치에 있었다고 전제하고, 『일본서기』의 임나관계기사가 야마토조정과 한반도내의 임나와의 관계를 보여주는 것이 아니라, 야마토조정과 한반도에서 이주한 가야인들이 일본열도

39 남재우, 앞의 논문, 1998. 유우창, 앞의 논문, 2013, 11~22쪽.
40 末松保和, 앞의 책, 1956.

내에 세운 임나국이란 분국과의 관계를 보여주는 것이라고 보았다.[41] 이 설은 한일학계 모두 종래 통설이었던 '왜의 출선기관설'에 문제가 있음을 인정한 위에 그 성격에 대한 재검토가 본격적으로 이루어지 하는 계기가 되었다.

③ 가야 거주 왜인설은 선사시대부터 가야와 일본과의 교류는 활발했으며 그 결과 가야지역 일부에 왜인늘이 집단적으로 거주하게 되면서 '임나일본부'는 그러한 왜인들을 통제하는 행정기관에 해당하는 것으로 가야지역 거주 왜인들의 자치기관으로 해석하였다.[42]

④ 백제군사령부설은 『일본서기』에 보이는 임나관련 사료 중에 일본이 주체로 묘사되어 있는 기사들 가운데는 백제로 주체를 바꾸어 보면 사리에 맞게 되는 것들이 적지 않다고 전제하고 4세기 말경에 왜가 '가라칠국'을 점령한 기술은 백제에 의한 가야제국의 정복으로 해석하였다. 또 6세기 중엽에 보이는 '임나일본부'는 '임나백제부'와 같은 것으로 해석하고 백제가 군사적 목적으로 가야지역에 설치하였던 군사령부와 같은 성격으로 보았다.[43]

⑤ 외교사절설은 『일본서기』의 사료비판으로 계체기 이전 특히 신공섭정기 49년조를 전후한 시기의 기사는 신빙할 수 없다고 하여, 임나일본부의 등장시기를 4세기 후반에서 6세기로 늦추어 봄으로써 존속시기를 축소하고[44] 임나일본부의 활동양상이 정치 · 군사적인 것이 아니라 주로 외교

---

41 김석형, 앞의 논문, 1963.

42 井上秀雄, 『任那日本府と倭』 東出版, 1973.

43 천관우, 앞의 책, 1991. 김현구, 앞의 책, 1985 ;『임나일본부연구-한반도남부경영론비판-』 일조각, 1993.

44 請田正幸, 「六世紀前期の日韓關係-日本府を中心として-」 『古代朝鮮と日本』, 1974.

적인 것에 집중되어 나온다는 것에 주목하여 종래의 통설이었던 왜의 가야 지배라는 관점을 전면적으로 수정하여 임나일본부의 실체를 가야-왜의 외교관계속에서 이해하고자 하였다.[45] 이러한 연구 경향은 이후 임나일본부의 성격 및 존속시기와 관련하여 보다 진전된 다양한 견해가 제시되었다.[46] 다수의 연구자가 그 동안 가야지역에서 축적된 고고자료의 활용과『일본서기』의 가야 관련 기사가 주로 백제・신라와의 외교교섭 기사로 이루어졌고, 특히 '부(府)'라고 하는 표기는『일본서기』의 역사관에 기초한 산물이므로 그 원형이 '미코토모치(御事持)'임을 확인하고 그 실체가 기관이나 관청이 아닌 사신에 해당하는 것으로 해석하여 임나에 파견된 왜의 사신들로 임나일본부의 실체를 이해한 것이다.[47]

⑥在安羅諸倭臣설은 '왜의 출선기관'으로 본 기존의 통설이 '왜의 번국관' 인식이라는 근본적인 한계 때문에 전면 부정되고 있으나, 임나일본부

大山誠一,「所謂任那日本府の成立について」『古代文化』32-9・10・11, 1980. 鈴木英夫,「加羅・百濟と倭-任那日本府論」『韓國史硏究會論文集』24, 1987.

45 吉田 晶,「古代國家の形成」『岩波講座 日本歷史』2(古代), 1975. 鬼頭清明,「任那日本府の檢討」『日本古代國家の形成と東アジア』, 校倉書房, 1976. 奥田 尙,「任那日本府と新羅倭典」『古代國家の形成と展開』, 吉川弘文館, 1976. 山尾幸久,「任那に關するる一試論-史料の檢討を中心に」『古代東アジア史論集』, 吉川弘文館, 1973. 鈴木靖民,「東アジア諸民族の國家形成と大和政權」『講座日本歷史』1(原始・古代1), 1984.

46 연민수,「임나일본부론-소위 일본부관인 출자를 중심으로-」『동국사학』24, 1990, 115~125쪽. 이근우,「일본서기에 인용된 백제삼서에 관한 연구」한국정신문화연구원 박사학위논문, 1994. 이용현,「任那と日本府の問題」『東アジアの古代文化』110, 2001.

47 鬼頭清明, 앞의 논문, 1976. 鈴木晴民,「六世紀の朝鮮三國と伽倻と倭」『東アジアの古代文化』62, 1990. 請田正幸,「任那日本府は存在したのか」『爭點 日本歷史』卷2 古代編1(古墳~飛鳥時代), 新人物往來社, 1990.

의 인적구성에 있어서는 '재안라제왜신'으로 간주하는 것은 인정되고 있는 것을 감안하고, 임나일본부의 활동무대가 사료상 용례로 '安羅日本府' 밖에 존재하지 않음을 근거로 안라국에 국한하여, 계체 후반~흠명 초반의 짧은 기간에 해당하는 6세기 전반에 안라국을 중심으로 백제 · 신라 · 왜의 외교관계속에서 그 실체를 이해하고자 한 것이다.[48]

이같은 연구경향은 기존의 왜와 백제 위주의 대외관계사에서 벗어나, 가야 특히 안라국의 실상과 대외관계를 규명하는데 이바지한 바가 크다고 하겠다. 그러나 임나일본부 관련 사료가 안라국에 편중되어 있고 또한 백제 중심으로 기술되어 있는 자료상의 한계성과 이에 대한 연구자들의 다양한 시각으로 인하여 현재까지도 그것의 성격을 명확하게 규정했다고 보기는 힘들다. 특히, 임나일본부를 '안라국에서 활동한 왜신'임을 인정한다고 하더라도, 그들의 파견 목적 및 야마토 조정과의 관계 등 구체적인 부분에 대한 해명은 아직 미비한 실정이라는 지적[49]과 '임나일본부'의 구성에 있어서도 불분명한 점이 많으므로 '임나일본부'와 '재안라제왜신'의 상관성은 인정되지만, 양자를 시기별로 구분 할 필요성이 있다는 견해[50]는 주목해 보아야 할 것이다. 또한, 보다 근본적인 사안으로 '임나일본부'를 둘러싼 국제관계(안라-임나일본부-야마토정권)가 어느 정도 해소되어야만 '임나일본부'로 상징되는 '남가라' 소멸이후 남부가야의 중심국으로 등장한 안라국과 야마토 정권과의 외교적 실상과 특징이 밝혀질 것으로도 전망해 볼 수 있다.

---

48 請田正幸, 앞의 논문, 1974. 김태식, 앞의 논문, 1993.

49 이연심, 「임나일본부 성격 재론」『지역과 역사』 14, 2004, 118~120쪽.

50 백승충, 「안라국의 대외관계사 연구의 제문제」『한국민족문화』 51, 2014.

5. 가야각국의 존재양상과 아라가야의 위상

가야제국의 존재형태에 대한 문제는 가야사 연구사상 오랫동안 주목을 받고 있는 주제 가운데 하나이다. 일찍이 가야의 사회발전단계를 논하는 가운데 마련된 '가야연맹체론'은 이병도에 의해서 제기되었다.[51] 그는 『삼국유사』 오가야조를 근거로 처음의 맹주국은 상가라(고령)이고 나중의 맹주국은 하가라(김해)라고 하는 6가야 연맹체설을 주장하였다. 이 연구는 가야사 연구의 토대가 되었으며, 이후 '부족연맹왕국'[52], '부족연맹'[53], '읍락국가'[54] 등과 같이 가야 정치체들의 존재형태에 대한 다양한 논의로 발전되어 갔다. 1990년대에 들어서면서 가야사회의 발전단계와 정치형태를 구분하여 설명하면서 이전 논자들의 근거였던 『삼국유사』 오가야조나 「가락국기」의 내용을 후대의 것으로 비판하고 『일본서기』 가야 관계 기사나 고고자료를 바탕으로 논지를 전개하는 치밀한 연구방법을 구사하여 전기에는 김해의 구야국이 중심이 된 가야연맹체, 후기에는 고령의 대가야가 중심이 된 '단일연맹체'로 파악하였다.[55] 가야 개별국간의 정치적 상호관계를 하나의 맹주국을 중심으로 결합된 형태의 '연맹체설'에서 아라가야의 존재는 6가야를 구성하는 지역의 小國으로서 인식되었고 그다지 주목받지 못하였다.

---

51 이병도, 『조선사대관』 동지사, 1948.

52 손진태, 『국사대요』 을유문화사, 1949.

53 김철준, 「한국고대국가발달사」 『한국문화사대계 1』 (민족 · 국가사), 고려대학교 민족문화연구소, 1964.

54 김정학, 『任那と日本』 小學館, 1977.

55 김태식, 앞의 논문, 1993. 田中俊明, 앞의 책, 1992.

다만, 멸망시까지 독자적 세력을 구축하여 존재하고 있음이 문헌으로나 고고자료상을 통하여 확인되고 있는 점을 고려하여 단일연맹체 속에서 '남북이원체제'의 '분절체계'로 이해하거나[56] 아라가야를 중심으로 한 남부지역을 대가야연맹의 범위에서 제외하여 다른 정치권으로 나누어 보기도 하였다.[57] 결국 '단일연맹체론'에서 아라가야의 존재에 대한 부적절한 논리는 가야가 하나의 연맹체만이 아니라 금관가야와 대가야연맹 외 또 다른 존재가 있었다는 것을 스스로 시인하는 결과를 가져오게 되었다.

이러한 '단일연맹체론'의 대안으로 제기된 것이 '지역연맹체론'이다. 김해와 고령의 가야세력이 가야의 역사를 대표하는 세력이었을 개연성은 인정하지만 가야지역 전체를 포괄하지는 못하였으며, 고고학 자료의 지역별 분포와 양식의 유사성을 가야의 국지적 · 분지적 특성과 관련지어 강조하며 '단일연맹체설'을 비판하고 부정하였다.[58] 특히, 고고자료상으로 볼 때, 가야제국은 결코 단일동맹으로 결속한 것이 아니라 동일한 시기에 다수의 연맹 즉, '소지역권'이 존재했던 것[59]으로 보거나 중추직할지(외절구연고배권)와 외곽관할지(공통양식토기문화권)로 2분하는 구조의 전기의 단일연맹체에서 대성동고분군 축조 중단이후 창녕 · 경산 · 대구 · 성주 등의 친신라계가야와 대가야 · 아라가야 · 소가야의 비신라계가야로 나누어지며 범가야권은 종적연맹체의 대가야연맹, 관할영역의 직접통치구조인 아라가야, 복수의 유력고분군이 대등한 황적연맹체의 소가야연맹으로 구성될 것

56 김태식, 「가야연맹의 제개념 비교」『가야제국의 왕권』, 인제대학교 가야문화연구소, 1997, 34~38쪽.

57 田中俊明, 앞의 책, 1992.

58 백승충, 앞의 논문, 1995.

59 권학수, 「가야제국의 상관관계와 연맹구조」『한국고고학보』 31, 1994, 152~158쪽.

[60]으로 파악하였다.

최근에는 가야 고대국가론이 강하게 대두되고 있다. 가라국(대가야)의 국가발전단계에 대한 논의에서 폭넓게 전개되고 있는 이 주장은, ①고령양식토기의 확산을 통해 주변 제지역과의 관계가 직접지배로 변함에 따라 연맹에서 영역국가로 볼 수 있고[61] ②5세기 후반의 고령양식 고분군을 3등급으로 나누고 상위등급인 고령 지산동고분군 집단은 합천 · 함양 · 남원 · 거창 · 산청지역의 중하위 등급 고분군집단을 직접 지배하는 등 가라국의 영역에 편입한 것[62] ③가라국은 교역루트를 개척하고 전략적 요충지에 대한 영역지배를 실시하는 등 초기국가 단계로서 종국에는 광의의 가야연맹체를 결성한 것[63] ④가라국의 발전과정을 반로국단계(1~3세기)에서 지역연맹체단계(4세기)를 거쳐 고대국가 직전단계에 해당하는 부체제단계(5세기 중엽이후)에 접어든 것[64]으로 인식하였다. 고대국가론은 후기가야의 강국인 가라국에 대한 내부구조 검토 및 국가발전단계에 대한 평가이지만, 가야제국 전체의 존재형태에 대한 이해와도 밀접하게 관련된 것이므로 아라가야의 경우, 왕의 존재가 확인되고 위계에 따른 고분군의 분화가 이루어진 점 등을 고려해 본다면 일정한 수준의 고대국가에 진입한 것으로 보아도 무리는 없을 것으로 생각된다.

---

60 신경철, 앞의 논문, 2007, 222~225쪽.

61 이희준, 「토기로 본 대가야의 권역과 그 변천」『가야사연구』, 경상북도, 1995, 409~442쪽.

62 김세기, 『고분자료로 본 대가야 연구』, 2003, 학연문화사, 235~244쪽.

63 박천수, 「대가야의 고대국가형성」『석오윤용진교수정년퇴임기념논총』, 1996, 386~398쪽.

64 이형기, 『대가야의 형성과 발전 연구』, 경인문화사, 2009, 156~164쪽.

한편, 가야사 가운데 한 시기만을 설명하는데 유용한 '연맹체설'이나 '고대국가설'과는 달리 가야사회의 전 발전과정을 포괄할 수 있는 논리의 틀로서 등장한 '가야지역국가론'[65]은 기존설의 한계를 극복하고 가야사가 가지는 특징을 이해하는데 도움을 주고 있다. 이 주장은 ①가야제국은 일시적 지역적 연맹의 결성은 있었으나 대부분 개별지역단위로 존재하다가 격파 당하였으므로 항존적 연맹체는 존재하지 않으며 ②가야 각국의 존재양상은 지리적 환경에 따라서 크게 좌우되고 지역이라 칭할 수 있는 단위가 그 중심지이고 ③소국 연맹체 단계를 '지역국가'의 형성과정으로 파악할 수 있으며 가야사를 동일한 개념으로 파악 가능 ④하천유역의 분지나 하곡에 위치한 수륙교통로의 분절점의 교통 요지이거나 전략적 요충지에 위치 ⑤방어적 기능을 중시한 지리적 환경에 입지 ⑥한기 또는 왕의 존재를 인식할 수 있는 고총고분 확인 ⑦중앙과 지방을 분리할 정도의 영역팽창이나 지방제도의 정비가 초보적인 수준이라는 점을 강조하고 있다. 따라서 '가야지역국가론'은 고고자료상에서 일국이 존재하였을 것으로 보아도 충분한 규모의 고분군을 가진 지역에 대하여 모두 적용 가능하며, 소국병립단계→지역연맹체 단계→지역국가 단계 등 다양한 형태의 국가발전단계를 수용하여 설명할 수 있는 강점이 있으므로, 포상팔국은 해상소국으로 구성된 '포상팔국 지역연맹체'로 분석할 수 있고, 가라국이나 아라가야는 '가야지역국가' 단계로 발전한 것으로 적용하였다.

가야의 존재형태를 분석한 다양한 틀 속에서 함안의 아라가야는 과연 어떠한 유형의 것에 해당하는지에 대한 학계의 열띤 논의는 앞으로도 계

65 백승옥, 「가야 각국의 성장과 발전에 관한 연구」, 부산대학교 박사학위논문, 2001.

속될 것이다. 문헌사료와 고고자료의 접목과 조화로운 해석여하에 따라 존재형태에 대한 논쟁은 더욱 심화될 것으로 보이는데, 신라나 백제와 같은 완전한 내용을 구비한 고대국가체는 아니지만 그에 근접한 유형으로 귀착될 가능성이 높다. 지금까지의 연구추세로 보아서도 아라가야는 지역국가 단계 정도는 당연히 인정되고 있고, 향후 고대국가 단계를 보여주는 구체적인 자료의 증가에 따라 대가야와 대등한 수준으로 존재형태는 달라질 것으로 기대되므로 문헌사료의 지속적인 재해석과 새로운 고고자료의 발굴은 물론이고 지자체와 지역민의 높은 관심이 요구된다.

6. 함안지역 도질토기의 편년

고총고분이 출현하기 직전 단계인 4세기대 영남지역의 가야사회를 이해하는 하나의 방법적인 틀로서 활용되고 있는 고식도질토기는 ①김해-부산지역을 제외한 영남지역의 토기를 함안양식의 범주에 포함하여 4세기의 영남지역 사회를 해석하는 견해 ②고식도질토기의 지역색은 크게 3지역으로 나누어지지만, 김해-부산지역과 경주지역을 제외한 전영남지역의 도질토기는 유사하며 복수의 지역에서 생산 소비되었고 함안양식과는 무관하다는 견해로 양분되어 있다. 먼저, 김해-부산지역을 제외한 지역에서 확인된 고식도질토기를 함안양식으로 파악한 초기의 견해[66]는 아라가야에 의해 함안지역에서 성립된 함안식토기(工자형고배 · 무파수노형토기 · 양이

66 안재호 · 송계현, 「고식도질토기에 대한 약간의 고찰」 『영남고고학』 1, 영남고고학회, 1986.

부승석문단경호)로서 이후 광범위한 지역으로 확산되었고[67], 고식도질토기 가운데 소형원저단경호와 승석문단경호 등이 함안지역에서 대량으로 생산되고, 이것이 광범위한 지역에 분배되었다는 견해[68]로 이어졌다. 나아가 아라가야의 도질토기 생산기술은 다른 영남지역보다 선진적이어서 함안 이외의 지역으로 공급되었다고 이해하고, 부산 복천동고분군에서도 여러 점의 함안산 승석문단경호가 부장되거나, 김해지역의 고분군에서도 함안산 승석문단경호가 부장되었다는 구체적인 사례를 제시[69]하며 함안산 토기의 유통망을 설정하는 연구[70]로 전개되었다. 그리고 통형고배를 중심으로 하는 4세기대의 고분군이 함안 및 그 주변지역에 밀집분포하고 있으며, 함안 묘사리 · 우거리에 이시대의 토기가마군이 존재하고 있는 점, 5세기대 고총고분의 전개양상으로 보아 그 중심지는 역시 함안지역이었을 것으로 추정할 수 있는데, 이는 낙동강 하류역과 같은 강력한 가야는 아니었지만, 함안지역에 어떠한 형태로든지 정치체가 존재했음은 틀림없고 낙동강하류역은 함안지역을 토기생산 거점으로 특히 중시하였다는 것으로 파악한 견해[71]로 발전하였다.

---

67 박승규, 「4~5세기 가야토기의 변동과 계통에 관한 연구」『인문연구논집』 4, 동의대학교 인문과학연구소, 2000.

68 이성주, 「가야토기 생산 · 분배체계」『가야고고학의 새로운 조명』, 부산대학교 한국민족문화연구소, 2002.

69 정주희, 「함안양식 고식도질토기의 분포정형과 의미」『한국고고학보』 73, 2009, 24~34쪽. 하승철, 「진주 안간리 출토 고식도질토기에 대한 일고찰」『진주 안간리유적』, 경남발전연구원 역사연구센터, 2008, 268~270쪽.

70 정주희, 「고식도질토기의 지역분화와 의미」『신라와 가야의 분화와 비교』, 영남고고학회, 2016.

71 신경철, 앞의 논문, 2007, 216~219쪽.

이 같은 함안양식토기 광역 분포권에 대하여 4세기대의 유구는 규모도 작을 뿐 만 아니라 부장유물의 양과 질에서도 너무나 보잘것없는 것들이기 때문에 강력한 힘을 가진 정치체의 존재와 이 정치체를 중심으로 자료가 확산되었을 것으로 인식하는 '함안식토기' 라는 용어는 철회되어야 한다는 반론도 있다.[72] 그리고 통형고배는 서부경남뿐만 아니라 김해-부산지역, 경주지역에서도 발견되기 때문에 함안지역 만의 특징적인 것이 아니라, 영남의 여러 지역에서 동시다발적으로 생산되었을 가능성이 높은 것이므로 고식도질토기 양식은 개방성과 공통점을 더 많이 갖고 있는 것으로 생산된 지역을 중심으로 그 주변지역에 분배되었다[73]고 인식하기도 하였다. 또한, 형태적 유사도에 근거하여 함안양식토기로 일괄해 온 영남지역 출토 승석문양이부단경호의 형태를 분석하여 이들 단경호에 차이가 있음을 파악하고, 4세기 3/4분기 이후에 크게 유행하며 낙동강하구지역 도질토기의 형태와 제도술이 함안지역에 직접 영향을 주었다는 견해[74]가 제시되었다. 특히, 김해-부산지역에서는 다양한 종류의 도질토기들이 소비되었지만 함안지역 고분에는 소량의 토기가 소비되고 있으므로 낙동강 하구 지역이 생산량과 소비량에 있어서도 월등하게 우월하다. 따라서, 대형묘 · 유물다량부장 · 순장 · 마구 · 갑주 · 외래계유물 등이 확인되지 않

---

72 조영제, 「가야토기의 지역색과 정치체」『가야고고학의 새로운 조명』, 한국민족문화연구소, 2003 ; 앞의 논문, 2006; 「'형식난립기'의 가야토기에 대하여」『고고광장』 2, 2008, 49~51쪽.

73 우지남, 「고식도질토기에 대한 약간의 고찰」『도항리 · 말산리유적』, 경남고고학연구소, 2000, 153~156쪽.

74 홍보식, 「4세기의 금관가야와 아라가야」『고고학을 통해 본 아라가야와 주변제국』, 경남발전연구원 역사연구센터, 2012.

는 4세기대 함안지역의 문화수준은 부산과 경주지역을 제외한 다른 영남지역의 양상과 유사하거나 또는 열세이므로 함안산 토기의 생산과 광역보급을 주장하는 것은 증명되지 않는 가설에 불과한 것이라는 상반된 견해도 제시되어 있다.

4세기대 영남지역의 고분문화와 함안지역 정치체의 규모에 대한 실질적인 접근을 위해서라도 학계에서 심화되고 있는 고식도질토기에 대한 논의는 계속 진행되어야 할 것으로 생각된다. 이를 위해서 지금까지의 논의 가운데에서 나타난 서로간의 문제점을 보완하며 보다 치밀한 분석과 구체적인 사실 해명은 필수적인 것으로 다루어져야 한다. 더욱이 도질토기 생산지로서 선진지역이었던 김해-부산지역에서 승석문단경호를 생산하지 않고 왜 함안지역으로부터 공급받았는가에 대한 특수성과 제도술의 이식과 도공의 파견 등의 배후에서 작용된 정치·문화적인 영향력도 논리적으로 설명되어야 한다. 그리고 후기와질토기단계까지만 해도 낙동강이동지역에 비해 제도술과 기종조성에서 열세에 있던 함안지역이 갑자기 김해-부산지역을 제외한 전영남지역으로까지 영향을 미치는 토기문화를 성립할 수 있었던 객관적인 요인과 배경이 제시되어야 한다는 지적[75]은 함안지역 뿐만 아니라 4세기대 전기가야의 구조와 정치체의 범위 및 연맹체론의 연구를 진행하는데 있어서도 경청해 두어야 할 부분이다.

한편, 1990년대 이후 진행된 말이산고분군 발굴조사와 더불어 가장 활발하게 이루어진 고고학적 연구 가운데 하나는 함안지역 도질토기의 분포변화와 편년에 대한 것이었다. 일찍이 아라가야의 토기양식은 함안의 중

75 홍보식, 「전기 가야의 고고학적 연구 쟁점과 전망」『한국고대사연구』 85, 2017, 71~81쪽.

심고분인 말이산고분군으로부터 시간과 공간상의 거리로 정의될 수 있다고 보고, '아라가야양식' 이란 대각을 3단으로 구획하고 위의 2단에만 일단투창이나 종이단투창을 뚫은 고배류와 단추모양의 꼭지가 붙고 파상문이 시문 된 뚜껑, 짧은 목의 유경호, 유개발형기대 등 여러 가지 속성들을 공유하며 다시 아기종 혹은 기형의 수준에서 요약될 수 있다고 보고 함안지역의 토기편년을 체계화시켰다.[76] 또한, 아라가야의 도질토기를 9단계로 나누고 전기(Ⅰ~Ⅳ단계, 4세기전반~5세기 1/4분기)는 고식도질토기 단계로 중서부 경남일대가 대체로 동일한 양상을 보이나, 중기(Ⅴ~Ⅷ단계, 5세기 2/4분기~6세기 1/4분기)에는 '함안식토기' 가 구체화되어 상하일렬장방형이단투창고배 · 화염형투창고배가 특징이 되며 장경호 · 고배형기대 등이 추가로 보이며, 대형목곽묘나 대형봉토를 갖춘 석곽분 및 횡형식석실분이 등장하고 있으므로 강력한 정치집단의 존재를 반영하는 것으로 파악하였다.[77] 그리고 묘제와 토기문화의 변동을 통하여 아라가야의 역사발전과정을 4기의 획기로 구분하고, 4세기말에서 5세기초경 대형목곽묘의 등장, 고식도질토기의 소멸, 새로운 토기의 출현 배경을 고구려의 남정에 따른 김해세력의 이동으로 이해하며 진정한 '함안식토기'의 성립을 아라가야 정치체의 형성으로 보았다.[78] 나아가 아라가야의 도질토기의 편년에 대한 기존 여러 연구자의 내용에 문제점이 있음을 지적하고 새로이 발굴된 출토자료를 근거로 말이산고분군 출토 도질토기에 대한 편년과 아라가야 토기

76 이성주 · 김형곤, 「아라가야 중심고분군의 편년과 성격」『한국상고사학보』 10, 1992, 300~308쪽.

77 김정완, 「함안권역 도질토기의 편년과 분포변화」, 경북대학교 석사학위논문, 1994.

78 조영제, 앞의 논문, 2004, 54~59쪽.

의 특징을 정리한 연구도 있다.[79] 이에 의하면, Ⅰ단계에서 Ⅴ단계까지는 고식도질토기(가야토기 전기)로, Ⅵ단계에서 Ⅹ단계까지는 아라가야토기(가야토기 후기)로 파악하였는데, 5세기 2/4분기에서 6세기 중엽까지 일정한 조합상을 이루면서 형식변화를 나타내는 토기군을 '아라가야토기'로 정의하고 Ⅵ단계는 아라가야토기의 발생기로, Ⅶ단계 ~ Ⅸ단계는 전성기, Ⅹ단계는 쇠퇴기로 파악하였다. 또한, 함안군 이외의 지역에서 아라가야토기가 출토되는 유적을 근거로 아라가야의 영역을 추적하였는데, 아라가야의 영역은 함안분지를 중심으로 하여 6세기 전반경에는 남강변의 의령군 일부지역과 강한 유대관계를 형성했을 것으로 추정하였다.

한편, 아라가야 고분 출토 토기에 대한 기존의 편년연구가 2~3세기가 누락된 채 4세기 이후로 만 되어 있는 것에 의문을 제기하고, 원삼국시대부터 아라가야가 멸망할 때 까지 통시적인 상대편년을 검토한 연구도 있다.[80] 이는 형식설정에 있어 함안지역에서 늦게 출현하는 고배를 배제하고 비교적 형식변화가 빠르게 진행되는 기종인 중형호와 발형기대, 컵형토기를 대상으로 선택하여 속성을 계측해서 통계학적인 방법으로 분류하였다. 이에 따라 아라가야의 토기를 상대편년 하였는데, 전기는 화로형기대와 연질고배, 양이첨저호와 같은 원삼국시대와 다른 새로운 기종이 유행하는 시기로 3세기 중엽경까지이며, 이시기의 주묘제인 목곽묘는 가야의 다른 지역과 같이 소수에 불과하며 후대고분의 축조시 파괴가 된 것으로 파악하였다. 중기는 컵형토기, 대부직구호, 광구소호와 같은 새로운 기형이 출현하는 시기로 공자형 무개식고배와 화염형투창고배가 성행하는 시기이다. 3

79 우지남, 앞의 논문, 2000, 135~172쪽.
80 박광춘, 앞의 논문, 2008, 282~306쪽.

세기 말에서 4세기 말엽까지로 토기는 도공들에 의한 전업적 생산체계가 확대 발전되며 대형목곽묘가 지배자의 매장시설로 채용됨과 동시에 사회 전반에 걸쳐 후장이 확산되면서 토기의 수요가 급격히 늘어나는 특징을 보인다. 다양한 크기의 목곽묘와 부장품의 차별화는 아라가야 사회가 점차 다양한 계급으로 분화됨을 보이는 것으로 파악하였다. 후기에는 아라가야 토기 기종이 정착되는 단계로 급격한 변화는 없으며 5세기 초엽에서 6세기 전엽에 해당되는 시기이다. 대형수혈식석곽묘가 지배자의 묘제로 채용되면서 부장품인 토기에 있어서도 대형화가 눈에 띠는 아라가야 문화의 최전성기이며 기대는 가분수형이고 장세경호와 기대가 동반되는 특징이 있다. 이후 아라가야문화는 갑자기 퇴조양상을 보이게 되며 새로운 묘제인 횡혈식석실묘가 지배자층의 무덤에서 유행하므로 국력이 쇠퇴하면서 부장품을 적게 넣는 박장으로 바뀌는 것으로 파악하였다.

7. 대외교류와 왜계석실

함안지역에서 출토되는 고고자료 가운데 외래계 유물을 통하여 아라가야의 국제관계를 분석하는 작업도 그동안 조금씩 이루어져 5세기 전반 이후 아라가야와 인접한 여러 정치체간의 직·간접적인 교류가 진행되었음이 확인되고 있다. 아라가야는 삼한시대 이래로 금관가야와 함께 가야연맹체의 중심국이었으나, 400년 고구려군의 남정이후 금관가야가 쇠약해진 틈을 타 새로이 대두한 대가야와 함께 후기 가야연맹체의 중심국으로의 위치를 지켜왔다. 대가야가 황강수계와 남강 중상류역·섬진강수계·금강상류역에 걸친 넓은 권역을 형성한 것에 비해 아라가야는 함안분지 일대와 진동만에 국한된 지역에서 세력을 유지하면서 주변제국과의 폭넓은 교류관계를 유지하였다. 5세기 후반 무렵에 조성된 말이산34호분과 現6호분·現 8호분 등에서 출토된 마주와 행엽·운주 등은 신라산으로 파악되며, 이 같은 신라산 장식마구들이 아라가야의 핵심지역에서 지배세력의 장식품으로 활용되었다는 것은 토기와 금제 수식부이식·용봉문환두대도·금동제 마구와 같은 독자적인 의장의 금공품을 제작하여 사용한 대가야와는 뚜렷하게 구분되는 점으로 대외교류에 있어서 아라가야 세력의 독자성을 보여주고 있다.[81]

또한, 말이산고분군 慶13호분 목곽묘에서 출토된 유공광구소호는 태토·구경부 형태·제법 등에서 가야에서 제작 소성된 지역형식과는 달리 영산강하류지역의 토기처럼 동체부에 돌선이 돌아가는 것으로 5세기 전반경 영암을 중심으로 한 영산강하류지역과 함안 등의 낙동강유역간의 교류가 인정된다.[82] 유공광구소호는 영산강유역 일대에서 이른 시기에 출현하며 가장 밀집 분포한다는 점에서 영산강유역의 직간접적인 영향이 있었을 것으로 보이며 4세기 후반 ~ 5세기 전반대에 아라가야와 마한의 서남부지역간에 활발한 문화교류가 있었음을 뒷받침 해주는 자료로 평가되고 있다.[83]

이와 함께 백제의 중앙세력과의 교류를 보여주는 고고자료가 다수 확인되고 있어 특히 주목된다. 먼저, 상원하방형 환과 칼 등에 금입사로 거치문을 시문한 마갑총 출토 대도는 파부의 장식판을 고정하기 위하여 5개의

81 박천수,「아라가야와 대가야」『고고학을 통해 본 아라가야와 주변제국』, 경남발전연구원 역사연구센터, 2012, 41~46쪽.

82 서현주,「서남해안지역의 토기문화와 가야와의 교류」『삼국시대 남해안지역의 문화상과 교류』, 한국고고학회, 2011, 106~114쪽.

83 이동희,「아라가야와 마한·백제」『고고학을 통해 본 아라가야와 주변제국』, 경남발전연구원 역사연구센터, 2012, 63~64쪽.

각목대를 감아 장식한 것이 특징이다. 이와 유사한 환두는 천안 용원리 9호 석곽묘에서 확인되고 있으므로, 마갑총 출토 환두대도는 백제 한성기의 장식대도 문화가 백제-가야-왜의 긴밀한 국제관계 속에서 아라가야로 이입된 것으로 아라가야 지배계층과 백제 중앙세력간의 교류는 일상적인 물자교환 수준의 경제적인 목적보다는 지배층의 권위를 상징하는 위세품적 성격이 강한 교섭관계로 이해될 수 있다.[84] 그리고 피장자의 사회적 위상을 나타내는 표식적인 유물로서 귀면문장식금구와 같은 착장형 장신구는 공주 송산리 1·3호분 등에서도 확인된 바 있어 그 기원을 백제계로 볼 수 있으며[85] 은제용문장식대도는 옥전M3호분 출토 용봉문환두대도와 함께 지배층의 상징적인 의기인 새모양 유자이기를 공유하는 옥전고분군 세력집단과 말이산고분군 축조세력간의 밀접한 관계를 엿볼 수 있는 것이다. 그 외에도 공부 다각형철모(말이산 5호분)는 무령왕릉과 송산리고분군 출토 은제 환두장식품과 비교되며, 가야권내에서도 대가야세력의 영향에 의해 남원, 함양 등지로 확산된 것을 고려한다면, 백제-대가야-다라-아라가야로 이어지는 지배집단간의 정치적 네트워크에 의한 산물로 파악된다.

또한, 6세기 전반에 들어 함안지역에서 유행하기 시작한 횡혈식석실(文4호·文5호·文8호·文47호분)은 평면형태가 세장방형을 이루며 입구부가 남단벽 중앙에 설치된 양수식구조인데, 연도는 1m 내외로 짧은 편이고 묘도는 비스듬한 경사를 이루며 나팔상으로 뻗은 특징이 있다. 이 석실은 규모와 형태·장폭비·주피장자의 두향 등에 있어서 전단계의 묘제인

---

84 홍보식, 「문물로 본 가야와 백제의 교섭과 교역」『호서고고학』 18, 2008, 138~140쪽.
85 홍보식, 「신라가야권역의 마한백제계 문물」『4~6세기 가야·신라고분출토 외래계 유물』, 영남고고학회, 2007.

수혈식석곽과 큰 차이가 없으므로 이 지역 수혈식석곽묘의 축조방식을 그대로 유지하면서 횡혈식석실의 신요소인 입구부의 설치와 연도와 묘도시설, 그리고 추가장에 수반되는 시상대의 개축 등이 가미된 것으로 파악된다. 역사적으로 6세기 전엽 무렵 백제가 섬진강유역을 장악하고 경남서부권으로 영향력을 확대하는 사건과 관련하여 경남서부권에 이와 같은 새로운 형식의 횡혈식석실분이 다수 등장하고 있는 것은 모두 백제의 영향인 것으로 파악되고 있다. 그리고 당시 백제지역 매장유구의 특징인 석실 내부의 낮은 관대와 금·은으로 장식된 관못과 관고리가 말이산고분군내 초현기 횡혈식석실에서 확인되고 있는 점을 근거로 장식관정으로 결합된 목관은 피장자의 계층차를 반영하며 장식관정 사용 목관의 존재는 백제적인 새로운 장제의 적극적인 수용으로 파악한 견해[86]도 있다. 말이산고분군의 외래계 유물을 통한 이러한 해석은 백제가 6세기 2/4분기에 섬진강을 넘어 경남서부권역에 정치적·군사적인 영향력을 강하게 미치며, 아라가야가 백제세력에 힘입어 임나부흥회의를 주도하는 모습으로 기술된 문헌기록과도 일치하는 것이어서 주목된다.

한편, 『일본서기』에 상세하게 기록된 아라가야와 왜와의 교류관계를 증명해 주는 고고자료는 대평리유적 왜계석실과 직호문녹각제도검장구(말이산34호분) 및 화염문투창고배가 전부로서 4세기대 김해-부산지역을 중심으로 이루어졌던 양상과 비교해 본다면 매우 약한 편이다. 이 가운데 5세기 말부터 6세기 전반에 걸쳐 가야지역에 등장한 왜계고분의 존재는 단순한 매장시설이 아니라 당시의 정치와 사회 모습의 한 단면을 반영하는 기

86 이주헌, 「아라가야에 대한 고고학적 검토」 『가야 각국사의 재구성』, 혜안, 2000.

념물이라는 관점에서 보아, 이를 『일본서기』의 임나일본부 관련기사와 관련지어 정치적인 이해관계로 해석해 보고자 하는 의견[87]과 경제적인 교류관계로 보아야 한다는 견해[88]으로 크게 나누어져 있다. 하지만, 경남해안 및 남강하류 등 가야지역에 분포하는 왜계고분은 고성 · 사천 · 거제 등 소위 소가야권역에 집중되어 있고, 가야의 북부지역인 고령 · 합천 · 함양 · 거창 등의 대가야권역과 안라국의 중심지인 함안분지내에서는 확인되지 않으며, 대가야의 대외창구로 지목되고 있는 하동을 포함한 섬진강수계에서도 아직 왜계고분이 발견되었다는 소식이 없다. 그리고 김해, 부산 등 이미 신라영역에 포함되었거나 영향력 아래에 놓여 있는 낙동강하류지역은 물론 낙동강 동안의 신라영역내에서도 왜계고분 또는 왜계석실이 발견되지 않는 것은 주목된다. 말이산고분군을 중심으로 한 아라가야 세력집단은 왜와의 교류에 있어서 4세기 후엽~5세기 전엽에는 남강~낙동강 루트를 통하여 금관가야와 연계된 교역체계로써 상호교류가 이루어졌으나, 금관가야가 쇠퇴한 5세기 중엽이후에는 진동만이나 마산만을 중심으로 한 남해안 루트를 통하여 소가야 · 대가야 등의 다변화된 교역체계 속에서 지속적인 교류가 이루어졌다.[89] 특히, 대평리유적과 거제 장목고분 · 고성 송학동의 왜계고분은 5세기 말경 아라가야가 서진하는 신라세

87 柳澤一男, 「5~6世紀の韓半島西南部と九州-九州系埋葬施設を中心に-」『加耶, 洛東江에서 榮山江으로』, 김해시, 2006. 박상언, 「가야지역 왜계고분의 연구현황」『경남의 가야고분과 동아시아』, 학연문화사, 2010. 박천수, 『새로 쓰는 고대 한일교섭사』, 사회평론, 2007; 「영산강유역 전방후원분에 대한 연구사 검토와 새로운 조명」『한국의 전방후원분』, 진인진, 2011.

88 홍보식, 「6세기전반 남해안지역의 교역과 집단동향」『영남고고학』 65, 2013.

89 하승철, 「유물로 본 아라가야와 왜의 교류」『고고학을 통해 본 아라가야와 주변제국』, 경남발전연구원 역사연구센터, 2012, 100~106쪽.

력에 맞서 소가야와 긴밀하게 연대하며 왜와의 교류를 지속하였던 흔적을 보여주는 고고자료라고 생각된다.

Ⅲ. 연구법의 모색과 향후 과제

아라가야는 자체적인 기록을 남기지 않고 단편적인 내용만이 백제나 신라 혹은 왜와 같은 주변 국가의 역사에 부분적으로 산재되어 있어 사회구조와 문화의 수준은 물론이고 정치체의 성격에 대한 연구를 효과적으로 진행하기가 상당히 힘들며, 고고자료 역시 부산-김해지역처럼 변진한 사회에서 가야로, 이후 신라화 되어가는 이행 과정을 검토할 수 있는 물질자료가 함안지역에서는 결실된 채 빈 공간으로 남아 있어 아라가야의 계기적인 발전과정을 연속적으로 논의하기에 충분치 않은 실정이다. 따라서, 아라가야에 대한 자체적인 발전과정의 역사를 구성해 보고자 하는 일련의 연구가 시도되기도 하였지만, 아직도 삼국시대 주변국과의 관계로서 혹은 주변국의 입장에 따라 파생되는 부수적인 연구주제로 많이 다루어져 왔다. 특히, 일제강점기 이래로는 임나일본부 문제와 깊게 연루되어 제대로 된 연구가 활발하게 진척되지 못한 것은 아라가야에 대한 지역민의 관심을 낮추는 역효과를 가져왔을지도 모른다.

고대 함안지역을 중심으로 전개된 아라가야에 대한 연구는 이제까지 진행된 문헌사료의 재해석보다는 고고자료에 대한 집중적인 수집과 연구에 중점을 두고, 적합한 사회진화이론과 적용 모델을 개발하고 이를 단계적으로 검증하는 작업이 필요할 것으로 생각된다. 신라와 가야를 비롯한 역사고고학의 연구는 일반적으로 토기와 묘제를 중심으로 한 연구경향으로 진행되어 왔으며, 유적과 유물의 분포와 형식상의 특징을 선별하여 영역을 나누고 유사성에 따라 정치체간의 친밀관계를 언급하는 사회사 및 정치사 분야에 관심이 집중되어 있다.[90] 현재 지역연맹체를 중심으로 한 가야의 연구가 사회통합의 규모와 복합도 수준에 대한 연구로 활발하게 나타나고 있다는 점을 고려한다면, 향후 아라가야의 연구방향과 방법론의 모색에 있어서도 사회단계를 효과적으로 검증할 수 있는 대안을 강구하고 이에 대한 집중적인 논의는 기본적으로 이루어져야 할 것이다.

따라서, 아라가야의 사회발전단계에 따른 세부적인 접근목표를 설정하고 이에 부합하는 양호한 고고자료의 계획적 발굴과 관련 사료의 재해석은 더욱 효과적인 방법일 것으로 생각된다. 즉, 변진안야국의 실체를 규명하고자 한다면 전기와질토기에서 후기와질토기로의 변화를 잘 보여주는 유적에 대한 집중적인 발굴과 사료 검증 작업을 중장기적인 계획으로 추진하여야 할 것이다. 또한, 아라가야의 성립과정을 밝히고자 한다면, 그에 부합하는 4세기대의 유적과 유물을 찾아 계획적인 중장기 발굴을 하며 그 내용을 검토하는 방법이 우선적으로 마련되어야 한다. 이는 과거 부산 복천동고분군과 연산동고분군, 김해의 양동리고분군과 칠산고분군, 대성동고분군 등에 대한 수년간의 연차발굴을 통하여 금관가야 정치체의 내부구조와 계기적인 발전과정 및 변화양상 등에 대한 양호한 고고자료를 획득하고, 이를 해석의 틀로서 적절하게 적용한 연구사례를 본보기로 비추어

90 이성주, 「4~5세기 가야사회에 대한 고고학 연구」『한국고대사연구』 24, 2001, 159쪽.

볼 때, 함안지역에서도 이제부터라도 시도해 볼만한 연구방법이라 생각된다.[91] 아라가야의 경우, 무엇보다도 변진안야국 단계에서 5세기 전반 안라국으로의 성장 단계에 이르는 긴 시간 동안의 자체적인 사회발전과정을 연속적으로 입증할 수 있는 고고자료의 확인은 매우 현실적인 문제이다. 이 가운데에서도 2세기 후반대 이후 등장한 후기와질토기단계에 해당하는 유구의 존재여부와 4세기대 아라가야의 실체를 보여주는 목곽묘(Ⅱ류형)유적에 대한 조사가 우선적으로 이루어져야 하는데, 이는 학계의 연구자들이 그 동안 과소평가했던 아라가야의 위상을 재고하는데 있어서 빠져서는 안 되는 중요한 자료가 되기 때문이다.

한편, 앞으로 아라가야사 연구에 있어서 중점을 두어야 할 과제는 무엇일까? 최근 제시된 가야사 연구에 있어서 향후 중점적으로 다루어져야 할 과제로서 문헌사의 경우 ①가야의 정치적 발전단계에 대한 재인식 ②문헌자료의 재검토 및 정리 ③한국사의 흐름속에서 가야사를 이해하는 것 ④고고자료의 지나친 의존이나 자의적인 해석 지양 ⑤가야사회의 발전과 멸망과정에 대한 다양한 관점 ⑥신라・백제 중심사관의 극복 ⑦해양사적 시야로 연구방향의 다양성 견지 ⑧내셔널리즘과 국가의식이 과잉 투영된 고대한일관계사 복원의 경계 등을 들고 있다.[92] 또한, 고고학에서는 ①매장

---

91 그동안 아라가야에 대한 고고학 연구는 사회발전 단계에 따른 계기적인 목표점이 설정되지 않은 채, 두서없이 말이산고분군의 대형고분을 중점적으로 발굴조사함으로써 한정된 시기, 즉 5세기 후반~6세기 전반대에 해당하는 고고자료의 축적에만 너무 많은 열정을 쏟은 것은 아닌가 하는 비판의 목소리도 있다. 이성주, 「고고학을 통해 본 아라가야」『한국고고학회 전국대회 발표문』, 1992, 24쪽.

92 남재우, 「식민사관에 의한 가야사연구와 그 극복」『한국고대사연구』 61, 2011, 183~188쪽.; 「전기 가야사 연구의 성과와 과제」『한국고대사연구』 85, 2017, 56~60쪽.

관련 분묘연구 위주에서 생활양식(생산 · 생활 · 제사)연구로의 전환 ②지역 단위의 복합유적(취락+제사+생산+분묘)에 대한 연구를 통한 지역상 구명 ③물질자료의 편년과 계통 연구 중심에서 음식 · 마을 · 종교 · 교통 · 군사 · 환경 · 자연개발 등과 같은 주제 고고학으로의 도전 시도 ④정치 · 사회의 성격 및 귀속 논쟁에서 탈피하여 지역의 개성과 문화의 다양성 및 가치 구명을 언급하거나[93] ⑤도성과 산성 · 봉수에 대한 조사활성화 및 왕궁-거점취락-특수취락-일반취락간의 유기적 관계 검토에 따른 입체적인 가야사 복원 ⑥고지명과 고고자료의 분석을 통한 멸망기 가야소국의 위치비정 ⑦소가야연맹체의 공간범위와 포상팔국과의 관계 규명 ⑧가야정치체간의 상호관계 및 백제 · 신라와의 국경선 ⑨가야지역의 왜계고분과 그 성격 ⑩고고자료의 편년관의 극복 및 역연대 · 교차연대에 대한 검증 등을 제시하였다.[94]

앞서 제시한 이 과제들은 가야사 연구의 현주소와 그것들이 지닌 문제점 해결을 위해 연구자들이 무엇을 선택적으로 집중하여야 할 것인가를 알려주며, 아라가야의 연구에 있어서도 적극적으로 고민해 보아야 할 사항들이다. 특히, 이 가운데에서도 고고자료의 심각한 편년관 극복 및 역연대 · 교차연대에 대한 검증과 매장관련 분묘연구 위주에서 생활양식(생산 · 생활 · 제사)연구로의 전환, 그리고 도성과 산성 · 봉수에 대한 조사활성화 및 왕궁-거점취락-특수취락-일반취락간의 유기적 관계 검토에 따른 입

93 홍보식, 「전기 가야의 고고학적 연구 쟁점과 전망」『한국고대사연구』 85, 2017, 96~99쪽.

94 이동희, 「후기 가야 고고학 연구의 성과와 과제」『한국고대사연구』 85, 2017, 136~141쪽.

체적인 사회상 복원은 함안지역의 고대사 연구에 있어서도 우선적으로 진행되어야 할 과제이다. 먼저 개별 과제에 대한 면밀한 분석과 연구를 진행하여 세부적인 모습을 파악한 후 이를 통해 아라가야 사회의 정치적 발전단계에 대한 재인식 문제나 지역의 개성과 문화의 다양성 및 가치를 구명하고, 나아가 고대 한·일관계사 복원으로의 순차적인 연구가 이행되어야 할 것임은 두말 할 필요가 없다.

한편 아라가야에 대한 효과적인 연구를 위해서는 연구외적인 부분에 있어서도 적극적으로 고민해야 할 사항이 있다. 앞서 제시한 문헌과 고고학 분야의 연구과제는 서로 보완적으로 적절하게 구성하여 지속적인 연구를 진행한다면 가야에 대한 이해의 완성도는 더욱 높아질 것이 분명하다. 그러나 다양한 분야의 장기과제를 효율적으로 해결하기에는 해당 지역의 현실이 높은 장벽으로 우리 앞에 놓여 있음은 나만 느끼고 있는 기우는 아닐 것이다. 즉, 아라가야에 대한 전문연구 인력의 부족은 우선적으로 해결되어야 할 문제이며 이는 아라가야 연구의 성패를 좌우하는 중요한 것임이 틀림없다. 또한, 아라가야 연구의 활성화는 국가나 지자체의 정책적인 지원도 어느 정도 필요하겠지만, 무엇보다도 지역민 스스로 지역사에 대한 관심과 열정이 완성도 높은 연구결과를 이끌어 내는 역할을 하기도 한다. 그렇지만, 지역 주민으로 하여금 해당 지역의 고대사 및 지역문화에 대한 관심을 갖도록 촉구 하는 것이 그들의 요구에 맞춘 역사해석을 가해 부응하려는 경향은 경계되어야 한다는 지적도 있다.[95] 지역의 요구에 따라 함안지역 중심의 입장과 시각에서 만 아라가야를 바라보려고 함으로써 실상

95 주보돈, 앞의 논문, 2017, 12쪽.

과는 크게 어긋나는 무리한 해석을 시도하거나 과도하게 포장하려는 상황도 우려되며, 나아가 단순한 해석의 수준을 넘어서 사실을 왜곡하는 일까지 벌어지게 된다면 결과적으로 아라가야의 연구를 더욱 침체하게 만드는 요인이 될 수 있음으로 선학의 걱정스런 경고는 귀 담아 두어야 할 것이다.

Ⅳ. 맺음말

가야를 단일주제로 한 가야사의 연구가 본격화된 것은 1980년대 이후이다. 국토개발에 따른 문화유적의 발굴조사와『일본서기』의 재해석에 의해 가야사의 실체를 확인하고자 하는 작업은 더욱 구체화되고 있다. 최근에는 한국고대사에서 '사국시대론'이 논의되는 상황에 까지 이르고 있다. 그 동안 축적된 가야사 관련 연구성과는 가야사회의 발전과정을 연대순으로 재구성하는 바탕이 되었을 뿐만 아니라, 김해의 가락국, 고령의 가라국(대가야)을 중심으로 한 가야사 연구경향에서 벗어나 함안의 아라가야(안라국) 및 고성의 소가야(고자국)를 포함한 가야각국에 대한 심층적 연구가 활성화되는 변화를 가져왔다.

가야의 개별 소국은 높은 생산력과 기술력을 바탕으로 수백 년 동안 한국사에서 중요한 위치를 차지하며 독자적인 역사를 지속하였다. 이는 가야각국이 한국고대사의 주변부가 아니라 고대사회 발전의 중심에서 주체적인 역할을 담당했던 정치집단이었음을 보여주는 것이다. 가야의 여러 정치집단들은 그 발전정도가 달랐으며, 대가야나 아라가야는 정치적으로 고대국가 단계로까지 나아간 것으로도 논의되어지고 있다.

그 동안 아라가야를 주제로 한 각 분야의 다양한 연구로는 변진구야국과 안야국, 포상팔국 전쟁, 광개토왕릉비문의 '안라인수병', 『일본서기』 계체 · 흠명기의 안라회의, 임나일본부 등과 같은 특정 주제와 관련된 파생적인 문제로만 다루어져 왔다. 따라서 가야사회의 유력한 정치체의 일원으로서 아라가야에 대한 보다 심층적인 연구에는 아직도 한계가 있음을 시인하지 않을 수 없다.

아라가야에 대한 연구는 태생적으로 자료 부족이라는 특수성으로 인해 문헌사 연구분야에서는 대외관계사가 주류를 이루고 있다. 특히, 삼국사기 초기기록과 광개토왕릉비문을 제외하면 주로 6세기 전반의 『일본서기』 기록에 근거하고 있는 연구의 편중성은 아라가야사를 체계적으로 재구성하는데 있어 적지 않은 문제점을 남기고 있다. 또한 고고자료에 있어서도 대부분이 5세기 이후의 고분 관련 자료에 집중되어 있고, 동일한 유구와 유물의 해석에 있어서도 연구자 간에 서로 상이한 해석으로 실상에 대한 인식차가 큰 점 역시 문제점이라 하지 않을 수 없다.

이와 같은 문제들을 단계적으로 극복하기 위해서는 기존의 연구방법과는 차별적인 새로운 연구법의 모색과 문헌 및 미지의 고고학 자료에 대한 적극적인 조사와 발굴은 더욱 절실하게 요구되는 부분이다. 특히, 고고자료의 심각한 편년관의 극복 및 매장관련 분묘연구 위주에서 생활양식 연구로의 전환, 그리고 왕궁-거점취락-일반취락간의 유기적 관계 검토에 따른 입체적인 사회상 복원은 우선적으로 진행되어야 할 과제이다.

또한, 아라가야에 대한 효과적인 연구를 위해서는 전문연구 인력의 부족 문제를 해결하여야 할 뿐만 아니라, 지역민 스스로 지역사에 관심과 열정을 갖도록 하는 효과적인 방안도 충분히 고려되어야 할 것으로 생각한다. 향후 아라가야에 대한 다각적인 연구의 향방이 기대된다.

【참고문헌】

권주현, 「아라가야의 성립과 발전」『계명사학』 4, 1993.

김두철, 「부산지역 고분문화의 추이」『항도부산』 19, 2003.

김두철, 「신라 · 가야의 경계로서 경주와 부산」『영남고고학』 70, 2014.

김세기, 『고분자료로 본 대가야 연구』, 학연문화사, 2003.

김정완, 「함안권역 도질토기의 편년과 분포변화」, 경북대학교 석사학위논문, 1994.

김태식, 『가야연맹사』 일조각, 1993.

김태식, 「광개토대왕비문의 임나가라와 '안라인수병'」『한국고대사논총』 6, 1994.

김태식, 「함안 안라국의 성장과 변천」『한국사연구』 86, 1994.

김태식, 「가야연맹의 제개념 비교」『가야제국의 왕권』, 인제대학교 가야문화연구소, 1997.

김태식, 『미완의 문명 700년 가야사』, 푸른역사, 2002.

김　현, 「함안 도항리목관묘 출토 와질토기에 대하여」『도항리 · 말산리유적』, 2002.

김현구, 『임나일본부연구-한반도남부경영론 비판-』 일조각, 1993.

김형곤, 「아라가야의 형성과정 연구」『가라문화』 12, 1995.

남재우, 『안라국의 성장과 대외관계연구』 성균관대학교박사학위논문, 1998.

남재우, 「가야연맹과 대가야」『대가야의 성장과 발전』, 고령군 대가야박물관, 2004.

남재우, 「식민사관에 의한 가야사연구와 그 극복」『한국고대사연구』 61, 2011.

남재우, 「전기 가야사 연구의 성과와 과제」『한국고대사연구』 85, 2017.

박광춘, 「아라가야 토기의 편년적 연구」『함안 도항리 6호분』 동아세아문화재연구원, 2008.

박상언, 「가야지역 왜계고분의 연구현황」『경남의 가야고분과 동아시아』, 2010.

박승규, 「4~5세기 가야토기의 변동과 계통에 관한 연구」『인문연구논집』 4, 동의대학교 인문과학연구소, 2000.
박천수, 「대가야의 고대국가형성」『석오윤용진교수정년퇴임기념논총』, 1996.
박천수, 『새로 쓰는 고대 한일교섭사』, 사회평론, 2007.
박천수, 「영산강유역 전방후원분에 대한 연구사 검토와 새로운 조명」『한국의 전방후원분』, 진인진, 2011.
박천수, 「아라가야와 대가야」『고고학을 통해 본 아라가야와 주변제국』, 경남발전연구원 역사연구센터, 2012.
백승옥, 「고성 고자국의 형성과 변천」『한국고대사연구』 11, 1997.
백승옥, 「가야 각국의 성장과 발전에 관한 연구」부산대학교 박사학위논문, 2001.
백승옥, 「광개토왕릉비문의 건립목적과 가야관계기사의 해석」『한국상고사학보』 42, 2003.
백승옥, 「가야제국의 존재형태와 가야지역국가론」『지역과 역사』 34, 2014.
백승충, 「1~3세기 가야세력의 성격과 추이」『부대사학』 13, 부산대학교 사학과, 1986.
백승충, 「가야의 지역연맹사 연구」부산대학교 박사학위논문, 1995.
백승충, 「'임나일본부'의 용례와 범주」『지역과 역사』 24 부경역사연구소, 2009.
백승충, 「안라국의 대외관계사 연구의 제문제」『한국민족문화』 51, 2014.
서현주, 「서남해안지역의 토기문화와 가야와의 교류」『삼국시대 남해안지역의 문화상과 교류』, 한국고고학회, 2011.
선석열, 『삼국사기 신라본기 초기기록문제와 신라국가의 성립』 부산대학교 박사학위논문, 1996.
송원영, 「금관가야와 광개토왕비 경자년 남정기사」, 부산대학교 석사학위논문, 2010.
신경철, 「삼국시대 영남의 정세변동과 소가야고분군」『경남의 가야고분과 동아세아』, 학연문화사, 2010.

안재호·송계현, 「고식도질토기에 대한 약간의 고찰」『영남고고학』 1 영남고고학회, 1986.
우지남, 「고식도질토기에 대한 약간의 고찰」『도항리·말산리유적』, 경남고고학연구소, 2000.
유우창, 「'가야-고구려 동맹'의 형성과 추이」『역사와 세계』 44, 2013.
연민수, 「임나일본부론-소위 일본부관인 출자를 중심으로-」『동국사학』 24, 1990.
연민수, 「광개토왕비문에 보이는 대외관계-고구려의 남방경영과 국제관계」『한국고대사연구』 10, 1995.
이동희, 「아라가야와 마한·백제」『고고학을 통해 본 아라가야와 주변제국』, 경남발전연구원 역사연구센터, 2012.
이동희, 「후기 가야 고고학 연구의 성과와 과제」『한국고대사연구』 85, 2017.
이성주·김형곤, 「아라가야 중심고분군의 편년과 성격」『한국상고사학보』 10, 1992.
이성주, 「4~5세기 가야사회에 대한 고고학 연구」『한국고대사연구』 24, 2001.
이영식, 「가야와 고구려의 교류사 연구」『한국사학보』 25, 2006.
이연심, 「임나일본부 성격 재론」『지역과 역사』 14, 2004.
이용현, 「任那と日本府の問題」『東アジアの古代文化』 110, 2001.
이주헌, 「아라가야에 대한 고고학적 검토」『가야 각국사의 재구성』 혜안, 2000.
이주헌, 「함안도항리 목관묘와 안야국」『문화재』 34, 2004.
이주헌, 「가야지역 왜계고분의 피장자와 임나일본부」『지역과 역사』 35, 2014.
이종욱, 『신라국가형성사연구』, 일조각, 1982.
이현혜, 「4세기 가야사회의 교역체계의 변천」『한국고대사연구』 1, 1987.
이형기, 「아라가야연맹체의 성립과 그 추이」『사학연구』 57, 1999.
이형기, 『대가야의 형성과 발전 연구』 경인문화사, 2009.
이희준, 「토기로 본 대가야의 권역과 그 변천」『가야사연구』 경상북도, 1995.

정주희, 「함안양식 고식도질토기의 분포정형과 의미」『한국고고학보』 73, 2009.
정주희, 「고식도질토기의 지역분화와 의미」『신라와 가야의 분화와 비교』, 영남고고학회, 2016.
주보돈, 「고구려 남진의 성격과 그 영향-광개토왕 남정의 실상과 의의-」『대구사학』 82, 2006.
주보돈, 「가야사 연구의 새로운 진전을 위한 제언」『한국고대사연구』 85, 2017.
조영제, 「가야토기의 지역색과 정치체」『가야고고학의 새로운 조명』 한국민족문화연구소, 2003.
조영제, 「고고자료를 통해 본 안라국(아라가야)의 성립에 대한 연구」『지역과 역사』 14, 2004.
조영제, 「서부경남 가야제국의 성립에 대한 고고학적 연구」 부산대학교 박사학위논문, 2006.
조영제, 「서부경남 가야 수혈식석곽묘의 수용에 관한 연구」『영남고고학』 40, 2007.
조영제, 「'형식난립기'의 가야토기에 대하여」『고고광장』 2, 2008.
조영제, 「아라가야의 고고학」『고고학을 통해 본 아라가야와 주변제국』, 경남발전연구원 역사연구센터, 2012.
하승철, 「진주 안간리 출토 고식도질토기에 대한 일고찰」『진주 안간리유적』, 경남발전연구원 역사연구센터, 2008.
하승철, 「유물로 본 아라가야와 왜의 교류」『고고학을 통해 본 아라가야와 주변제국』, 경남발전연구원 역사연구센터, 2012.
함안군 · 부산대학교 한국민족문화연구소, 『안라국(아라가야)의 발전과 대외교섭』, 2013.
함안군 · 부산대학교 한국민족문화연구소, 『안라국(아라가야)과 임나일본부』, 2014.
홍보식, 「신라가야권역의 마한백제계 문물」『4~6세기 가야 · 신라고분출토 외래계유물』, 영남고고학회, 2007.
홍보식, 「문물로 본 가야와 백제의 교섭과 교역」『호서고고학』 18, 2008.
홍보식, 「4세기의 금관가야와 아라가야」『고고학을 통해 본 아라가야와 주변제국』, 경남발전연구원 역사연구센터, 2012.
홍보식, 「6세기전반 남해안지역의 교역과 집단동향」『영남고고학』 65, 2013.
홍보식, 「전기 가야의 고고학적 연구 쟁점과 전망」『한국고대사연구』 85, 2017.

請田正幸, 「任那日本府は存在したのか」『爭點 日本歷史』 卷2古代編 I (古墳~飛鳥時代), 1990.
大山誠一, 「所謂任那日本府の成立について」『古代文化』 32-9・10・11, 1980.
鬼頭清明, 「任那日本府の檢討」『日本古代國家の形成と東アジア』, 校倉書房, 1976.
田中俊明, 『大加耶聯盟の興亡と任那』, 吉川弘文館, 1992.
鈴木晴民, 「六世紀の朝鮮三國と伽倻と倭」『東アジアの古代文化』 62, 1990.
鈴木英夫, 「加羅・百濟と倭-任那日本府論」『韓國史研究會論文集』 24, 1987.
末松保和, 『任那興亡史』 吉川弘文館, 1956.
柳澤一男, 「5~6世紀の韓半島西南部と九州-九州系埋葬施設を中心に-」『加耶, 洛東江에서 榮山江으로』, 김해시, 2006.
山尾幸久, 『古代の日朝關係』, 槁書房, 1989.
奧田 尙, 「任那日本府と新羅倭典」『古代國家の形成と展開』, 吉川弘文館, 1976.
吉田 晶, 「古代國家の形成」『岩波講座 日本歷史』 2(古代), 1975.

王健群, 『廣開土王碑研究(임동석 역)』, 역민사, 1985.

Aragaya - Current trend and future prospects of related research

Lee Juheun
Buyeo National Research Institute of Cultural Heritage

Although research on the history of Gaya began in earnest in the 1980s, efforts to ascertain what the history of Gaya was really like through excavation surveys of historic sites and reinterpretation of the Nihon Shoki are being made even more concretely today. Recently, scholars specializing in the ancient history of Korea have begun referring to the "Four Kingdoms Period" rather than using the established term 'Three Kingdoms Period'. The results of research on the history of Gaya accumulated so far not only form the basis on which to recompose the process of development of Gaya society chronologically, but have also brought about changes resulting in more in-depth studies of each of the mini kingdoms in present-day Haman and Sogaya of the Gaya Confederacy, breaking with the past trend of research focused largely on Garakguk in Gimhae and Garaguk in Goryeong.

So far, studies on Aragaya have only been conducted with a focus on derivative matters like Byeonjinguyaguk, Anyaguk; war among the Posangpalguk ; the Allainsubyeong referred to on the Stele of King Gwanggaeto of Goguryeo; the Alla Conference or Mimana Nihonfu mentioned in the Nihon Shoki. Thus, it should be pointed out that in-depth study about Aragaya as a powerful polity of Gaya still has a long way to go.

The research on Aragaya is limited by a lack of informative materials, as most of the relevant literature only concerns its relationship with neighboring countries. Other than early parts of Samguk sagi and the content of the Stele of King Gwanggaeto, Nihon Shoki, which was written in the early sixth century, is the only material researchers can rely on heavily for their studies of Aragaya. That is the main limitation faced by researchers in their efforts to systematically recompose its history.

However, there are other problems. Most of the available archaeological materials are related to tombs dating from the fifth century or thereafter, and there is a large difference in the way researchers view the same historic sites and relics.

It is necessary to overcome such problems one after another by looking for a new research method and new literature and archaeological materials. In particular, efforts need to be made to end the reliance on specific archaeological materials, to shift the focus from tombs to ancient people's way of life, and to restore three-dimensional social aspects by reviewing the relationship between royal palaces and villages.

Keywords: Ara Gaya, archaeological materials, Mimana Nihonfu, preponderance of research, research on regional history

아라가야의 고분문화

하승철 경남발전연구원

I. 머리말

가야를 비롯한 고구려 · 신라 · 백제의 고분문화는 중원 또는 북방과 깊은 관련을 가지며 연동한다. 고대 중국에서 생겨난 거대 분구의 지향이 한반도에 전달되고 신선사상, 내세관이 결합되면서 분구를 가진 고분이 지속적으로 축조된다. 고분군 조성은 당시 국가의 가장 큰 프로젝트 중의 하나로 우수한 토목기술과 많은 노동력을 동원하며, 당시의 일상 생활품이나 장식품, 외국과의 교역을 통해 입수한 귀중한 유물도 아낌없이 소비하는 장소이다. 남겨진 기록이 거의 없어 인식조차 하기 힘들었던 가야는 그들이 남긴 가야고분군과 그 속에 부장된 유물을 통해 생생하게 되살아나고 있다. 가야의 유력한 세력 중 하나였던 아라가야 역시 그들이 남긴 고분문화를 통해 실상에 접근해 볼 수 있다.

본 글에서는 묘제와 출토유물을 통해 아라가야의 역사적 흐름을 이해해보고자 한다. 먼저 아라가야의 성립과 관련하여 함안분지의 인문, 자연환경에 대해 살펴보고, 이어 말이산고분군을 중심으로 묘제의 변천과 출토유물의 특징에 대해 고찰해보고자 한다. 말미에는 아라가야의 유물을 통해 아라가야의 대외관계에 대해 고찰해보고자 한다.

Ⅱ. 함안의 자연 · 인문 환경

1. 자연환경

함안은 남쪽이 높고 북쪽이 낮은 지형으로 함안 분지와 남해안의 경계에 600m가 넘는 고봉들이 줄지어 있고, 북쪽으로 갈수록 점차 해발이 낮은 구릉성 산지가 발달한다. 함안군의 북쪽과 동쪽은 남강과 낙동강으로

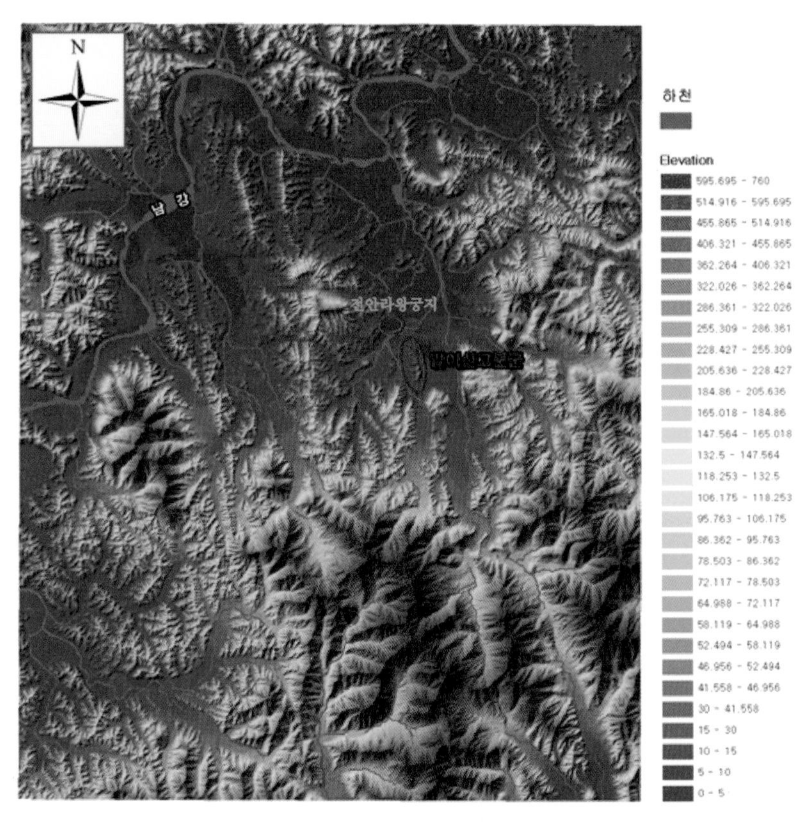

〈그림 1〉 전(傳)안라왕궁지와 말이산고분군의 입지

둘러싸여 있다. 하천은 남쪽 산지에서 발원하여 남강, 낙동강 쪽으로 흘러가는데, 하천이 비교적 짧고 여러 가닥의 소하천이 망상으로 펼쳐져 있다.

함안분지는 남해안으로 통하는 물길이 막혀있고, 북쪽은 큰 강이 감싸듯 흐르고 있어 저지대는 상습저습지를 형성하였다. 함안분지에 축조된 지석묘들이 해발고도 10m 이상에 분포하는 점, 발굴조사를 통해 확인된 함안 평야의 습지퇴적층, 함안 가야리 제방유적[1]은 고대 함안분지의 자연환경을 알려주는 대표적인 사례이다. 유량이 풍부한 남강은 지대가 낮은 함안분지의 여러 곳에 택지나 습지환경을 조성하고 말이산고분군과 傳안라왕궁지 근처에까지 깊숙이 올라왔을 가능성이 높다.(그림 1) 현재의 지형과 달리 아라가야 도성은 신음천 · 장안천을 따라 남강, 낙동강으로 이어진 수로 교통을 활용하기에 충분한 환경이었다. 가야의 주요 도성은 남해안, 낙동강 · 남강 · 황강 등 주요 하천을 배경으로 형성되는데, 입지 선정에 있어 교역로가 최우선 고려 대상이었을 가능성이 높다. 함안 분지에 입지한 아라가야 도성 역시 남강-낙동강으로 이어진 내륙 교역로와 남해안의 해양 교역로가 배경이 된다. 남해안에 입지하는 마산 현동유적과 진북 대평리유적에 대외문물이 집중하는 현상은 아라가야의 성장 동력 중 하나가 교역에 있었음을 방증한다.

교역 입지와 더불어 함안 분지의 농업 생산력도 아라가야 성장 동력으로 고려할 필요가 있다. 함안 분지는 남강에 인접한 저지대를 제외하면 골짜기 곳곳에 비교적 넓은 평야가 형성되어 있어 청동기시대부터 농업 생산력이 높았을 것이다. 이는 변 · 진한 시기부터 아라가야가 유력한 세력

1 우리문화재연구원, 2010,『함안 가야리 제방유적』.

으로 성장할 수 있었던 배경이 되었다.

2. 인문환경

해양과 내륙을 연결하는 탁월한 입지를 배경으로 성장한 아라가야 도성은 안라왕궁지와 말이산고분군을 핵심에 두고 생산지와 창고군, 공방지 등을 분산 배치하는 경관이 조성된다. 아라가야 왕과 수장층 묘역인 말이산고분군은 기원전후한 시기부터 아라가야가 멸망하는 6세기 중엽까지 유지되었다. 말이산 구릉의 남쪽 끝부분에 조성된 함안 충의공원 유적은 대형 건물지와 수혈로 구성된 국가의 공공건물로 파악된다. 이 건물지의 규모는 길이 40m, 너비 16m로 일반민들의 주거 용도로 보기는 어렵다. 또한 건물지 좌우로 부속시설로 보이는 고상건물지와 저장용 수혈들이 군집되어 있어 구릉 전체는 특수한 역할을 담당한 공간임이 확실하다. 함안천변에 입지한 충의공원 유적은 남강-낙동강을 통해 이동한 물자를 보관하는 국가의 중요 시설일 것으로 판단한다. 안라왕궁지 외곽에는 가야리 제방을 축조하여 남강의 역류를 방지하였다. 하천과 연결된 제방은 왕궁지를 방어하는 기능도 겸비했을 것이다. 가야리 제방의 축조로 인해 왕궁지 주변의 곡부가 수전지로 활용되었다. 아라가야의 주요 산업인 토기 생산지는 왕궁지와 이격되어 법수면 장명리 · 우거리 일대에서 대규모로 확인된다. 원료 공급과 남강을 통한 교역의 장점을 활용하기 위한 공간 배치이다. 말이산고분군은 함안 분지로 돌출한 낮은 구릉에 조성되었는데 이는 김해 대성동고분군, 부산 복천동고분군, 합천 옥전고분군 등 대부분의 가야고분군 입지와 공통한다. 고분군이 조성된 구릉은 함안 분지 곳곳에서 조망하기 용이하며 남강-함안천으로 이어진 수로 교역로에 인접한다.

삼국시대 고분군은 초기국가 형성기의 문화경관의 일부로 구축되며, 당시 정치체의 정치적, 경제적 그리고 이념적 중심지의 형성과정에서 중요한 비중을 차지한다. 또한 정치지배 구조를 이념적으로 합리화하고 정당화 해온 기념물로 볼 수 있다[2]. 추정 안라왕궁지는 도성의 확실한 흔적은 확인되지 않았지만 주변 곳곳에서 진행된 발굴조사를 통해 대규모 취락의 존재 가능성이 점차 높아지고 있다. 조선시대에 편찬된『함주지』에 토성의 흔적이 기록되어 있는 사실도 주목할 필요가 있다.

아라가야 도성의 경관은 김해 · 고령 · 합천 등 가야 각국에서 확인가능하다. 잘 알려져 있듯이 김해는 고김해만이 해반천을 따라 봉황대유적과 대성동고분군까지 이르렀다. 왕궁지로 추정되는 봉황동유적과 금관가야 왕과 수장층의 묘역인 대성동고분군이 인접하여 조성되어 있다. 남해안 해양도시의 입지와 경관을 보여주고 있는 것이다.

대가야의 고도인 고령은 낙동강과 연결된 대가천이 도성의 동쪽 경계를 이루고 방어시설 또는 대피성의 역할로 추정되는 주산성이 도성의 배후에 입지한다. 주산성에서 동쪽 대지상으로 뻗은 낮은 구릉의 말단부에 대가야 왕궁지가 입지한다. 대가야 왕과 수장층이 묻힌 지산동고분군은 고령읍의 남서쪽을 감싸는 구릉의 정선부에 축조되어 있다.

다라국과 관련된 합천 성산토성은 낙동강과 연결된 황강변의 낮은 구릉에 축조되어 있다. 구릉 가장자리로 토성이 잔존하며 내부에서 고상건물지와 특수한 용도의 건물지가 다수 조사되었다. 다라국 수장층의 묘역인 옥전고분군은 성산토성의 배후에 넓게 형성되어 있다.

2 이성주, 2017,「가야고분군 형성과정과 경관의 특징」『가야고분군 세계유산 등재추진 학술대회』,가야고분군 세계유산등재추진단,p.54.

4세기 경주의 모습도 가야 도성과 유사하다. 월성에 지배집단의 왕궁이 건설되고 황남동과 황오동 일대에 중심고분군이 축조되며, 인접한 황성동 일대에 제철 공방지가 조성된다.

Ⅲ. 아라가야 묘제와 출토유물

1. 고분군의 분포

4~6세기 아라가야 권역은 함안분지를 중심으로 의령읍 일대, 진주 반성면과 마산만 일부지역이 포함된다. 그 중 핵심권역은 가야읍 중심과 군북면 일대, 칠원권으로 구분할 수 있다. 아라가야의 주요 고분은 100여 곳에 달한다. 가야읍 일대는 아라가야의 중심권역으로 말이산고분군을 비롯하여 남문외고분군, 필동고분군, 선왕동고분군, 덕전고분군 등 규모가 큰 고분군이 집중한다. 특히 傳안라왕궁지를 중심으로 대형고분군이 에워싸듯 분포하고 있는 것이 특징이다. 군북권은 수곡고분군과 오당골고분군을 중심으로 30개소의 고분군이 분포한다. 칠원권은 용산고분군을 중심으로 10여개소의 중·소형분이 분포한다.

아라가야의 중심고분군인 말이산고분군은 함안분지 중앙으로 길게 뻗은 잔구성 구릉지에 조성되어 있다. 구릉의 동쪽편은 함안천에 의해 측방 침식되고, 서쪽편은 주능선으로부터 뻗어내린 8개의 가지능선이 형성되어 있다. 말이산고분군은 기원전후한 시기의 목관묘로부터 아라가야가 멸망하는 6세기 중엽까지 지속적으로 축조되었다. 육안으로 확인되는 봉토분은 127기이지만 봉분의 삭평을 감안하면 총 개수는 1000여기에 달할 것으로 예상된다. 봉토분의 규모는 직경 10~35m로 다양하다. 고분군은 약

〈그림 2〉 말이산고분군 고분 분포

2㎞에 달하는 구릉 전체에 조성되어 있는데, 아라가야 왕과 수장층을 위한 특별한 묘역으로 관리되었다. 일반적으로 가야 고분의 입지와 규모, 부장유물은 피장자의 신분을 반영한다. 말이산고분군은 구릉 정선부를 중심으로 상위 계층의 고분이 축조되고 그 주변으로 중하위 계층의 고분이 호위하듯 배치된다.

말이산고분군에 대한 고고학 발굴조사는 일제강점기 도쿄제국대학의 세키노(1910년)를 시작으로 도리이(1914년), 쿠로이타(1915년)에 의해 이루어졌고, 1917년 조선총독부에 의해 5호분과 34호분이 발굴되었다. 이후 현재까지 20차례 정도의 크고 작은 발굴조사가 이루어졌다.

남문외고분군은 직경 10~20m의 봉토분 24기와 다수의 중소형분으로 구성되어 있다. 말이산고분군에서 서쪽으로 약 1㎞ 정도 이격된 지점에 위치한다. 신음천을 따라 길게 형성된 구릉의 정선부에 고총이 분포한다. 말이산고분군에 조성된 고총과 비슷한 규모의 고총이 연속해서 축조되고 있어 아라가야 수장층 묘역이 확대되었을 가능성도 있다.

고분군의 분포 및 규모로 보아 아라가야는 4세기부터 함안분지를 중심으로 중심권이 형성되고, 중심과 외곽의 격차가 심화된다. 말이산고분군은 분지의 중앙으로 뻗어 내린 낮은 구릉에 거대한 봉토분을 축조하면서 능선 전체를 특별한 기념물로 만들어가고자 하는 아라가야 인들의 의도가 분명히 반영되어 있다.

2. 묘제와 출토유물

아라가야 묘제는 목관묘-목곽묘-수혈식석곽묘-횡혈식석실분으로 변한다. 목관묘는 기원전 1세기부터 축조되기 시작한다. 현재까지 후기 와질토기에 해당하는 목곽묘는 확인되지 않았다. 목곽묘는 3세기 후엽부터 5세기 전반의 시기에 축조된다. 수혈식석곽묘는 5세기 2/4분기부터 출현하며 아라가야가 멸망하는 6세기 중엽까지 지속적으로 축조된다. 횡혈식석실분은 6세기 전엽에 출현한다.

1) 목관묘

현재까지 아라가야 권역에서 조사된 목관묘는 말이산고분군에서 49기, 소포리유적에서 12기이다. 경주·울산·부산·김해 등 영남의 동남부지역과 비교하면 목관묘의 군집이 극히 열세이다. 또한 영남의 동남부지역에서 유행한 와질토기문화는 함안을 경계로 양상을 달리한다. 진·변한의 와질토기문화는 거창 정장리유적과 합천 삼가고분군, 함안 말이산고분군 등 일부 거점지역을 중심으로 확산되었으나 경남 서부지역에서 활성화되지 못하였다. 함안 이

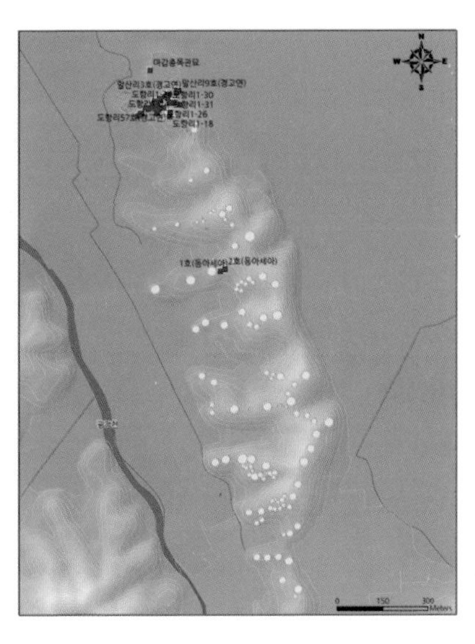

〈그림 3〉 말이산고분군 내 목관묘 분포

서의 경남 서부지역은 전대의 점토대토기문화가 늦은 시기까지 지속되는 등 와질토기는 유행하지 않는다. 목관묘의 군집도 이러한 문화적인 차이가 여실히 반영되고 있다.

함안 말이산고분군에서 조사된 목관묘는 구릉의 북편에 밀집되어 있다. 청동기시대의 지석묘와 석관묘가 구릉 전체에서 산발적으로 확인되지만 말이산이 집단의 중심 묘역으로 본격적으로 이용되기 시작한 것은 목관묘 단계일 것으로 본다. 목관묘는 말이산의 북편에서부터 축조되기 시작하여 점차 묘역을 확대한다. 그러나 이 일대는 근대에 도심지가 형성되고, 도로·철도 등이 부설되면서 당시의 지형이 상당부분 훼손되었다. 이 과정에서 상당수의 목관묘가 파괴되었을 가능성이 높다. 당시의 지형이 부분적으로 남아있는 곳에서 목관묘와 옹관묘가 밀집해 조성되어 있으므로 이러한 사실을 유추할 수 있다. 유적의 전모가 알려지지 않아 당시의 선진지역인 창원 다호리유적이나 김해 양동리·대성동유적과 비교할 수는 없지만 상당 수준의 분묘군이 조성되었을 가능성도 배제할 수 없다.

말이산고분군에서 조사된 목관묘는 묘광 길이 145~325㎝, 너비 69~136㎝이다. 소포리유적에서 조사된 12기의 목관묘는 묘광 길이 203~256㎝, 너비 67~122㎝이고, 목곽 길이 155~199㎝, 너비 33~63㎝이다. 아라가야 목관묘의 전체적인 규모는 다호리·양동리유적과 큰 차이가 없으나 최상위 계층에 해당하는 묘는 현저히 적다. 유물의 부장위치는 목관 내부, 보강토 내부·상부, 목관 상부로 다양하다. 그러나 인근의 다호리유적이나 대성동유적·양동리유적에서 공통적으로 보이는 요갱은 확인되지 않았다. 목관의 구조는 판재조립식목관과 통나무목관으로 구분되는데 전자의 비

〈그림 4〉 말이산(경)25호묘 전경

〈그림 5〉 25호묘 쇠뿔모양손잡이항아리

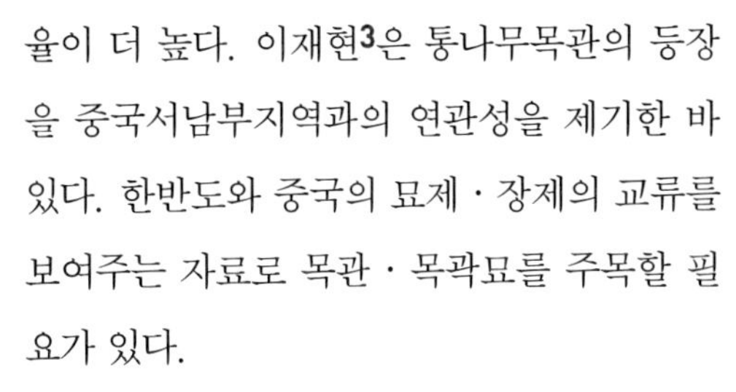

율이 더 높다. 이재현[3]은 통나무목관의 등장을 중국서남부지역과의 연관성을 제기한 바 있다. 한반도와 중국의 묘제·장제의 교류를 보여주는 자료로 목관·목곽묘를 주목할 필요가 있다.

〈그림 6〉 말이산(경)24호묘

토기는 시기에 따라 차이를 보이는데, 이른 시기에는 무문토기호와 고식의 주머니호가 공반하고, 늦은 시기에는 조합우각형파수부호와 신식의 주머니호가 공반한다. 철기는 농·공구류와 무기류로 기종이 단순하고 수량도 적은 편이다. 도시화가 진행되면서 상당수의 유구가 파괴된 점을 감안하더라도 동시기의 목관묘가 조사된 창원 다호리유적이나 밀양 교동, 김해 양동리나 김해 대성동 가야의 숲 유적에 비하면 열세이다. 그나마 청동제 위신재로 볼 수 있는 것은 (문)22호묘·26호묘 출토 청동제 검촉과 검초장신구 정도이다. 단, 상위계층의 묘로

3 이재현, 2003,『弁·辰韓社會의 考古學的 硏究』, 부산대학교 대학원 박사학위논문.

추정되는 일부 유구에서 무기류가 복수 부장되거나 새로운 형식이 출현하고 있는 점은 주목된다. 말이산(경)63호묘에는 직기형 장신철모와 단신철모가 복수 부장되어 있고, 철제 단검이 부장된다. 말이산(경)15호묘에는 이단관식철모 2점과 관부돌출식 철모 2점이 공반되고 있다. 말이산(경) 13호묘에는 새로운 형식의 장경식 철검이 부장되고 있다. 또한 기원전 1세기 전반대로 편년되는 함안 군북면 소포리유적 3호묘에서 환두대도 · 단검 · 직기형 장신철모 · 무경촉이 공반하고 있다. 지배층이 철제무기의 독점을 통해 권력을 공고히 하는 모습을 엿볼 수 있다. 또한 타 유적에 비해 철제무기의 형식이 다양한 것은 자체적인 생산 · 공급 체계가 마련되어 있음을 반영한다.

말이산고분군에서 조사된 목관묘의 조성시기는 김 현의 연구를[4] 참고할 수 있는데, 그는 무문토기의 소멸, 소형옹과 장경호의 형식변화를 근거로 5단계로 구분하였다. Ⅰ단계는 무문토기의 기형이 남아있는 흑도마연 장경호나 점토대옹이 출토된다. 말이산(경)48호묘 · 73호묘가 해당한다. Ⅱ~Ⅳ단계는 무문토기 제작전통에서 벗어나 와질토기의 생산이 본격화된다. 철겸 · 철부 · 철모 · 철검 등 철기류의 부장이 증가한다. Ⅴ단계는 동중위에 각이지는 주판알 모양의 소형옹과 구경이 외반하는 조합우각형파수부호가 부장된다. 연대는 경주 조양동 38호분의 연대를 고려하여 기원전 1세기부터 기원후 2세기 전후로 설정하였다. 소포리유적에서 조사된 목관묘의 축조시기도 기원전 1세기 전반~1세기 후반에 해당한다.

『삼국지』 위서동이전 기록에 의하면 함안에는 유력소국인 안야국(安邪

4 김 현, 2000, 「함안 도항리 목관묘 출토 와질토기에 대하여」 『도항리 말산리유적-Ⅳ. 고찰』, 경남고고학연구소.

國)이 존재한 것으로 추정된다. 그러나 현재까지 아라가야 권역에서 조사된 목관묘는 거의 대부분 전기와질토기 단계에 해당하므로 후기와질토기 단계의 실상을 알기 어렵다. 전후의 양상으로 보아 함안 말이산고분군 일대에 중심 취락이 형성되었을 가능성이 높지만 당시의 선진집단인 김해 양동리나 대성동의 상황과는 많은 차이가 있을 것으로 예상된다.

2) 목곽묘

아라가야 권역에서 조사된 목곽묘는 말이산고분군 90기, 황사리유적 47기, 윤외리유적 7기, 오곡리유적 12기, 하기리유적 4기, 장지리유적 10기, 소포리유적 1기, 창원 현동유적 115기, 의령 예둔리유적 38기 등 324기에 달한다. 출토유물로 보면 3세기 후엽부터 5세기 전반에 집중한다. 목곽묘 축조시기는 대형 목곽묘의 등장을 기준으로 Ⅰ, Ⅱ단계로 구분해 볼 수 있다. Ⅰ단계는 3세기 후엽부터 4세기 후엽까지이다. Ⅱ단계는 5세기 전반의 시기이다.

Ⅰ단계는 함안분지를 중심으로 아라가야 토기문화의 특징이 뚜렷해지고, 중·소형 목곽묘가 축조된다. 아라가야 토기의 주요 기종은 통형고배·노형기대·단경호·파수부잔 등이다. 아라가야 토기는 말이산고분군을 비롯하여 외곽의 황사리·예둔리·대평리 고분군을 포함하는 범위에서 분포권을 형성한다.

이 시기의 통형고배는 배신이 편평하고 구연부 하단에 1~2줄의 돌대를 돌렸으며, 원통형 대각에 투공을 뚫은 것이 특징이다. 노형기대는 배부의 깊이가 얕고 구경부가 강하게 외반하며, 각부에는 삼각형투창을 뚫었다. 파수부잔은 구경과 저경이 거의 차이가 없고 구연에서 하단부에 걸쳐 파수가 부착된다. 단경호는 구연부에서 동체부 하단까지 승석문이 타날되고 횡침선을 돌렸다.

철기류는 철부 · 철겸 · 도자 등 농공구류와 철모 · 철촉 · 대도 등 무기류가 중심이다. 철기 중 시간성을 민감하게 반영하는 것은 철촉이다. 철촉은 와질토기 단계에는 무경역자식철촉이 유행하며 목곽묘가 출현하는 2세기 후엽이 되면 사두형 등 다양한 형식의 철촉이 제작된다. 4세기에는 사두형과 유엽형 철촉이 유행하며 5세기 중엽에는 도자형 장경식 철촉이 출현한다.

Ⅱ단계는 대형 목곽묘가 축조되고 신식도질토기 문화가 확산되며 무기류 · 마구류 · 의기류가 집중 부장된다. 이 시기에 해당하는 아라가야 대형 목곽묘는 마갑총 · (경)13호묘 · (문)10호묘 · (문)27호묘 · (문)48호묘 등이다.

Ⅱ단계의 아라가야 토기문화는 낙동강 하류의 금관가야 권역에서 진행된 토기제작 기술의 변화가 수용되면서 급변한다. 팔자형고배 · 발형기대 · 통형기대 · 장경호 · 유개대부파수부호 등 새로운 기종이 등장하면서 Ⅰ단계의 토기 문화를 대체해간다. 새로운 제작기술이 도입되고 강한 회전력을 바탕으로 토기들이 제작되면서 곡선적인 형태가 증가한다. 파상문 · 점열문 · 삼각거치문 · 격자문 등 문양이 다채롭고 토기의 장식성이 강조된다. 각부에 뚫린 투창은 삼각형 · 사각형 · 화염형투창 등 다양해진다.

이 시기의 고배는 깊고 곡선적인 배부, 장각의 팔자형 대각, 삼각형 · 이단일렬 장방형 · 화염형 투창이 특징이다. 노형기대는 점차 사라지고 발형기대로 대체된다. 발형기대는 깊고 곡선적인 배부에 파상문, 삼각거치문이 장식되고 나팔상으로 길게 벌어진 각부에는 삼각형투창이 뚫린다. 새롭게 통형기대가 제작되는데 각부에는 세장방형 · 원형 투창, 돌대, 고사리문양 등이 장식된다. 파수부잔은 동체부가 곡선화되고 파수가 작아지며 저부에 비해 구경부가 커진다. 높은 대각을 가진 유개대부직구호가 제작된다. 승석문타날단경호가 줄어들고 횡침선이 없고 동체부 하단부에만 타날이 남겨진 단경호가 증가한다.

Ⅱ단계는 철기류의 부장양상도 급변한다. 기원전 1세기부터 기원후 2세기까지 목관묘에 부장되는 철기는 무경역자식철촉과 철모 · 철부로 기종이 극히 제한적이고 수량도 적다. 이런 경향은 4세기 전반의 목곽묘 축조 단계까지 이어진다. 그러나 5세기를 전후하여 등장하는 대형 목곽묘의 부장양상은 판이하다. 대형 목곽묘에는 전 시기와 달리 무기 · 무구 · 마구류, 갑주, 의기류가 다량 부장되고 신분을 상징하는 장식대도 등이 부장된다. (경)13호묘에서 출토된 유자이기와 삼각판혁철판갑, 마갑총에서 출토된 은상감 거치문 환두대도의 부장이 대표적 사례이다. 특히 마갑총은 마갑과 마주 · 종방판주 · 장식대도 · 철모 · 철촉 등의 무기가 출토되어 중무장한 개마무사의 전형을 보여주고 있다. 금관가야에서는 4세기 중엽부터 철제 갑주와 함께 기승용 마구가 고분에 본격적으로 부장되지만 아라가야는 5세기 전엽에 본격화되고 있어 차이가 있다.

Ⅱ단계의 대표적인 목곽묘는 마갑총과 (경)13호묘이다. 5세기 전엽에 축조된 마갑총은 길이 890㎝, 너비 280㎝에 달하고 장식대도와 마구류, 무구 · 무기류의 집중 부장은 차별화된 아라가야 최고 수장층의 모습을 보여준다. 바닥 중앙에 관대를 마련하고 좌우에 마갑을 부장하였다. 장식대도는 피장자의 곁에 나란히 놓았다. 장식대도는 길이 89.6㎝의 긴 칼로, 둥근고리와 칼등에 지그재그무늬를 금상감하였으며, 둥근고리의 지그재그무늬 사이에는 점무늬를 은상감하였다. 또한 손잡이는 비늘무늬를 눌러 찍은 은판으로 감싼 다음 금도금하였다. 가야의 섬세한 금속 가공기술을 한눈에 보여주는 대표적인 유물이다. 유물은 단벽쪽 부장공간에 부장하였다. 목곽묘 단계에서 순장의 흔적은 확인되지 않는다.

〈그림 7〉 마갑총(국립가야문화재연구소)

〈그림 8〉 둥근고리칼
(마갑총, 국립가야문화재연구소)

말이산 (경)13호묘는 길이 520㎝, 너비 150㎝로 도굴의 피해를 입지 않아 당시의 유물 부장양상을 소상히 알 수 있다. 유물은 무덤의 양쪽 부장공간에 다량으로 부장되어 있었다. 기대와 장경호, 화염형투창고배, 마구류, 삼각판혁철판갑, 대도, 새모양장식 미늘쇠 등이 출토되었다. 특히 장경호를 올린 기대는 아라가야 토기의 세련미를 한껏 보여주는 것으로 평가받고 있다. 또한 위신재의 성격이 강한 왜계 삼각판혁철판갑이 부장된 사실도 주목할 필요가 있다. 5~6세기 한반도 출토 대금계 갑주는 대부분 일본열도에서 제작된 것으로 연구되고 있다. 말이산 13호분과 유사한 삼각판혁철판갑은 복천동 4호분, 옥전 68호분, 두곡 43호분 출토품이 있다. 이 시기 일본 열도의 긴키(近畿)지역에 갑주의 부장이 유행하고 있으므로 말이산 13호분 출토 갑주는 아라가야 수장층과 긴키지역 수장층의 직접적인 교섭에 의해 반입된 것으로 이해된다.

말이산고분군에 대형 목곽묘가 축조되기 시작하는 5세기 전엽의 시기는 외곽의 황사리·예둔리유적·윤외리유적·오곡리유적에 비해 고분군의 규모가 월등히 커지고, 무기·갑주·마구류·금동제장신구류 등 부장유물의 질적인 차이도 뚜렷해진다. 아라가야 중심과 주변부의 위계가 고

〈그림 9〉 함안 말이산13호묘 출토 기대와 장경호

〈그림 10〉 갑옷 (13호분, 삼강문화재연구원)

〈그림 11〉 새모양장식 미늘쇠 (13호분, 삼강문화재연구원)

〈그림 12〉 13호분 전경(삼강문화재연구원)

분군과 묘제에 반영되고 있는 것이다. 고분군내에서도 위계가 뚜렷해지는데, 길이 5~9m의 대형 목곽묘와 길이 5~3m의 중형, 3m 이하의 소형 목곽묘로 구분된다. 현재까지 말이산고분군에서 조사된 대형 목곽묘는 8기에 달하지만 외곽에서는 칠원 오곡리 5호묘 1기에 불과하다.

말이산고분군에 축조되는 목곽묘는 이전 시기의 목관묘와 마찬가지로 고분군의 북편에 집중한다. 대형 목곽묘들은 구릉의 정선부나 사면에 일정한 거리로 이격되어 분포한다. 신분이나 계보에 따른 묘역 선정의 규제가 마련되어 가고 있는 것으로 추측된다. 대형 목곽묘는 판재조립식 목곽구조이며 바닥 전면에 역석을 깔거나 중앙에 별도의 관대시설을 하는 것이 특징이다. 목곽의 공간배치도 정형화되는데, 중앙에 주피장자 공간을 마련하고 양 단벽쪽에 유물부장 공간을 마련한다. 토기류는 양 단벽 부장공간에 매납되고, 장식대도와 마구류, 유자이기는 피장자 주변에 부장한다. 목곽묘의 규모에 따라 유물의 종류와 수량은 차이가 크다. 4세기에 해당하는 중 · 소형 목곽묘는 철겸 · 철부 등 농공구류가 중심이며, 4세기 후엽부터 철촉 · 도자 · 철모 등 무기류의 부장이 증가한다. 대형 목곽묘는 금 · 은 상감환두대도와 금동제 장신구류, 마구류 등이 다량 부장된다. 한편, 4세기 금관가야에서 유행한 순장풍습은 아라가야 목곽묘에서 확인되지 않는다. 이후 단계의 수혈식석곽묘에 순장이 유행하고 있으므로 순장의 도입과 시행은 수혈식석곽묘의 축조와 더불어 이루어졌다.

아라가야는 목곽묘 단계부터 낙동강 유역의 세력들과 차별화된 독자적인 문화를 지향하고 있다. 이 시기 낙동강 연안의 주요 고분군에 주 · 부곽식 목곽묘가 유행하고 있으나 아라가야 수장층은 세장방형 단독곽식 목곽묘를 채택하고 있다. 아라가야 세장방형 목곽묘는 경남 서부지역의 소가야 묘제에 심대한 영향을 미친다[5]. 산청 중촌리 3호 북(北)목곽묘, 삼가 II 8호묘, 산청 옥산리 98호묘 등 소가야의 목곽묘는 아라가야 목곽묘에서 그 원류를 찾을 수 있다. 묘제와 출토유물로 보아 아라가야는 5세기 전반까지 소가야에 강력한 영향력을 행사하고 있었다. 말이산고분군에 축조된 대형 목곽묘를 통해 가야의 핵심 세력으로 성장한 아라가야의 모습을 생생히 확인할 수 있다.

3) 수혈식석곽묘

아라가야 수혈식석곽묘는 5세기 중엽에 출현하여 가야가 멸망하는 6세기 중엽까지 지속적으로 축조된다. 5세기 중엽에는 대형 목곽묘가 축조되는 가운데 수장층을 중심으로 수혈식석곽묘가 도입된다. 현재까지 조사된 수혈식석곽묘는 60여기이고, 이 중 고총고분은 17기이다.

아라가야 수혈식석곽묘는[6] 입지와 규모, 부장유물에 계층성이 반영된다. 수혈식석곽묘 도입과 함께 나타난 순장 역시 계층성이 반영되고 있다. 즉, 순장은 아라가야 지배계층의 전유물로 유행한다.[7] 아라가야의 순장묘는 5세기 중엽의 말산리파괴분에 처음으로 등장하고 4호분→8호분 · 6호분→25호분 · 35호분으로 이어진다. 순장자는 석곽의 규모에 따라 직교 또는 평행, 그리고 이를 혼용한 배치양상이 확인되며, 계층에 따라 2~5인으

5 하승철, 2015, 『小加耶의 考古學的 硏究』, 경상대학교대학원 박사학위논문, 74~78쪽.

6 박미정, 2008, 「함안 도항리 · 말산리 고분군 수혈식석곽묘 구조 검토」 『咸安 道項里 六號墳』, pp. 244-251.

7 김수환, 2017, 「말이산25 · 26호분으로 보는 아라가야의 순장」 『함안 말이산고분군 25 · 26호분』, 우리문화재연구원.

로 차등화 된다. 아라가야 순장은 6세기 전엽에 점차 축소되는데 석실묘의 등장 등 장제의 변화가 반영된 결과로 보인다.

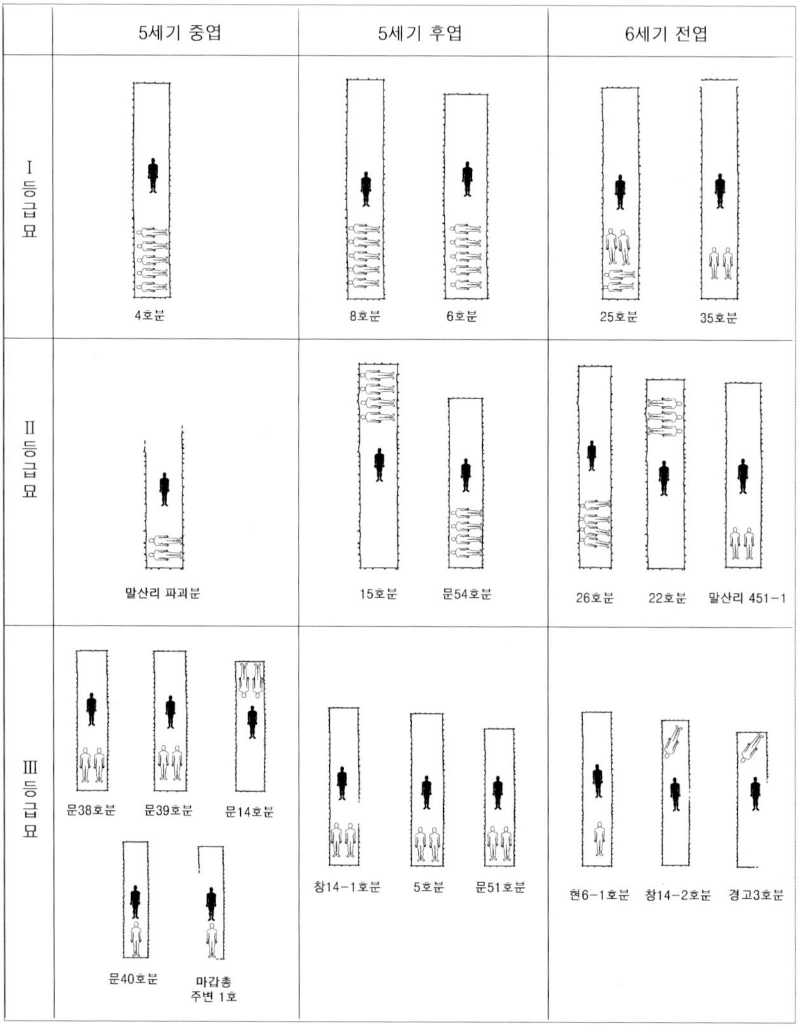

	5세기 중엽	5세기 후엽	6세기 전엽
I 등급묘	4호분	8호분, 6호분	25호분, 35호분
II 등급묘	말산리 파괴분	15호분, 문54호분	26호분, 22호분, 말산리 451-1
III 등급묘	문38호분, 문39호분, 문14호분, 문40호분, 마갑총 주변 1호	창14-1호분, 5호분, 문51호분	현6-1호분, 창14-2호분, 경고3호분

〈그림 13〉 함안 말이산고분군 순장양상 변화(김수환 2017)

석곽의 규모는 길이 9m 이상에 해당하고 너비 160㎝ 이상에 해당하는 것을 초대형(Ⅰ류), 석곽길이 6~9m에 해당하고 너비 120~160㎝에 해당하는 것을 대형(Ⅱ류), 석곽길이 4~6m에 해당하고 너비 90~120에 해당하는 것을 중형(Ⅲ류), 석곽길이 4m 이하에 해당하고 너비 80㎝ 전후인 것을 소형(Ⅳ류)으로 분류할 수 있다. 이 중 구릉 정선부에 열상으로 배치된 고총고분은 대부분 Ⅰ·Ⅱ류에 속하고, Ⅲ·Ⅳ류는 대형분 주변에 부속되거나 고분군의 북쪽 외곽에 밀집한다.

말이산고분군에 축조된 석곽묘 Ⅰ·Ⅱ류와 Ⅲ·Ⅳ류는 규모와 부장유물에서 분명한 차이가 있다. Ⅰ·Ⅱ류 석곽묘의 내부구조는 유물부장공간-피장자공간-순장자공간으로 명확히 구분되며 순장자는 2~5인이 안치된다. 반면 Ⅲ·Ⅳ류 석곽묘는 공간분할이 뚜렷하지 않고 중앙의 피장자공간과 양단벽쪽에 유물이 부장되며, 순장은 실시되지 않는다. Ⅰ·Ⅱ류 석곽묘의 3분할 원칙은 5세기 2/4분기에 나타나며 6세기 중엽까지 시종일관 고수된다. 주피장자는 목곽·목관으로 보호되는 반면 순장자를 위한 별도의 시설은 제작되지 않는다. 개석은 무른 재질의 점판암계사암으로 이루어져 있어 봉토의 하중에 의해 부러지기 쉽다. 이러한 약점을 보완하기 위해 사방 벽면에 목가구(木架構) 시설을 설치하였다. 벽석 역시 대부분 점판암계사암을 사용하므로 깨지기 쉽다. 이런 약점을 보완하기 위해 벽석 상하에 점토를 깔아 보강하였다.

수혈식석곽묘 축조 단계의 아라가야 토기는 정형화된다. 함안분지를 중심으로 남강유역과 의령읍 일대, 남해안의 진동만과 현동유적 일대로 분포권이 형성된다. 주변 제국과 토기제작의 기술적인 교류가 활발하지 않고 자체적인 형식변화만이 이루어진다. 토기의 문양 구성이 다양하고 장식성이 강조되는 것이 특징이다. 고배는 이단일렬투창고배·삼각투창고배 · 파수부일단장방형투창고배 · 화염형투창고배가 제작된다. 시기에 따라 고배의 기고가 점차 낮아지고 대각 하단부가 부풀어 오르는 등 변화가 확인된다. 아라가야 발형기대는 문양이 다양하고 기고 50㎝ 이상의 대형이 주로 제작된다. 배부에 비해 각부가 높고 각기부 폭이 좁은 것이 특징이다. 소가야와 대가야 발형기대는 파상문을 주로 시문하지만 아라가야 발형기대는 사격자문 · 삼각거치문 등이 시문된다. 통형기대는 수발부 · 통부 · 각부로 뚜렷이 구분되며 격자문 · 송엽문 · 파상문 등으로 장식하였다. 통부에 굵은 돌대를 붙여 장식성을 높인 것도 특징이다. 파수부배는 기고 20㎝ 내외로 크고 판상의 파수가 부착된 새로운 형식이 추가된다.

수혈식석곽묘의 출현 배경에 대해서는 아직 확실히 밝혀진 바 없으나 고대한 봉토분의 조성에 따른 내구성의 확충이 이유일 것이다. 말이산고분군에서 가장 이른 시기에 해당하는 수혈식석곽묘는 삼강문화재연구원에서 조사한 파괴분으로 5세기 2/4분기로 편년된다.

말이산 파괴분은 구릉의 경사면에 조성된 봉토분으로 1/2 이상이 유실된 상태였다. 봉분의 규모는 알 수 없으나 묘광의 규모로 보아 직경 20m 내외로 추정된다. 구지표층을 약간 정리한 다음 봉분을 축조한 관계로 전 시기의 목관묘와 옹관묘가 봉토 하부에서 다수 확인되었다. 봉분 외곽에는 주구를 돌렸는데 폭은 250~370㎝로 넓다. 주구에는 의례에 수반된 대형토기들이 다량 출토되었다. 매장주체부는 지하식으로 이후의 수혈식석곽묘에 비해 묘광이 넓고 길다. 바닥에는 전면에 자갈돌을 깔았으며 주피장자 공간에는 관대를 마련하였다. 바닥은 목곽묘의 양상과 유사하다. 석곽의 잔존규모는 길이 735㎝, 너비 174㎝, 깊이 170㎝이다. 석곽의 규모로 보아 대형(Ⅱ류)급에 해당한다.

〈그림 14〉 함안 말이산 파괴분 전경

5세기 3/4분기가 되면 수혈식석곽묘는 전 계층에 확산된다. 앞 시기의 말이산 파괴분이 목곽묘와 혼재하는 반면 이 시기부터 고총은 구릉의 정선부를 선점하며 축조된다. 5세기 3/4분기로 편년되는 4호분은 기존의 목곽묘 축조 구역에서 벗어나 구릉의 중간 지점을 선점하여 축조된다. 말이산고분군에서 가장 높은 지점에 축조된 2 · 3호분도 비슷한 시기에 축조되었을 가능성이 높다. 수혈식석곽묘의 확산과 함께 구릉 정선부를 중심으로 대형 고총고분이 조성되고 주위로 보다 작은 규모의 고분이 배치되는 정형성이 나타난다. 조사결과에 의하면 고총고분들은 말이산 4호분을 시작으로 점차 남쪽으로 묘역을 확대해간다. 6세기 전엽에 해당하는 암각화고분은 구릉의 남쪽 끝지점에 축조되어 있어 이런 사실을 뒷받침한다. 구릉 정선부에 축조된 고총고분은 20~30m 간격으로 질서정연한 모습을 보이고 있어 고분의 축조에 엄격한 규제가 있었음을 짐작할 수 있다.

말이산 4호분은 1917년 이마니시 류가 조사하였다. 매장주체부는 길이 969㎝, 너비 172㎝로 초대형급(Ⅰ류)에 속한다. 내부 공간은 3분할 원칙이 뚜렷이 확인되는데, 주피장자 공간을 중심으로 유물 부장 공간과 순장자 안치 공간으로 구분된다. 주피장자는 목관 또는 목곽에 안치되었고, 순장자는 모두 5인으로 추정된다. 벽면에는 목관의 보호와 개석의 하중을 지탱하기 위한 목가구(木架構)가 설치되었다. 목가구는 이후 아라가야 수혈식 석곽묘의 구조적인 특징으로 이어진다. 유물은 고배 · 기대 · 오리모양토기 · 차륜형토기 등 각종 토기류와 철촉 · 철모 · 녹각장식철검 등 무기류, 찰갑 · 등자 · 행엽 · 운주 · 마갑 등이 부장되었다. 봉분의 규모와 출토유물로 보아 아라가야 왕묘의 출현으로 규정해도 손색이 없다. 말이산 4호분 출토유물 중 녹각제도장구가 부착된 철검은 왜에서 제작하여 반입된 것이다. 녹각장 철검은 잔존길이 46.8㎝, 잔존 너비 5㎝이고, 녹각제 초미는 길이 6㎝, 두께 2.5㎝ 이다. 초미의 측면은 장방형을 띠며 초미단은 유선형을 하고 있고, 직호문은 측면과 초미단에 조각되어 남아 있다. 녹각제도장구에 새겨진 직호문은 직선과 호선의 결합에 의해 이루어진 일종의 기하학적인 문양으로, 일본 고분시대를 대표하는 문양이다. 말이산4호분 철검

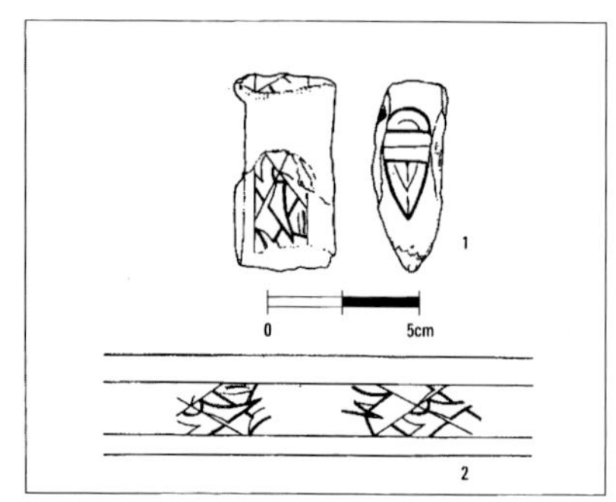

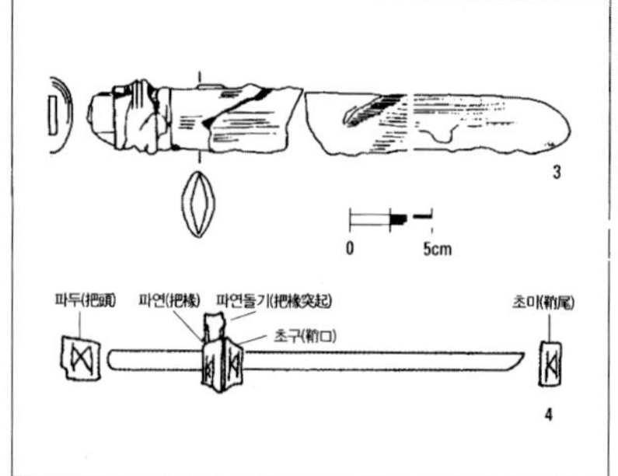

〈그림 15〉 함안 말이산4호분 출토 녹각제도장구

은 아라가야 수장층과 일본열도 긴키지역 수장층의 교섭을 반영하는 유물로 의미가 있다.

5세기 4/4분기~6세기 1/4분기는 말이산고분군 전역에서 고총고분의 축조가 활발하게 진행된다. 말이산 6호분·8호분·14-1호분·100호분·101호분·암각화고분 등이 이 시기에 해당된다. 고분의 구조와 출토유물은 앞 시기와 큰 차이가 없지만 대형분을 중심으로 마구류와 방어무장[8] 관련 유물이 다량 부장되고 있어 눈에 띤다. (현)6호분과 8호분, 암각화고분에서는 마갑과 마주가 출토되었고, (현)22호분에서는 금동제 f자형경판비가 출토되었다. 말이산고분군에서 출토된 행엽은 심엽형행엽과 편원어미형행엽이 있으며 전자는 (문)8호분·4호분, (창)14-2호분, (현)4호분 등 4기의 고분에서 9점이 출토되었고, 후자는 (현)8호분·15호분·22호분, (문)8호분·54호분에서 출토되었다. 원형행엽은 도항리 (경)3호묘에서 출토되었고, 검릉형행엽은 (문)54호분, (역)말산리451-1번지 석곽묘에서 출토되었다. 운주는 환형운주(현22호분, 창14-2호분, 문39호분·48호분·54호분), 무각소반구형운주(현8호분·15호분, 문5호분), 패제운주(암각화고분), 사각반구형운주(문4호분·47호분)로 다양하다. 종장판주는 현재까지 무려 7곳에서 출토되었는데, 도항리 6호분·8호분·36호분·43호분·(문)54호분, (문)43호분·마갑총 등이다. 방어무장은 대부분 주피장자의 머리나 발치, 측면에 부장되고 있어 주피장자와 관련된 것임을 알 수 있다. 암각화고분에서는 순장자 인골사이에서 찰갑 1령이 출토되었지만 이것 역시 주피장자의 소유물이었을 가능성이 높다.

---

8 장경숙, 2008, 「함안 도항리고분군의 방어무장(甲冑)」『咸安 道項里 六號墳』, pp.258-281.

최근 조사된 말이산 100 · 101호분은 5세기 후엽의 축조상황을 효과적으로 대변한다. 100호분은 해발 59m 지점에 위치하며 서쪽으로 뻗은 가지능선에 101호분, 21호분, 22호분, 115호분, 117호분이 연속적으로 배치되어 있다. 100호분의 규모는 석곽길이 720㎝, 너비 135㎝로 대형(Ⅱ류)에 속하고, 101호분은 석곽길이 900㎝, 너비 165㎝로 초대형(Ⅰ류)에 속한다.

100호분의 내부공간은 유물부장공간-피장자공간-순장자공간으로 공간분할이 명확하고 피장자는 남-북향으로 안치되었으며 2인의 순장자가 확인된다. 101호분도 공간분할이 명확하고 피장자는 남-북향으로 안치되었으며 순장자는 3인으로 추정된다. 피장자는 목관에 안치되었으며 무기류 · 마구류 · 장신구류 등 다량의 유물이 부장되고 있다. 반면 순장자는 이식과 철도자를 패용하고 화염형투창고배가 부장되는 것이 전부이다. 이러한 양상은 도항리 6호분, 현15호분 순장자도 동일하다. 유물부장공간은 북단벽쪽에 마련하였고, 토기류를 주로 부장하였다. 공간분할에 따라 바닥시설도 차이를 보이는데 유물부장공간은 풍화암반을 그대로 활용하였고, 주피장자공간에는 냇돌을 촘촘히 깔았으며, 순장자공간은 암반할석편을 깔아 이용하였다. 목가구(木架構) 시설은 말이산고분군에서 조사된 수혈식석곽묘의 구조적 특징으로 석곽묘 Ⅰ · Ⅱ류에 주로 채용되고 있다. 100호분과 101호분에서도 목가구시설이 확인되었는데 벽석축조와 동시에 기획된 것임을 알 수 있었다. 목가구 시설은 다른 석곽묘와 마찬가지로 단벽에 설치된 것이 장벽에 설치된 것보다 높았다. 단벽에 설치된 목재는 벽석 최상단부에 위치하고 있어 그 역할이 개석을 지탱하는 것임이 분명하였고, 장벽에 설치된 목재는 내부공간 분할 위치와 정확히 일치하고 있어 개석을 받치는 역할과 내부 목곽을 보호하는 역할을 겸했던 것임을 알 수 있다.

〈그림 16〉 말이산 100호분 공간분할과 출토유물

100 · 101호분에서 출토된 유물은 토기류를 비롯하여 대도 · 철검 · 철모 · 화살촉 · 성시구 등 무기류, 재갈 · 안교 · 행엽 등 마구류, 철도자 · 철부 등 농공구류, 유자이기 · 삼지창 · 살포 등 상징성 짙은 의기류를 비롯하여 철정 등이다. 철기류는 대체로 주피장자의 머리와 발치쪽에 부장하였다. 말이산고분군의 다른 대형분들과 마찬가지로 관식이나 허리띠장식은 출토되지 않았다. 101호분 주피장자는 이식과 경식을 패용하고 있었으나 100호분 주피장자는 장신구를 패용하지 않았다. 대신에 100호분 순장자가 패용한 이식이 2점 출토되었다.

6세기 전엽에 해당하는 수혈식석곽묘는 8호분과 암각화고분이 대표적이다. 말이산 8호분은 길이 1100㎝, 너비 185㎝로 현재까지 발견된 가야 지역 수혈식석곽묘 중 가장 길다. 8호분의 봉분은 지름 32m, 높이 3.5m에 달한다.

수혈식석곽묘를 매장주체부로 하는 아라가야 고총은 대가야, 소가야 고총에 비해 뚜렷한 특징이 있다. 대가야 고총은 하나의 봉토에 주곽과 부곽, 순장곽이 조성된다. 고성 송학동고분군으로 대표되는 소가야 고총 역시 주곽 주위로 여러 기의 석곽을 배치하는 것이 특징이다. 그러나 아라가야 고총은 하나의 봉토에 한 기의 주곽만이 축조된다. 아라가야 매장시설의 독자성은 대형 목곽묘가 축조되기 시작하면서부터 나타나며 수혈식석곽묘 축조 단계에는 더욱 심화된다. 아라가야의 제사법, 타계관과 사후세계의 인식차이가 묘제에 반영된 것으로 판단된다.

4) 횡혈식석실분

아라가야 횡혈식석실분은 6세기 전엽에 출현하여 6세기 중엽에 유행한다. 아라가야 횡혈식석실분은 말이산고분군과 남문외고분군에서 조사되었는데, 말이산 (문)4호분 · 5호분 · 8호분 · 47호분과 남문외 11호분으로 모두 5기이다. 그런데, 일제강점기에 조사된 말이산 1호분도 횡혈식석실분일 가능성이 높다. 1호분에 대한 발굴기록이나 도면, 출토유물에 대한 자료는 거의 남아있지 않지만 공표된 사진으로 파악하면 지상식구조의 횡혈식석실분일 가능성이 높다. 특히 양장벽이 약간 내경하면서 축조되어 있는 점, 벽석 사이에 잔돌을 끼워 보강하는 축조 수법은 남문외 11호분과 동일하다. 석실분은 말이산고분군의 북편에 밀집해 있어 석실의 도입과 함께 기존의 묘역을 새롭게 이용하였던 것으로 파악된다.

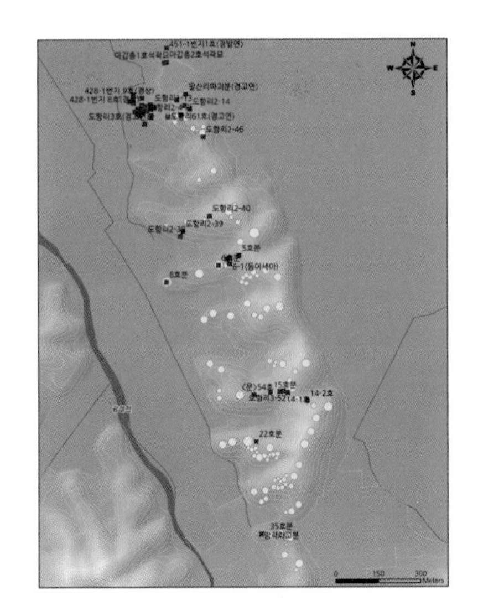

〈그림 17〉 말이산고분군 내 석곽묘 분포

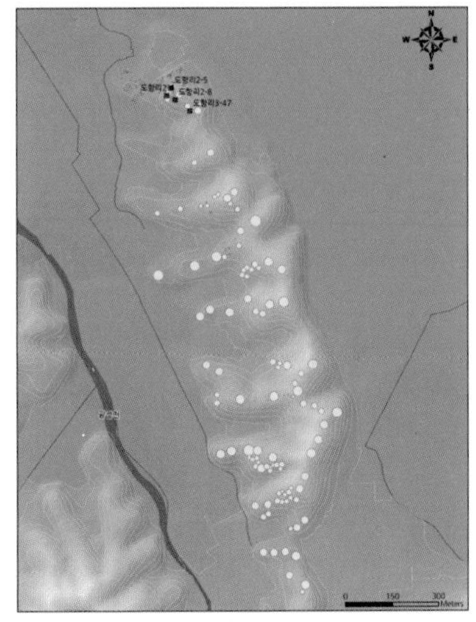

〈그림 18〉 말이산고분군 내 석실분 분포

한편, 말이산고분군에서 서쪽으로 약 4.2㎞ 떨어진 소포리유적에서도 13기의 석실분이 조사되었다[9]. 그러나 소포리유적에서 조사된 석실은 내부에서 신라토기가 출토되어 아라가야 멸망 이후에 축조된 것으로 밝혀졌다. 말이산고분군의 남쪽에 위치한 광정리 중광고분군에서도 다수의 석실이 확인되는데, 평면 방형의 궁륭식 천장을 가진 석실구조이며 신라토기가 출토되었다. 역시 아라가야 멸망 후에 새롭게 조성된 고분군임을 알 수 있다.

아라가야 횡혈식석실분은 세장방형 현실에 입구부가 단벽의 중앙에 설치된 양수식이며, 평천장구조가 특징이다. 연도는 1m 내외로 극히 짧고 묘도는 나팔상으로 벌어진다. 석실의 구조상 대부분 도굴되어 원상을 알

9 경남문화재연구원, 2016, 『함안 군북 소포리유적-5-1 • 3구역-』.
경상문화재연구원, 2016, 『함안 소포리(배양골 • 오당골 • 국실)유적-1구역 나지구-』.

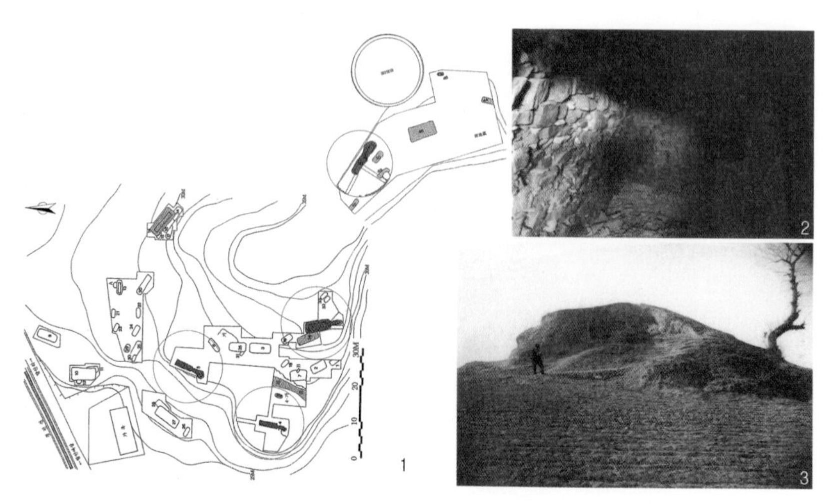

〈그림 19〉 말이산고분군 석실묘 위치(1), 1호분(2: 현실 후벽, 3: 전경) (오재진 2017)

기 어려우나 후벽부에 유물을 부장하고 전벽부에 철기류와 마구류가 부장된다. 바닥은 전면에 자갈돌을 깔거나 납작한 할석이나 자갈돌이 함께 깔린 경우가 확인된다. 후자는 (문)8호분 · 47호분의 사례인데 추가장 되면서 새롭게 관대를 마련했던 것으로 추측된다. 피장자는 은두정이나 장식으로 꾸며진 목관에 안치되었는데 꺾쇠로 결구된 목곽 또는 목관을 사용한 수혈식석곽묘와 차이가 크다. 석실의 도입과 함께 장제도 변화한 것을 확인할 수 있다.

아라가야 석실분 중 가장 이른 시기에 해당하는 것은 남문외 11호분이다. 남문외 고분군은 말이산고분군의 서쪽에 위치한다. 괘안마을 북동쪽 구릉의 정상부에서 가야리로 뻗어 내린 해발 30m 내외의 저산성 구릉에 약 43기의 봉토분이 분포해 있다. 남문외고분군과 함안 말이산고분군은 서로 인접하고 있어 깊은 연관이 있을 것으로 추정한다.

남문외 11호분은 봉분이 비교적 온전하게 남아있는데, 직경 29.5m, 높이 5m이다. 말이산 1호분이 1992년 지표조사[10] 당시 직경 22m인 점에 감안하면 아라가야 최대 규모의 석실봉토분임을 알 수 있다. 봉분 가장자리에 호석을 축조하였고, 남쪽에 붙여 장방형 제단을 마련하였다. 현실의 규모는 길이 700㎝, 너비 200㎝, 높이 210㎝이다. 현실 전벽은 거의 수직으로 축조하였으나 좌우벽은 12°, 후벽은 10°의 내경도를 유지하며 축조하였다. 벽석은 점판암을 사용하였으며 작은 자갈돌을 끼워 보강한 것이 특징이다.

〈그림 20〉 함안 남문외고분군 11호분

연도는 길이 200㎝, 너비 120㎝, 높이 140㎝이다. 연도 바닥은 현실과 평탄하게 연결되며 자갈돌을 깔았다. 현문부는 할석을 쌓아올려 폐쇄하였고, 폐쇄석 뒤쪽은 점질토를 채워 보강하였다. 묘도는 연도에서 봉분 외연까지 나팔상으로 벌어지며, 상부가 넓고 하부가 좁은 'U'자 형태이다. 묘도의 길이는 820㎝, 상단부 너비는 650㎝, 하단부 너비는 130㎝이다. 묘도 가장자리에서 목주가 확인되는데 봉분축조과정에서 묘도부를 보호하였던 시설물로 추측된다.

현실은 교란되어 유물의 부장양상을 명확히 알 수 없지만 중앙부에 피장자를 안치하고 후벽쪽에 토기류를 부장하였다. 토기류는 아라가야 · 소가

10 창원대학교박물관, 1992, 『함안 아라가야의 고분군(Ⅰ)』.

야 · 대가야 토기가 혼재하며, 백제토기 사족배도 부장되었다. 특히 대가야계 통형기대의 부장은 의미있는 변화로 주목된다. 토기와 함께 다수의 철기, 장신구류, 마구류, 무구류가 출토되었다. 출토된 이식과 팔찌는 피장자가 착장했을 가능성이 있다. 대도와 도자 · 성시구 · 찰갑이 출토되었고, 마구류는 안장 부속구 · 행엽 · 교구 등이 포함된다. 은박편이나 금박편, 경식, 찰갑 등이 현실 중앙에서 출토된 것으로 보아 목관 주위에 착장품을 부장하였던 것으로 추정된다. 행엽과 대도편이 전벽쪽에서 출토된 것으로 보아 마구류와 무구류 중 일부는 전벽쪽에 부장했을 가능성이 있다.

현실과 입구부 조사에서 추가장의 흔적은 확인되지 않았으며 유물도 시기차이는 없다. 남문외 11호분 출토 토기는 (문)54호분 출토품 보다 늦고, 암각화고분 출토품과 비슷한 6세기 전엽으로 편년된다. 말이산고분군 보다 이른 시기에 남문외고분군에 횡혈식석실분이 축조된다는 사실은 중요한 의미가 있다. 말이산고분군 수장층 중 일부가 남문외 고분군에 새롭게 묘역을 조성하였거나 남문외고분군 수장층이 강력한 세력으로 부상하였을 가능성이 상정된다. 자세한 사정은 향후 남문외고분군의 추가 발굴조사를 통해 밝혀질 것으로 기대한다.

말이산고분군에 축조된 횡혈식석실분의 구조는 대동소이하다. 6세기 2/4분기에 축조된 (문)47호분은 봉분은 삭평되었으나 호석이 부분적으로 잔존하고 있어 규모를 알 수 있는데 대략 직경 18m 정도이다. 경사진 지형을 'ㄴ'로 굴착하여 석실을 축조하였는데 서장벽은 봉분축조와 동시에 쌓아올렸다. 현실은 길이 490㎝, 너비 180㎝, 잔존높이 105㎝이다. 현실은 세장방형이며 등고선과 나란한 방향으로 축조되었다. 평천장구조이며 장벽과 후벽은 내경시키며 축조하였다. 현실 바닥에는 자갈을 한 벌 고르게 깔았는데 동장벽을 따라 할석으로 구획한 것이 특이하다. 구획은 길이

280㎝, 너비 60㎝로 관을 놓기 위한 조치로 파악된다. 관정의 출토위치와 29점의 관정, 4점의 관고리로 보아 2개의 관이 현실의 중앙에 길이방향으로 나란히 놓였던 것으로 추정된다. 입구는 양수식구조이며 현문부에 할석을 쌓아 폐쇄하였다. 연도부는 길이 180㎝로 짧고 너비는 115㎝로 좁다. 유물 중 토기류는 아라가야·소가야·대가야 토기가 혼재하며, 철기는 철부·철촉·철도자·철겸과 운주·교구 등이 출토되었다. 금동제이식은 입구부 통형기대 아래에서 2점이 출토되었다.

(문) 5호분은 길이 500㎝, 너비 160㎝이며 잔존높이는 200㎝이다. 석실분의 규모로 보아 많은 유물이 부장되었을 것으로 짐작되나, 출토된 유물은 토기류 17점과 철부 1점, 철도자 4점이 전부이다. 상당량의 유물이 도굴 된 것으로 추측된다. 특이하게 입구부에서 말의 두골편이 확인되었는데 이는 무덤을 폐쇄하면서 치러진 희생 의례와 관련된 것으로 추측된다.

〈그림 21〉 5호분(국립가야문화재연구소)

횡혈식석실분이 유행하는 6세기 중엽의 시기는 아라가야 토기의 쇠퇴기이다. 토기는 소형화되고, 문양이 단순화되는 등 토기의 장식성이 사라진다. 아라가야 토기의 제작이 줄어들고 대가야, 소가야 토기의 반입이 늘어난다. 대가야 개배·파수부완·통형기대의 부장이 급증하는 것은 정치적인 변동을 반영한다. 아라가야 토기의 제작 기술이 전승되지 않고 있어

공인집단의 해체 등 사회 구조적인 변동이 발생했을 가능성이 높다. 또한 전 시기의 수혈식석곽묘에 부장되던 금동제 장식대도, 무기·무구류, 금동제 장신구류, 유자이기 등 위세품이 거의 부장되지 않는 사실은 정치, 사회적인 변동이 발생했을 가능성이 있음을 나타낸다.

〈표 1〉 함안 말이산, 남문외고분군 석실분 제원

유구	현실					연도		출토유물
	길이	너비	깊이	평면비	면적	길이	너비	
말이산 4호분	530	175	185	3.03	9.28	145	100	大, 阿
5호분	500	160	200	3.13	8.00	200	145	은두정2, 大, 阿
8호분	500	135	110	3.70	6.75	210	95	관정,은두정6, 大, 阿, 小
47호분	490	180	105	2.72	8.82	180	115	관정,장식, 大, 阿, 小
남문외 11호분	700	200	210	3.50	14.0	300	120	은두정, 大, 阿, 新, 小, 百

* 大(대가야토기), 阿(아라가야토기), 小(소가야토기), 新(신라토기), 百(백제토기)

Ⅳ. 아라가야의 성장과 대외관계

1. 성립기

아라가야의 성립은 삼한시기의 자료가 부족하여 상세히 이해하기 어렵다. 말이산고분군의 양상을 보면 전기와질토기 단계는 김해 대성동·양동리, 창원 다호리 집단에 비해 세력이 약했다. 이후 기원후 2~3세기 어느 시점에 급성장하는 것으로 추측되지만 자료 부족으로 구체적으로 설명하긴 어렵다.

아라가야의 성장기는 3세기 후엽부터 4세기에 해당한다. 말이산고분군을 중심으로 내・외곽의 고분군들이 유기적인 관계를 형성한다. 남해안 진동만의 대평리유적, 마산만의 현동유적, 남강 유역의 황사리유적・예둔리유적, 동쪽 경계에 위치한 함안 오곡리유적을 범위로 아라가야 권역이 형성된다. 내적 성장을 바탕으로 남해안의 해상교역로와 남강・낙동강의 내륙교역로를 통해 주변지역과 폭넓게 교류한다. 이 시기의 사정을 직접적으로 전해주는 수장층 고분은 조사되지 않고 있으나 아라가야의 토기 생산과 분포권, 대외교역망은 아라가야 세력이 급성장하고 있었던 상황을 반영한다.

이 시기의 대외관계는 아라가야 토기의 유통망을 통해 이해할 수 있다. 아라가야 양식 토기는 4세기부터 광범위하게 유통되면서 해당 지역의 토기 생산을 선도하였다. 함안 법수면 우거리와 장명리에서 확인된 대규모의 토기 생산시설은 다른 지역에서 찾아볼 수 없을 정도로 월등하다. 5세기에 형성된 경주 경마장 토기 생산유적이나 일본 오사카 스에무라(陶邑)요에 견줄 정도이다. 이러한 생산시설을 기반으로 가야는 물론 대구・경주 등 신라권역, 일본 규슈지역까지 광역의 유통망을 형성한 것은 아라가야 성장의 원동력이 되었을 것은 분명하다. 5세기 전엽의 사실이지만, 일본 오사카 스에무라(陶邑)요, 가가와(香川)현 미야야마(宮山)요와 미타니사부로이케(三谷三郎池)요의 성립에 아라가야 공인이 대거 참여하고 있는 점은[11] 아라가야 토기 생산이 상당한 경쟁력을 확보하고 있었음을 말해준다.

---

11 박천수, 2007, 『새로 쓰는 고대 한일교섭사』, 사회평론, 144쪽.

고식도질토기는 공통양식적인 속성이 강하지만 영남 전역에서 도질토기 생산이 동시다발적으로 진행된 것으로 보긴 힘들다. 토기 생산의 선진지역에서 주변으로 기술이 빠르게 확산되면서 공통적인 속성이 강하게 발현되었을 가능성이 높다. 통형고배 · 승문계타날호 · 노형기대 · 컵형토기로 기종이 한정되어 있고, 기형이 비교적 단순한 점도 넓은 범위에서 공통양식이 형성되는 요인이 되었을 것이다. 김해 · 부산권, 경남 서부지역권에 유통된 통형고배, 승문계타날호 등은 함안에서 생산하여 유통하였을 가능성이 높고, 경주나 울산지역 출토품들도 함안에서 반입된 것이 포함되어 있다[12].

낙동강 하구의 금관가야에서 출토된 함안 지역산 승문계타날호는 김해 대성동 59호묘 · 양동리 308호묘 · 구지로 1호묘 · 구지로 4호묘 · 예안리 92호묘 출토품이 있다. 4세기 중엽의 시기에는 부산 복천동고분군에 함안계 토기의 반입이 증가하는데, 38호묘 · 57호묘 · 74호묘 · 54호묘 출토 통형고배 · 승문계타날호 · 노형기대 등이다.

신라권역과의 교류도 활발히 진행된다. 정주희[13]의 연구에 의하면 아라가야와 신라권은 두 개의 유통망이 확인된다. 첫째는 낙동강을 거슬러 올라 대구, 경주로 이어지는 유통망으로 대구 문양리 7호 · 65호묘, 팔달동(경)10호묘, 심천리 50호묘, 비산동 3호묘, 경산 조영동에서 아라가야 양식 승문계타날호가 출토된다. 둘째는 부산에서 양산단층선 및 동남해안선을 따라 경주로 이어지는 유통망으로 양산 소토리유적, 울산 중산리 ⅠA-23

12 정주희, 2008, 「咸安樣式 古式陶質土器의 分布定型에 관한 硏究」, 경북대학교 석사학위논문, 80~90쪽.

13 정주희, 위의 논문, 2008, 67~113쪽.

호묘, 경주 구정동3호묘 · 구어리1호묘 · 죽동리2호묘 등에서 아라가야 양식 승문계타날호 · 노형기대 등이 출토된다.

금관가야, 신라권역과의 교류와 동시에 남해안을 통해 일본 규슈(九州)와 쥬고쿠(中國)지역과도 교류하였다[14]. 나가사키(長崎)현 다이쇼균야마(大將軍山) 출토 양이부단경호는 승석문이 타날되고 구연이 직립하는 것으로 함안 말이산 14호묘, 도항리 33호묘 · 35호묘 출토품과 흡사하다. 이밖에도 나가사키현의 아사히야마(朝日山)고분, 미네(三根)유적, 세토바루(瀬戸原)유적, 고후노사에(コフノサエ), 하루노쯔지(原の辻), 후쿠오카현 니시신마찌(西新町)유적에서 출토된 승석문타날단경호도 아라가야 양식으로 파악된다[15]. 아라가야 수장층과 규슈 · 쥬고쿠 지역 수장층간의 직접적인 교섭은 동시기에 형성된 금관가야와 왜왕권의 관계만큼 뚜렷하지 않지만 실질적인 관계를 지속한 것은 확실하다. 금관가야가 긴키지역의 왜왕권과 직접적인 교섭을 확대해 나간 틈을 아라가야가 대체해 나갔을 가능성은 충분하다.

최근 조사된 거제 아주동유적은 아라가야와 규슈지역 수장층의 교섭을 직접적으로 알려준다. 아주동유적은 일본 대마도로 항해하기 양호한 옥포만에 입지한다. 마한계 방형주거지와 아라가야 토기, 왜계 하지키가 다량 출토되어 마한-아라가야-왜로 연결된 교역망의 주요 거점이 형성되었음을 알게 되었다. 아라가야 토기는 승문계타날호 · 양이부단경호 · 통형고배 · 컵형토기로 함안 우거리 토기가마에서 출토된 토기들과 흡사하다. 함안에서 지속적으로 토기들이 반입된 것으로 판단된다. 왜의 토기인 하지키는

14 박천수, 앞의 책, 2007, 85~87쪽.
15 박천수, 앞의 책, 2007, 51쪽.

고배가 많고 옹이 일부 포함되어 있다. 하지키의 특징은 북부규슈에서 그 계보를 구할 수 있다고 한다[16]. 아라가야와 규슈 수장층은 거제도를 중계지로 활용하면서 관계를 지속하였다.

2. 발전기

아라가야의 발전기는 4세기 후엽부터 6세기 전엽에 해당한다. 대형 목곽묘가 축조되는 단계를 1기, 수혈식석곽묘가 축조되는 단계를 2기로 구분할 수 있다. 1기는 내적 성장을 바탕으로 수장층이 확대되고 중심과 주변부의 위계가 뚜렷해진다. 말이산고분군에 길이 9m에 달하는 대형 목곽묘가 축조되고, 장식대도 · 갑주 · 마구류 · 금동제 장신구류의 부장이 급증한다. 2기는 목곽묘를 대신하여 수혈식석곽묘가 축조되고 고총고분이 등장한다. 고총고분은 기존의 묘역에서 벗어나 구릉의 정선부를 선점하면서 축조된다.

발전 1기는 대구 · 울산 · 경주 등 낙동강 이동지역과의 교류가 쇠퇴하는 대신 남강을 통해 소가야와의 교류가 증가한다. 또한 남해안 교역로가 더욱 활성화되면서 일본열도와 전남 동부지역과의 인적, 물적 교류가 늘어난다. 금관가야와의 교류는 5세기 전엽에 김해 대성동세력이 쇠퇴하면서 급격히 약해진다.

경남 서부지역으로 아라가야 토기가 확산되는 것은 4세기부터이다. 4세기 전엽에는 함안과 비교적 가까운 진주 안간리 · 무촌리유적에서 아라가

16 寺井 誠, 2014, 「馬韓と倭をつなぐ-巨濟市鵝洲洞遺蹟の検討を基に-」『東アジア古文化論攷』I, 中國書店, 福岡, 380쪽.

야 승문계타날호・통형고배・파수부배 등이 출토되고 이후 사천 봉계리 유적, 진주 평거동유적, 산청 옥산리유적 등으로 확산된다. 아라가야 토기의 확산과 더불어 경남 서부지역 토기제작 기술의 변화가 나타난다. 토기제작에 회전력이 증가하고 소성온도가 높아지며 노형기대・발형기대・장경호・광구소호・유개대부파수부소호 등 신기종이 등장한다. 재지의 대표적인 토기형식인 완형무투창고배는 급격히 소멸하고 장각의 무투창고배나 투공고배의 제작이 증가하며 삼각투창고배가 제작되기 시작한다. 소가야 토기의 성립에 아라가야 토기제작 기술이 크게 관여했을 가능성이 있다. 5세기 전반까지 아라가야 토기는 남강을 따라 경남 서부지역으로 확산한다. 소가야에 대한 아라가야의 영향력은 묘제에서도 확인된다. 소가야 목곽묘의 장단축비가 1.75:1~2.7.5:1로 아라가야 목곽묘와 유사하고, 5세기 전엽의 대형 목곽묘는 아라가야 목곽묘와 관련 깊다[17].

발전 1기는 아라가야와 마한・백제지역의 교류도 확대된다. 아라가야 토기는 남해안을 따라 확산하는데 여수・순천・고흥・해남 등 전남 동부권에 집중한다. 대표적인 토기는 통형고배・노형기대・양이부단경호이다. 통형고배는 여수 죽림리 차동유적 6호묘, 순천 성산63호 주거지, 여수 둔전유적, 광양 도월리유적, 장흥 신월리유적에서 출토된다. 양이부단경호는 해남 신금유적 55호, 강진 양유동 6호 주거지, 광양 도월리 41호・34호・42호 주거지, 여수 화동 6호 주거지, 여수 고락산성 3호 주거지에서 출토되었다. 노형기대는 멀리 천안 두정동 I-3호 주거지에서 출토된[18] 바 있다.

17 하승철, 앞의 논문, 2015, 74~77쪽.

18 성정용, 2007, 「百濟 圈域에서 출토된 新羅・加耶系 文物」『4~6세기 가야・신라 고분 출토의 외래계 문물』, 제16회 영남고고학회 학술발표회, 64쪽.

아라가야와 왜의 교류는 발전 1기에 더욱 활성화된다. 아래의 〈표 2〉는 일본열도에서 출토된 아라가야계 유물을 정리한 것이다[19]. 4세기 전반의 시기는 규슈지역에 아라가야 유물이 집중하지만, 5세기 전반에는 긴키지역에 집중한다. 한반도와의 교역로에 위치하는 쥬고쿠(中國)와 시코쿠(四國) 지역에서도 아라가야 유물의 출토 사례가 증가한다. 아라가야와 왜왕권의 교섭이 당초에는 금관가야를 매개로 이루어졌다면 5세기 전반의 시기에는 아라가야와 긴키(近畿)지역과의 직접적인 교섭이 증가한다. 아라가야 토기는 5세기 초부터 오사카부를 비롯하여 교토부와 와카야마현에 폭넓게 분포하고, 5세기 전반에는 나라현으로 확산된다. 특히 아라가야 유물은 나라현 카시하라시에 집중하는 것이 주목된다. 카시하라시 신도우(新堂)유적과 마가리가와(曲川)고분군, 시죠오다나가(四条大田中)유적과 시죠오(四条)고분군, 야마다미찌(山田道)유적과 난잔(南山)고분군은 아라가야 사람들이 살고 묻힌 유적으로 판단되고 있다[20]. 한반도 각지에서 온 도래인들은 그들과 보다 긴밀한 관계를 형성하고 있었던 지역으로 집결했을 것임은 당연하다. 아라가야는 긴키지역 수장층 가운데 특별히 나라(奈良)지역 수장층과 교섭했을 가능성이 높다. 5세기 전반의 고대 호족인 카츠라기씨(葛城氏)와 관련된 무로미야야마(室宮山)고분에 아라가야 유개대부파수부호가 공헌되고 있는 점은 이런 사실을 말해준다. 나라(奈良)지역 수장층은 아라가야와의 교섭을 통해 스에키와 철 등 선진기술을 전수 받았을

19 定森秀夫, 2014, 「陶質土器からみた倭と阿羅加耶」『지역과 역사』35호, 부경역사연구소, 281~286쪽.

20 橿原考古學硏究所附屬博物館, 2006, 『海を越えたはるかな交流-橿原の古墳と渡來人-』.

것이다. 아라가야 유물이 출토되는 취락에서는 대부분 철기 생산과 관련된 유구가 확인된다. 나라현의 신도우(新堂)유적에서는 아라가야 토기와 함께 단야관련 유물인 파이프 형태의 송풍구, 철재, 제염토기가 출토되었다. 난잔(南山)4호분에서도 아라가야 토기와 함께 철정 · 철촉이 다량 출토되었다. 더불어 신도우(新堂)유적과 시죠오다나가(四条大田中)유적, 야마다미찌(山田道)유적에서는 아라가야 토기의 영향을 받은 것으로 보이는 초기 스에키가 출토되고 있어 아라가야 공인이 참여한 별도의 토기 생산 유적이 존재할 가능성이 높다.

발전 2기는 토기의 유통이 줄어드는 대신 수장층을 중심으로 마구 · 무구 · 장신구의 유통이 증가한다. 주변 각국의 토기 생산과 유통이 체계화됨으로 인해 토기를 대신하여 금속유물이 교역품으로 대두된 것이 그 원인이 될 수 있다.

〈표 2〉 일본 출토 아라가야 유물의 시기 및 분포현황

시기		지방				
		규슈(九州)	쥬고쿠(中國)	시코쿠(四國)	긴키(近畿)	동일본
4세기	전반	다이쇼균야마 아사히야마 미네유적 세토바루유적 고후노사에 하루노쯔지	아오키이나바 유적			
	후반		카미나가하마 패총	사루카타니 유적 스미유적	우류유적 시죠오다나가유적 우치시가유적	

시기		지방				
		규슈(九州)	쥬고쿠(中國)	시코쿠(四國)	긴키(近畿)	동일본
5세기	전반	미시마유적	다카쯔카유적	후네카타니유적	모찌노키고분 노나카고분 난잔고분군 신도우유적 후류유적 야마다미찌유적 무로미야야마고분 타야유적	니노타니유적 마에니꼬즈카고분
	후반				큐호지유적 로쿠다이A유적	
6세기	전반	고후노사에			코토히라야마고분	

금속유물로 보면 이 시기는 대가야와 신라, 백제 등 주변 강국들과 다원화된 교류관계를 유지한다. 4세기와 5세기 전반의 마구류가 김해 · 부산 등 낙동강 하구의 금관가야와 관련이 깊은 반면 5세기 후반부터는 대가야와 신라의 마구류가 반입된다. (현)4 · 22호분 출토 등자와 f자형판비, (문)54호분과 말산리 451-1번지, 남문외 11호분 출토 검릉형행엽은 대가야 권역에서 반입된 것이다[21]. (문)54호분 출토 용문환두대도 역시 제작수법으로 보아 대가야 용봉문환두대도에서 계보를 구할 수 있다. 말이산 6-1호분 · 101호분 · (창)14-2호분 · (문)4호분 · (현)4 · 8호분 출토 심엽형행엽과 (현)8 · 15 · 22호분에 부장된 편원어미형행엽과 무각소반구형운주, 암각화고분 출토 자엽형행엽은 신라계 의장용마구로서[22] 아라가야와 신라의

21 류창환, 2002, 「馬具를 통해 본 阿羅伽耶」『古代 咸安의 社會와 文化』, 함안군 · 국립가야문화재연구소, 28~29쪽.

22 류창환, 위의 논문, 2002, 18~31쪽.

교류를 나타낸다.

백제계 유물은 마갑총 출토 장식대도, (문)54호분 출토 귀면문 장식금구, (현)8호분 출토 금동관, (창)14-2호분 출토 원환비 등이 거론되고[23] 있으나 가장 주목되는 것은 횡혈식석실분이다. 남문외 11호분은 아라가야에서 가장 이른 시기에 축조된 횡혈식석실분으로 6세기 전엽에 해당한다. 석실에는 백제 · 대가야 · 소가야 유물이 공반되고 있는데 이는 석실이 다원적인 관계망을 통해 도입되고 있음을 의미한다. 은장식의 관정을 사용한 목관은 백제의 장제를 수용한 결과이고, 사족배는 백제토기이다. 개배와 뱀장식이 달린 통형기대는 대가야 토기이며, 소가야 개 · 고배도 부장된다.

발전 2기는 주변국들과 다면적인 교류관계를 유지하지만 일본열도와의 교섭은 급격히 위축된다. 아라가야에서 출토되는 왜계유물은 말이산 4호분 출토 녹각제도장구가 부착된 철검 1점과 대평리 I 지구 M1호분 출토 스에키 개배, 함안 오곡리28번지 M1호분 출토 스에키 개배로 극히 적다. 일본에서 출토되는 아라가야 유물도 현저히 줄어든다. 오사카 큐호지(久寶寺)유적 출토 화염형투창 발형기대, 미에(三重)현 쓰시(津市) 로쿠다이A유적 출토 고배와 발형기대, 미에(三重)현 코토히라야마(琴平山)고분 출토 파수부배로 앞 단계에 비해 현저히 줄어들었다.

5세기 전반, 가야와 왜의 교섭을 주도하던 금관가야가 몰락함으로 인해 한반도와 왜의 교섭은 다원화된다[24]. 부산 복천동고분군, 창녕 교동과송현동고분군을 매개로 신라와 왜의 교섭이 증가하고, 대가야 문물도 일본

23 이동희, 앞의 논문, 2013, 110~117쪽.

24 우재병, 2006, 「4~5세기 왜에서 가야 · 백제로의 교역루트와 고대항로」『호서고고학』 6 · 7합집, 193~195쪽.

열도에 확산된다. 종전 낙동강 하구에 집중되던 왜계유물은 경남 서부지역과 남해안, 영산강유역으로 이동한다. 소가야는 남해안 교역로를 배경으로 마한·백제와 왜의 교류를 중개한다. 5세기 후반부터 아라가야의 토기 분포권이 함안분지로 위축되고 아라가야 외곽 수장층에 소가야 유물이 증가하는 것은 변화된 환경을 반영한다. 특히 가야를 대신하여 영산강유역이 교류의 창구로 부상한다.

5세기 후반부터 6세기 전엽의 한반도 남부는 고구려의 남하정책에 대응하여 상호결집을 모색하던 시기이다. 475년 한성백제가 몰락하면서 백제는 신라와 긴밀한 외교관계를 형성한다. 이런 분위기는 가야에도 전달되었을 것이다. 479년 대가야가 중국 남제에 사신을 파견하게 되고, 493년 백제 동성왕이 신라왕실과 혼인관계를[25] 맺게 되는 것은 이런 정세와 관련 깊다. 말이산고분군에 반입되는 대가야계 장식대도와 마구류, 신라계 의장용마구류는 수장층의 우호적인 관계를 반영한다. 그러나 각국의 긴장감이 높아지면서 교류·교섭은 수장층에 국한되고 대외관계 보다는 내적 통합에 주력한다.

3. 쇠퇴기

아라가야는 6세기 중엽에 접어들면서 급격히 쇠퇴한다. 말이산고분군은 최남단의 암각화고분을 끝으로 고총 축조가 중단된다. 고분군의 북쪽에 군집한 횡혈식석실분들은 봉분 직경 15m 내외로 작아지고 구릉 사면

25 『三國史記』卷第26, 百濟本紀 第4 東城王 15年(493) 3月條.

부에 축조된다. 발전기에 구릉 정선부를 선점하면서 고총고분이 축조되던 상황과 차이가 있다. 고분 축조에 사회적 비용을 지출하기 힘든 상황이 발생했음을 짐작할 수 있다. 부장유물도 상당한 변화가 보인다. 아라가야 토기의 부장 비율이 줄어들고 대신에 대가야, 소가야 토기의 반입이 늘어난다. 대가야 토기는 횡혈식석실분에 다량 출토되었는데 개・개배・양이부파수부완・통형기대 등이다. (문)4호분에서 출토된 안장교구・소문심엽형행엽・사각반구형운주는 고령 지산동 45호분 1호 석곽에 부장된 것과 흡사하다. 수장층은 물론 중소형 고분에도 대가야 유물이 확산되고 있다. 아라가야 토기는 다양한 문양으로 장식되던 앞 시기와 달리 토기형식이 단조롭고 기종도 줄어든다. 아라가야 토기의 생산 유통 시스템이 붕괴되고 있었던 것으로 추측된다. 토기의 변화와 더불어 무기류・마구류・장신구류의 부장량도 줄어든다. 국제관계가 악화되고 위기감이 고조되면서 무기류・마구류의 현실적인 수요가 증가된 것도 원인이 될 수 있다.

6세기 전엽에 도입된 횡혈식석실분은 수장층을 중심으로 확산된다. 아라가야에 횡혈식석실분이 빠르게 정착하는 것은 백제의 영향력으로 추측된다. 백제는 섬진강유역을 영역화한 다음 남강을 따라 가야지역으로 진출한다. 진주 수정봉 2・3호분에 횡혈식석실이 축조되고 수정봉 2호분과 옥봉 7호분에 백제계 금동합과 토제탁잔・탁잔받침이 부장되는 것은 이런 사실을 뒷받침한다. 수정봉 2호분과 말이산 (문)47호분에서 출토된 관정과 관고리는 백제의 장제와 연결된다. 백제는 6세기 중엽에 소가야, 아라가야에 상당한 영향력을 행사하고 있었던 것으로 판단된다. 횡혈식석실분의 도입은 아라가야의 특징적인 묘제, 장제의 소멸을 유도하였다.

문헌기록을 보면 아라가야는 백제, 신라의 가야지역 진출에 맞서 고당회의(高堂會議)를 개최하는 등 주도적인 역할을 수행한다. 아라가야 권역에 대가야, 소가야 유물이 증가하는 것은 다방면에서 협력이 진행되고 있었던 결과이다. 5세기 후반부터 마한·백제로 집중하던 왜의 외교활동도 다시금 아라가야의 중요성을 인식하게 된다. 이 시기 아라가야와 왜의 교류를 반영하는 유물은 극히 적지만 문헌기록은 이전과 비교할 수 없을 정도로 풍부하다. 『일본서기』 계체·흠명기에 따르면 왜국은 近江毛野臣 등 다수의 사신을 아라가야에 파견하고 있으며, 아라가야도 대왜 사절을 파견하고 있다. 가야에서의 교두보를 잃지 않기 위해 수시로 외교사절을 파견하여 가야의 결집을 시도한다. 그러나 신라의 서진(西進)과 백제의 동진(東進)에 맞선 아라가야의 외교 노력은 수포로 돌아가고, 540년 이후로는 백제의 영향력 아래 놓이게 되면서 대고구려, 대신라 전쟁에 참여하게 된다. 결국 백제와 함께 참전한 관산성전투에서 신라에 패배하게 되고, 신라는 백제-아라가야-왜의 연결고리를 끊기 위해 대대적인 군사력을 동원하여 아라가야를 멸망시킨다. 『일본서기』권19 흠명기 22년(561년)조 기사에 의하면 신라는 아라파사산(阿羅波斯山)에 성을 쌓고 일본에 대비하였다고 한다. 560~561년에 아라가야가 멸망한 것으로 파악한 견해는[26] 설득력이 높다.

---

26 이영식, 1995,「六世紀 安羅國史研究」『國史館論叢』62, 131쪽.
남재우, 2003,『安羅國史』, 혜안, 297쪽.

Ⅴ. 맺음말

함안 말이산고분군에 축조된 묘제는 목관묘-목곽묘-수혈식석곽묘-횡혈식석실분으로 변한다. 목관묘는 기원전 1세기부터 축조되기 시작한다. 현재까지 조사된 목관묘는 전기와질토기단계에 속하고, 기원후 2~3세기에 해당하는 목관묘 · 목곽묘는 조사되지 않았다. 유적의 전모가 알려지지 않았지만 상당수준의 분묘군이 조성되었을 가능성이 높다. 목곽묘는 3세기 후엽부터 5세기 전반의 시기에 축조된다. 5세기 전엽에 축조된 대형 목곽묘에는 장식대도, 마구류, 무구 · 무기류의 집중 부장이 이루어진다. 대표적인 목곽묘는 마갑총과 (경)13호묘이다. 수혈식석곽묘는 5세기 2/4분기부터 출현하며 아라가야가 멸망하는 6세기 중엽까지 지속적으로 축조된다. 수혈식석곽묘가 도입되면서 아라가야 묘제의 특징이 뚜렷해진다. 초대형석곽묘는 길이 9m 이상의 세장방형구조이며 내부는 유물부장공간-피장자공간-순장자공간으로 명확히 구분된다. 순장자는 2~5인으로 차등이 있다. 횡혈식석실분은 6세기 전엽에 출현한다. 남문외 11호분이 가장 이른 시기에 해당한다. 석실의 도입은 정치, 사회적인 변동을 반영한다.

아라가야는 4세기부터 함안분지를 중심으로 중심권이 형성되고, 중심과 외곽의 격차가 심화된다. 도성은 토성으로 둘러싸인 왕궁지, 왕과 귀족들을 위한 묘역, 거관 등 각종의 공공 시설물이 입지한다. 말이산고분군은 함안분지 중앙으로 뻗어 내린 낮은 구릉에 조성되었다. 고분군 전체가 정치지배 구조를 이념적으로 합리화하고 정당화 해온 특별한 기념물로 조성되었다.

아라가야는 4세기부터 급성장한다. 성장 배경은 여러 가지가 있겠지만 낙동강과 남해안을 활용한 대외교역도 주요 성장 동력이 되었을 것이다. 아라가야와 왜는 4세기부터 5세기 전반의 시기에 가장 밀접한 관계를 형성한다. 아라가야와 마한의 교류는 4세기에 집중한다. 거제 아주동유적에서 확인된 마한계주거지와 일본 후쿠오카시 니시신마찌유적에서 출토된 마한계 토기로 보면 아라가야와 마한의 교류는 3세기 후반부터 전개되었을 가능성이 높다. 아라가야와 백제의 교섭은 5세기 후반부터 간헐적으로 진행되었으나 6세기 중엽에 확대된다. 횡혈식석실분의 도입과 함께 백제계 금속기 · 토기 등이 아라가야로 유입된다. 아라가야와 소가야는 5세기 전반까지 긴밀한 관계를 형성한다. 아라가야 토기문화는 소가야 토기의 성립에 결정적인 역할을 하였다. 그러나 5세기 후반에는 아라가야를 대신하여 소가야 세력이 확대된다. 5세기 후반부터 아라가야 수장층에 신라계, 대가야계 마구와 장식대도 등이 반입된다. 6세기 중엽에는 횡혈식석실분에 다량의 대가야 유물이 부장된다. 아라가야가 급격히 위축되는 가운데 백제, 대가야 세력이 영향력을 확대하였다.

아라가야는 대외관계로 보아 4세기부터 급성장하였으며 5세기에 전성기를 구가하였다. 6세기 중엽에는 백제의 동진과 신라의 영토확장 정책에 맞물려 급격히 쇠퇴한다.

【참고문헌】

(한국인)

김 현, 2000, 「함안 도항리 목관묘 출토 와질토기에 대하여」『도항리 말산리유적-Ⅳ.고찰』, 경남고고학연구소.

김정완, 2000, 「咸安圈域 陶質土器의 編年과 分布 變化」『伽耶考古學論叢』3, 가야문화연구소.

남재우, 2003, 『安羅國史』, 혜안.

박미정, 2008, 「함안 도항리 · 말산리 고분군 수혈식석곽묘 구조 검토」『咸安 道項里 六號墳』.

박천수, 2007, 『새로 쓰는 고대 한일교섭사』, 사회평론.

백승충, 2014, 「안라국의 대외관계사 연구의 제문제」『한국민족문화』51.

류창환, 2002, 「馬具를 통해 본 阿羅伽耶」『古代 咸安의 社會와 文化』, 함안군 · 국립가야문화재연구소.

성정용, 2007, 「百濟 圈域에서 출토된 新羅 · 加耶系 文物」『4~6세기 가야 · 신라 고분 출토의 외래계 문물』, 제16회 영남고고학회 학술발표회.

이동희, 2013, 「아라가야와 마한 · 백제」『고고학을 통해 본 아라가야와 주변제국』, 경남발전연구원 역사문화센터, 학연문화사.

우재병, 2006, 「4~5세기 왜에서 가야 · 백제로의 교역루트와 고대항로」『호서고고학』6 · 7합집.

이성주, 1998, 『新羅 · 加耶社會의 起源과 成長』, 학연문화사.

______, 2017, 「가야고분군 형성과정과 경관의 특징」『가야고분군 세계유산 등재추진 학술대회』.

이연심, 2010, 「6세기 전반 가야, 백제에서 활동한 '왜계 관료'의 성격」『한국고대사연구』 58.
이영식, 1995, 「六世紀 安羅國史研究」『國史館論叢』 62.
______, 2003, 「安羅國과 倭國의 交流史 研究」『史學研究』 제74호.
이정근, 2006, 「咸安地域 古式陶質土器의 生產과 流通」, 영남대학교대학원 석사학위논문.
이주헌, 2000, 「阿羅伽耶에 대한 考古學的 檢討」『가야각국사의 재구성』, 부산대학교 한국민족문화연구소.
이재현, 2003, 『弁・辰韓社會의 考古學的 研究』, 부산대학교 대학원 박사학위논문.
장경숙, 2008, 「함안 도항리고분군의 방어무장(甲冑)」『咸安 道項里 六號墳』.
정주희, 2008, 「咸安樣式 古式陶質土器의 分布定型에 관한 研究」, 경북대학교 석사학위논문.
조영제, 2006, 『西部慶南 加耶諸國의 成立에 대한 考古學的 研究』, 부산대학교대학원 박사학위논문.
조수현, 2017, 『古墳資料로 본 阿羅加耶』, 경주대학교대학원 박사학위논문.
하승철, 2013, 「고고자료를 통해 본 아라가야와 왜의 교류」『고고학을 통해 본 아라가야와 주변제국』, 경남발전연구원, 학연문화사.
______, 2015, 『小加耶의 考古學的 研究』, 경상대학교대학원 박사학위논문.

(일본인)
橿原考古學研究所附屬博物館, 2006, 『海を越えたはるかな交流-橿原の古墳と渡來人-』.
寺井 誠, 2014, 「馬韓と倭をつなぐ-巨濟市鵝洲洞遺跡の檢討を基に-」『東アジア古文化論攷』Ⅰ, 中國書店, 福岡.

定森秀夫, 2014,「陶質土器からみた倭と阿羅加耶」『지역과 역사』35호, 부경역사연구소.

竹谷俊夫, 1984,「火焰形 透孔의 系譜」『伽倻通信』84년 9월호, 釜山大學校博物館.

________, 2002,「日本における火焰形 透孔土器の系譜について」『古代 咸安의 社會와 文化』, 국립창원문화재연구소 2002년도 학술대회.

The ancient tomb culture of Ara-gaya

Ha Seoung-chol Gyeongnam development institute

The burial system of Ara-gaya has been changed in the order of 'wooden coffin tomb-wooden chamber tomb-stone chamber tomb-stone chamber tomb with a corridor. Wooden coffin tomb began to be built in the first century B.C. Wooden chamber tomb is built in period from the second half of the third century to the first half of the fifth century. In the large wooden chamber tomb, which was built on the first half of the fifth century, mostly swords, harnesses, and weapons were buried. The representative wooden chamber tombs are Magabchong and (Gyeong) No. 13 tomb. The stone chamber tomb appeared from the second quarter of the fifth century and was built until the middle of the sixth century when Ara-gaya was destroyed. The Ara-gaya burial system became more distinctive with the introduction of stone chamber tomb. The supersized stone chamber tomb is a long-rectangular shaped chamber with length of 9 meters or longer, and the inside is clearly classified by 'space to bury relics-space for tomb owner-space for buried people with the dead'. The number of people buried with the dead are different ranged from 2 to 5. The stone chamber tomb with a corridor appeared in the first half of the sixth century. No. 11 tomb in

Ancient tombs outside of Nammunoe Tombs village is the earliest. The introduction of the stone chamber reflects political and social changes.

From the fourth century, the central area of Ara-gaya formed around the Haman basin, and the gap between the central city and the suburbs became severe. Various public facilities such as royal palace area surrounded by earthen ramparts, graveyard for king and nobles, large building, etc. are located in capital city. The entire ancient tombs were created as special monuments rationalizing and justifying the political governance ideologically.

Ara-gaya grows rapidly since the fourth century. While there were many reasons for the growth, foreign trade using the Nakdong River and the south coast of the peninsular would have been a major growth engine. During the period from the fourth to the first half of the fifth century, interactions with the neighboring Gaya empires, Mahan, Baekje, Silla and Japanese islands were carried out actively. From the late fifth century, foreign exchange decreased and trading is focused on the introduction of prestige goods, weapons and harnesses for class of people to be buried. In the middle of the sixth century, stone-structured chamber tomb with a corridor was decorated with a large amount of Daegaya relics. While Ara-gaya was rapidly shrunk, Baekje and Daegaya forces expanded their influence.

Keywords : Keywords : Ara-gaya, Ancient Tombs in Haman Malisan, burial system, relics, foreign relation

고고학을 통해 본
안라국의 형성과정과 영역 변화

이동희 인제대학교 교수

Ⅰ. 머리말

지금까지 안라국의 형성과정과 영역변화에 대한 연구는 고고자료를 바탕으로 문헌자료를 결합하여 진행되고 있다. 즉, 기존에 정치체 형성의 맹아기인 지석묘단계부터 함안지역의 고고자료를 수계별로 살펴보고 있지만, 최근에 발굴조사된 자료가 적지 않아 이를 포함하여 보완하면서 재검토할 시점이 되었다.

본고에서는 최근 발굴조사된 유적・유물을 적극 활용하여 수계별로 지석묘, 목관묘, 목곽묘, 수혈식 석곽묘-고총고분 등의 단계별로 정치체의 변동과정을 입체적으로 검토하고자 한다.

현재의 함안군은 가야읍 일대의 함안천유역, 군북면일대의 석교천유역, 칠원권의 광려천유역 등 3개 유역권으로 구분된다. 이 가운데 가야읍이 위치한 함안천유역이 중심을 이루고 안라국의 중심고분군인 말이산 고분군이 자리한다. 함안천유역과 석교천유역은 상대적으로 인접하여 비교적 이른 시기에 통합되었을 가능성이 높은데 비해, 광려천 일대의 칠원권은 초기에는 별도의 小國 즉 칠포국이 존재하였던 지역이다.

함안군 일대의 들판은 제방축조가 없었던 고대의 경우, 대부분 저습지로서 경작지의 기능을 수행하기 어려운 실정이었다. 함안의 지형적 환경을 고려하여 넓게 펼쳐져 있는 경작지인 들판을 대상으로 저습지와 경작지의 경계를 구분하고자 하는 시도가 있었는데, 그 방법으로 지석묘 분포의 한계 높이로서 구분 가능성을 제시한 바 있다[1].

지형상으로 볼 때, 함안군은 중앙의 함안분지와 좌우의 군북권 · 칠원권 등 3지역으로 나눌 수 있는데, 이는 소문화권 분류의 1차적 근거가 된다[2](그림 1).

함안의 정치체 발전에 대해서 지금까지의 통설은 다음과 같이 정리될 수 있을 것이다. 즉, "삼한시대에 군북 · 가야권은 안야국으로, 칠원은 칠포국으로 성장하였다. 3세기말-4세기초 포상팔국전쟁을 겪으면서 4세기 중후반에 3개의 지역권을 완전히 통합하여 안라국으로 성장하는데, 5세기 전반부터 말이산 고분군에 조영되는 고총이 이러한 역사적 사실을 방증한다."[3]

필자도 이러한 견해에 큰 틀에서는 동감하지만, 최근 발굴성과를 반영하여 세부적으로 보완할 부분이 있다. 예컨대, 안야국의 성립에 있어서 지석묘와 목관묘는 어떠한 상관관계가 있는가? 또 안야국의 성립시기는 언제이며, 함안분지와 군북권 중 어느 권역이 중심이 되어 어떠한 과정을 거쳐 언제 통합되었는가? 포상팔국전쟁 이전단계의 칠포국의 고고학적 실체는 무엇인가? 칠포국이 안라국에 포함된 시기와 증좌는 무엇인가? 안라국의 최대영역은 어디까지인가? 안라국이 외부로 영향력을 확장하는데 중요한 역할을 한 진동만이나 마산만 등지를 영역화한 시기는 언제인가? 등 아직 명확히 풀지 못한 문제들이 산재해 있다.

---

1 박동백, 『가야문화권유적정밀지표조사보고서-함안군-』, 1984; 박동백 · 김형곤 · 최헌섭, 『아라가야권유적정밀지표조사보고』(함안군의 선사 · 고대유적), 1995; 김형곤, 「아라가야의 형성과정 연구」『가라문화』 12, 경남대학교 가라문화연구소, 1995.

2 김형곤, 위의 논문.

3 함안박물관, 『함안박물관(개관도록)』, 2004.

본고는 함안천유역을 중심으로 석교천유역과 광려천유역을 포괄하는 정치체의 변천과 안라국의 영역변화를 고고자료를 중심으로 살펴보는 것이 목적이다.

안라국 형성과정의 시발점은 청동기시대 후기에 가야읍 도항리 일대의 지석묘 축조세력이 중심이 되어, 점차 영역을 확장하는 것으로 파악된다. 즉, 가야읍과 함안면을 포함하는 읍락의 형성, 함안분지 전체를 포괄하는 소국의 형성(안야국), 여기에 군북일대를 포괄한 안야국의 성장단계, 4-5세기대에 진동만, 마산만, 의령 남부지역, 진주서부지역, 칠원 일대를 영역화하는 단계로 구분할 수 있다.

Ⅱ. 함안분지의 읍락형성 및 안야국의 성립

기존에 안야국의 형성에 대해서는 남재우에 의해 정리된 바 있다. 즉, "기원전 1세기말경으로 추정되는 도항리 목관묘는 안야국의 형성과 관련된다. 안야국은 청동기시대 지석묘의 분포나 1-3세기대 유적의 분포로 보아 가야읍 · 함안면지역과 군북면이 안야국의 중심세력권이다. 이 중 가야읍지역이 유적의 계승관계로 보아 안야국의 국읍에 해당하고, 인근에는 읍락과 촌락이 분포한다."[4]

이러한 기존 연구성과와 함께 최근 고고자료를 재해석하면서 함안분지

4 남재우, 『안라국사』, 혜안, 2003.

의 읍락형성과 안야국의 성립에 대해 자세히 분석해 보고자 한다.

1. 개별 읍락의 형성

1) 청동기시대 후기 거점 지석묘군의 출현

여러 촌락이 유기적으로 연결되면서, 거점(중심 촌락)이 형성된 초기정치체인 읍락이 출현하는데, 이와 관련하여 주목할 수 있는 고고자료는 지석묘이다.

지석묘의 분포는 당시 단위사회의 영역 표시일 가능성이 높고, 늦은 시기에 관찰되는 지석묘군의 위계는 청동기시대 정치체 내에 분포하는 집단들 사이에 통합관계나 위계와 관련시킬 수 있기 때문에 중요하다. 창원 및 함안 일대의 지석묘군들 사이의 위계를 감안한다면 지역집단들 사이의 위계화는 존재했을 가능성이 매우 높다[5].

함안지역에서는 파괴된 지석묘까지 포함하면 모두 25개군 167기로 파악되고 있다(표 1)[6].

유역권별로 보면, 함안분지(함안천유역) 12군 72기(가야읍 4군 23기,함안면 3군 12기, 대산면 1군 3기, 산인면 2군 13기, 여항면 2군 21기), 군북권(석교천유역) 군북면 4군 41기, 칠원권(광려천유역) 9군 54기(칠북면 1군 9기, 칠서면 2군 5기, 칠원면 6군 40기) 등이다(그림2, 10).

5 이성주, 「고고학을 통해 본 아라가야」『고고학을 통해 본 가야』(제23회 한국고고학전국대회), 한국고고학회, 1999.

6 아라가야향토사연구회, 『함안 고인돌』, 1997.

〈표 1〉 함안지역 지석묘 분포표[7]

읍면별	유적명	고인돌수			주변 하천명	읍면별	유적명	고인돌수			주변 하천명
		현존	매몰 파괴	계				현존	매몰 파괴	계	
가야읍	광정리	5	·	5	함안천	칠서면	회산리	1	3	4	광려천
	도항리 구락실	5	·	5	광정천		구포리	1	·	1	검단천
	도항리도동	10	·	10		칠원면	오곡리 여시골	5	·	5	광려천
	도항리삼기	1	2	3			오곡리 가메실	2	·	2	
함안면	봉성동	2	2	4	함안천		예곡리 야촌	10	2	12	
	북촌리	1	·	1			용정리	10	·	10	
	괴산리	1	6	7			운서리	1	·	1	운서천
군북면	동촌리	26	1	27	석교천		세만이	3	7	10	칠원천
	덕대리	5	1	6		산인면	송정리	7	1	8	송정천
	명관리	7	·	7	모로천		내인리	2	3	5	
	중암리	·	1	1	석교천	여항면	외암리	1	12	13	함안천
대산면	서촌리	3	·	3	함안천		주서리	8	·	8	쌍계천
칠북면	이령리	1	8	9	봉촌천	계	25군	118기	49기	167기	

함안의 3개 권역 가운데 함안천유역의 면적이 가장 넓고 지석묘가 많다. 그 중에서도 말이산 고분군이 위치한 가야읍에 4군 23기가 분포하며, 함안천유역의 중심부에 자리한다.

가야읍 소재 지석묘는 직경 2㎞내에 4군 23기가 분포하는데, 이 가운데 도

7 아라가야향토사연구회, 위의 책. 함안지방의 고인돌은 군북면이 전체의 25%, 칠원면이 23%, 가야읍이 14%를 차지하고 있어 3개지역이 14군 104기로서 전체의 60% 이상을 점한다.

항리 도동에 10기의 지석묘가 군집하고 있어 가장 밀집성을 보인다. 도동 지석묘군은 말이산고분군이 자리한 구릉 위에 있다는 점에서도 주목된다.

도항리 도동 지석묘군 10기 가운데 말이산 암각화 고분 〈現 34호분〉 하층에서 8기가 발굴되었다. 이 중 '다'호 지석묘는 170여개의 性穴과 5-7겹의 정교한 동심원문의 암각화가 상석에 뚜렷이 새겨져 있다. 8기의 지석묘는 12×14m의 장방형 부석(敷石)에 의해서 모두 연결되어지고 있는 형상이며 제일 중앙에 위치한 '바'호 지석묘를 감싸듯이 7기의 지석묘가 배치되어 있는 것이 특징이다. '바'호 지석묘는 앞 시기에 조성된 송국리형주거지를 파괴하고 축조되고 있어 비교적 늦은 단계에 해당한다[8]. 요컨대, 도동지석묘군은 송국리 송국리문화영향으로 이단굴광의 묘역식 지석묘가 확인되는데, 송국리형 주거지를 파괴하고 축조되는 양상 등을 보면 지석묘군의 하한은 기원전 3-2세기까지 가능하리라고 본다.

상기한 바와 같이, 도동 지석묘에서 주목되는 2기는 암각화와 성혈이 새겨진 '다'호와 이단굴광의 묘역식으로 파악되는 '바'호 지석묘이다(그림 3, 4).

'바'호 지석묘는 이단굴광으로 매장주체부의 규모가 발굴된 8기의 지석묘들 중 규모가 제일 크다. (외토광 394×258×107㎝, 내토광 247×65×68㎝, 전체 깊이 175㎝) 또한 출토유물(단도마연토기2점, 석촉13촉)도 주변의 다른 지석묘보다 탁월하다(그림 3,4). 이단토광형은 '바'호 지석묘 외에 '라'호 지석묘에서도 확인되는데 단순토광형보다 규모도 크고 주체부의 깊이도 훨씬 깊은 점이 특징이다.

이단굴광은 묘역식 지석묘에서 주로 확인되며, 청동기시대 후기에 주로

---

8 창원문화재연구소, 『함안 암각화고분』, 1996; 아라가야향토사연구회, 위의 책.

나타난다는 점에서 계층의 분화와 관련지어 볼 수도 있다. 즉, 이단굴광이 있는 묘역식 지석묘는 지석묘 군집내의 상대적인 위치에서 중심에 해당하고, 묘역과 매장주체부가 크고 깊어 일반 지석묘・석관묘와 다르다. 이러한 점에서 도항리 도동 지석묘군은 현재까지 묘역식 지석묘가 확인되지 않은 함안천유역에서 유일하다고 볼 수 있다(그림 5).

2) 도항리 암각화 지석묘와 선돌로 본 중심 촌락의 등장과 읍락의 형성

도항리 도동 지석묘군 '다'호 상석에 새겨진 암각화는 동심원문과 음각선, 그리고 알구멍(性穴)으로, 암각화의 각종 문양은 당시 풍요와 다산을 기원하는 행위의 결과물이면서 신앙의 대상물이다(그림 3-2).

암각화가 새겨진 지석묘는 입지한 지역이 청동기시대의 풍요제의가 거행되던 곳과 관련된다[9].

神聖性을 강조하기 위해 제단역할을 하는 묘역을 조성하고, 피장자의 신분을 나타내는 암각화를 도안하였으며, 특정 표징으로서 상석에 각종 문양이 암각화 형태로 새겨진 것은 피장자가 생존시에 갖고 있던 정치적 능력을 상징화한 것이다. 지석묘의 암각화는 피장자 집단의 제의적 활동의 일환으로 준비된 것이며, 이러한 의례행위를 통하여 종교의 믿음을 표현한 것으로 여겨진다. 따라서 해당 집단은 이러한 상징적 아이덴티티를 통하여 혈족의 결속을 도모하고, 그들의 조상이 누리던 정치적인 우월적 기반을 계속적으로 유지하고자 하였던 상징적 표현으로 암각화를 제작하였던 것으로 보인다[10].

---

9 임세권, 『한국 선사시대 암각화의 성격』, 단국대학교 대학원 박사학위논문, 1994.

10 유태용, 「고인돌 암각화의 사회정치적 성격 검토」『한국암각화연구』 20, 한국암각화

이러한 점을 고려하면, 말이산고분군의 구릉 위 암각화 지석묘 분포는 특별한 의미를 부여할 수 있다. 즉, 도항리 도동 지석묘군은 함안천유역의 중심인 가야읍에서 가장 밀집된 지석묘군이면서, 주변을 조망할 수 있는 입지의 탁월성, 암각화의 상징성, 함안분지내에서 유일하게 묘역식 지석묘가 확인되고 있어[11] 위계상 주변을 압도한다.

이러한 점에서 도항리 도동 지석묘 축조집단은 가야읍 일대에서 주변 촌락보다 상위에 자리매김하였다고 볼 수 있다. 여러 촌락에서 두드러진 중심 촌락의 등장은 읍락의 형성과정을 살펴볼 수 있는 중요한 자료이다.

편년상으로 보면, 도항리 도동 지석묘군 출토 단도마연토기의 형식은 청동기시대 늦은 시기(기원전 4-3세기)로 비정되고 있다[12]. 도동 지석묘군이 청동기시대 늦은 시기인 기원전 3세기라면, 곧 이어서 지배층의 묘제가 목관묘로 변화한다. 암각화 그 자체의 상징성, 그리고 함안천유역에서 가장 군집된 지석묘, 도항리 구릉의 입지 등으로 보면 도항리 도동 지석묘는 청동기시대 늦은 시기의 지배층의 등장과 관련지을 수 있다.

이러한 점에서, 함안천 중류역에서 읍락 형성의 상한은 기원전 4-3세기로 설정해 보고자 한다. 여러 촌락 중 두드러진 중심 촌락의 등장은 초기 정치체인 읍락의 형성과 불가분의 관계에 있다.

학회, 2016.

11 최근에 칠원 용정리유적에서 3기의 묘역식 지석묘가 확인되었다. 칠원지역은 함안의 남동쪽 외곽이면서 마산과 인접하여 남해안 지역에 성행한 묘역식 지석묘가 파급된 것으로 보인다.(한국선사문화연구원, 「함안 내서-칠원간 국도건설공사구간내 유적 발굴조사 2차 학술자문회의 자료집」, 2017).

12 최헌섭, 「함안 도항리 선사유적」『한국상고사학보』 10, 1992; 창원문화재연구소, 앞의 책; 남재우, 앞의 책.

안라국 왕묘역인 말이산 고분군과 동일한 공간에 청동기시대 지석묘의 존재는 특별한 의미를 가진다. 즉, 그 이전부터 이 구릉지대는 신성한 공간이었을 가능성이 높다.

경관고고학의 관점에서 보면, 분묘가 축조된 공간은 그것이 들어서기 전부터 신성한 장소였고 분묘가 조성됨으로써 경관을 더욱 의미 깊게 한다. 이런 점에서 대성동고분군이 입지한 구릉의 중앙부에 대형의 지석묘의 매장시설이 발견되고, 함안 도항리 말산리 고분군 능선에서 암각화와 이단굴광의 지석묘 매장시설이 발견된 것은 중요한 의미를 가진다. 가야시대의 중심고분군이 들어선 능선은 목관묘 축조자들에게 선조들이 의례를 지냈던 장소였고 조상 중에 몇백년 동안 위대한 행적과 함께 기억되어 온 영웅적 인물이 묻힌 경관이기도 한 것이다. 목관묘 단계와 목곽묘 초기에 쉽게 능선의 정상부를 점유하지 못한 것도 신성한 장소에 대한 지식을 토대로 한 그들의 실천이었을 것이다[13].

이와 관련하여, 도항리 말이산 고분군 입구에 자리한 도항리 삼기 선돌(立石)을 주목할 필요가 있다.

도항리 삼기 선돌은 도항리고분군의 서편에 자리한 삼기마을 입구 도로의 좌우측에 서 있으며 말이산 〈現〉12호분과 서로 마주보고 있다[14].

삼기 선돌과 마주하는 말이산 12호분이 남북으로 긴 말이산 구릉의 중심부에 자리하고 있어 주목되며, 삼기 선돌의 위치가 말이산으로 올라가는 중심부 입구라는 점에서 의미하는 바 크다. 이러한 삼기 선돌의 입지는

---

13 이성주, 「가야고분군 형성과정과 경관의 특징」『가야고분군 세계유산적 가치 비교연구』, (가야고분군 세계유산 등재추진 학술대회), 경남발전연구원, 2017.

14 아라가야향토사연구회, 앞의 책.

암각화 지석묘가 존재하며 청동기시대에 신성한 공간인 말이산 초입부에서 일반인의 출입을 경계하고 신성한 공간임을 나타내는 상징물로 볼 수 있다[15].

즉, 도항리 삼기 선돌은 도항리 구릉의 입구에 해당하여 도항리 도동 구릉 정상부 암각화 고인돌과의 긴밀한 관계를 추정해 볼 수 있다.

선돌의 경계표시 · 수호신 등의 기능을 고려하면, 삼기 선돌은 암각화 지석묘 입구에서 우두머리 집단을 상징하고 구릉 위 지석묘 집단의 신성성을 알리는 입구이자 경계표시로 볼 수 있다. 삼기 선돌은 절 입구에 신성한 경역을 표시하는 창녕 관룡사 석장승과 동일한 맥락으로 파악된다.[16]

3) 읍락의 형성과 의례 · 제의권역

전술한 바와 같이, 도항리 도동 지석묘군에서 규모가 가장 큰 '다'호 암각화지석묘에서는 170여개의 性穴과 5-7겹의 정교한 동심원문의 암각화가 상석에 뚜렷이 새겨져 있다. 가장 밀집된 지석묘를 축조하고 풍요 · 다

15 선돌에 대해 풍요와 다산을 기원한다는 견해도 있지만, 경계표시 · 수호신의 의미도 있다. 지석묘와 함께 확인되는 예도 있어 지석묘의 존재를 표시해 주는 묘표적 성격도 있다. 선돌 중에는 그 위치로 보아 마을과 마을의 경계 혹은 郡 · 縣의 경계지점에 자리하고 있어 경계표석으로 삼은 것도 있다. 그 대표적인 예가 사천읍과 진주시의 금곡면과의 경계지점에 위치한 거무실의 돌장석고개의 선돌이다. 이 선돌의 정면엔 진주와 사천의 경계라고 지명이 각인되어 있는데 후인들이 새긴 것으로 추정된다(김봉우, 『경남의 막돌탑과 선돌』, 집문당, 2000).

16 관룡사 석장승은 서로 마주보며 남녀 구분이 있다. 장승의 기능은 사찰의 경계, 사찰의 논밭, 사찰 경내에서의 사냥 · 어로 금지, 護法 등을 표시하기 위해 세운 것이다. 삼기마을 선돌도 서로 마주보는 형상으로 2기가 서 있고, 남녀구분이 있다는 점에서 흡사하다.

산을 기원할 수 있는 집단은 지역의 상위 집단이면서 중심적인 존재일 것이다. 도동 지석묘(8기)가 모두 고분 발굴조사 중 확인된 점을 고려하면, 말이산 고분군 조성 당시에 파괴되어 현재 확인되지 않는 지석묘는 더 있을 가능성이 높다[17]. 이러한 점에서 도항리 도동 지석묘군 집단은 함안천 유역에서 가장 중심적인 위치이면서 인근에 가장 많은 거주민이 살았을 것으로 보인다.

축조에 많은 노동력이 투여되는 지석묘군은 간략한 구조의 석관묘군 피장자보다 한 단계 위의 상위층이라고 볼 수 있다. 이러한 지석묘 중에도 성혈이나 암각화가 새겨진 지석묘는 해당 집단뿐만 아니라 주변 마을을 아우르는 상징적인 존재이자 의례의 중심이라고 보면 제의집단의 영역을 유추할 수 있는 자료이다.

공동의 의례와 제사권의 범위는 몇 개 촌락을 아우르는 읍락의 시작이라고 볼 수 있다. 도항리 구릉은 가야읍 · 함안면 일대에서 평지 위에 우뚝 솟아 주변 지역 주민들이 우러러 보는 상징적인 입지인 셈이다. 인근에서 경관이 탁월하여 당시 함안천 하류의 저습지를 제외한 사람들이 거주할 수 있는 범위내에서는 가장 중심적인 장소인 것이다.

청동기시대 전기의 촌락단위를 넘어서, 청동기시대 후기에는 초기읍락이 형성되는 것으로 보이는데, 그 범위는 함안면과 가야읍 정도로서 오늘

---

17 도항리 도동 10기 지석묘 중 암각화고분 아래에서 8기의 지석묘가 확인됨을 보면, 함안의 중심지인 함안면 · 가야읍 일대가 가야고총 조성 시기 이후에 지속적으로 재이용되고 조선시대 읍성 조성, 중심지로서 많은 사람들이 거주함으로써 지석묘들이 훼손되었을 가능성이 높다. 말이산고분군 및 남문외고분군 등의 입지가 지석묘의 입지와 일치하는 면이 있으므로 가야읍 일대에는 원래 더 많은 지석묘가 존재하였을 가능성이 상당히 높다.

날의 2개면 정도에 해당한다.

즉, 도항리를 중심으로 한 가야읍과 함안면 일대는 함안 3개 수계에서도 가장 먼저 읍락체제, 즉 중심촌락을 중심으로 주변 여러 촌락 집단이 유기적으로 연결된 지역으로 파악된다. 함안일대는 청동기시대 전기단계에 개별 촌락단위별로 생활하였다면, 청동기시대 후기 늦은 단계인 기원전 4-2세기에 읍락체제로 전환된 것으로 보인다.

함안지역에서 함안천중류역에서 가장 먼저 읍락이 형성되게 되는 배경은 함안천 유역이 함안 내 3개 하천 중 가장 유역면적이 넓다는 점을 들 수 있다. 즉, 함안천유역에서 도항리 일대에 가장 넓은 가경지가 있고, 습지의 피해가 없으며 범람되지 않는 가장 하류권이 도항리이고, 남강을 통한 대외교류로 성장할 만한 지정학적 중심지라는 점이 제기될 수 있다.[18]

암각화 지석묘의 연대가 기원전 4-3세기대라면, 공동의 의례행위를 통한 공동체의 결집과 제의권을 상정해 볼 수 있다. 즉, 암각화 지석묘는 청동기시대(후기) 유력 집단을 중심으로 주변 촌락과 함께 지역 공동체의 풍요를 기원하는 농경 의례공간의 상징물로 판단된다. 도항리 지석묘군의 입지상의 상징성과 묘역식 지석묘, 암각화, 입구의 선돌 등의 특징을 고려하면 도항리 도동지석묘군은 일정지역을 아우러는 제사권의 중심이라 볼 수 있다. 이러한 제의권역이 바로 제정일치사회의 초기정치체인 읍락의 시발점으로 추정해 볼 수 있다.

이러한 읍락의 원형으로 볼 수 있는 제의권역은 도항리 도동을 중심으로 한 광정천유역(도항리)과 함안천 중류역(봉성리 · 괴산리 · 광정리 · 북촌리)

18 남재우, 앞의 책, 2003.

을 포함하는 범위로 볼 수 있다. 이 범위내에는 모두 7개군 35기의 지석묘가 분포하며, 그 중심부에 자리한 도항리 도동지석묘가 10기로 가장 밀집도가 높다. 이곳은 함안천유역의 중심부에 해당하고 청동기시대 당시에 저습지에 포함되지 않으면서 농경지가 가장 넓은 지역이다. 상대적으로 가경지가 넓고, 남강을 통한 교역의 거점에 자리한 도항리는 함안분지에서 중심지에 해당한다고 하겠다. 이 범위는 직경 4-5㎞정도이며 초기 읍락의 범위라고 볼 수 있는데, 공동의 제의권역이면서 경제적으로 상호 의존관계에 있었다고 볼 수 있다.

한편, 邑落(초기정치체)의 성립과 관련지어 주목되는 유물이 초기철기시대의 점토대토기이다. 이와 관련하여 가야읍 검암리 주거유적 출토 두형토기의 대각부 등의 채집 유물은 중요하다. 검암리의 뻗어내린 구릉에는 집단 취락지가 형성된 것으로 파악된다[19].

검암리 주거유적에 대해서는 향후 발굴조사가 이루어져야 명확한 성격이 밝혀지겠지만, 토착세력이 점토대토기문화를 수용했던지 혹은 점토대토기문화인들의 이주 등 2가지 가능성이 있다. 어느 경우든 새로운 선진문화가 함안천유역 특히, 가장 중심권역인 도항리세력에 파급된 것은 분명하다. 새로운 선진문화의 파급은 기존 중심지인 도항리 지석묘축조사회의 계층화를 더욱 진전시키고 초기정치체(邑落) 형성을 가속화시켰을 것이다. 검암리 주거유적과 도항리 지석묘유적은 같은 함안천유역으로서 1㎞정도 이격되어 있어 밀접한 관계인 것은 분명하다.

19 박동백 · 김형곤 · 최헌섭, 앞의 책.

2. 안야국의 성립과 함안천유역의 통합

고조선에 이어 한사군이 설치되고 낙랑군을 통해 漢代 문물의 본격적 파급을 계기로 남한지역에서 三韓 小國이 형성되기에 이른다[20].

이성주[21]는 기원전 1세기경 한반도 남부에서 목관묘가 집단화되기 시작하고 자체적인 철기제작이 시작된다는 점을 들어 그 때를 삼한의 시작, 즉 진·변한의 개시점으로 보았다. 목관묘의 집단화는 지배적 친족집단의 거점이 새롭게 마련되었을 가능성을 시사하며, 그 거점은 국의 중심으로 상징성을 갖는 장소에 입지했을 것이다.

이와 같이 대규모 목관묘군의 성립은 소국의 형성과정과 밀접한 관계가 있다.

함안 도항리 목관묘의 상한을 기원전 후한 시기로 보는 것이 안정적이지만, 인근의 창원 다호리 1호분이 기원전 1세기까지 소급되므로 함안 도항리 목관묘의 상한도 기원전 1세기까지 올라갈 가능성은 있다. 실제로, 도항리 목관묘의 상한을 기원전 1세기대까지 올려보는 견해도 제시된 바 있다[22].

아무튼, 도항리 목관묘 유적이 전체의 일부만 조사되었을 가능성이 높

---

20 권오영,『三韓의「國」에 對한 硏究』, 서울대학교 대학원 박사학위논문, 1996; 박순발,「전기 마한의 시·공간적 위치에 대하여」『마한사 연구』, 충남대학교 출판부, 1998.

21 이성주,『신라·가야사회의 기원과 성장』, 학연문화사, 1998; 이성주,「기원전 1세기대의 진·변한지역」『전환기의 고고학Ⅲ-역사시대의 여명-』, 제24회 한국상고사학회 학술발표회, 2000.

22 김 현,「함안 도항리 목관묘 출토 와질토기에 대하여」『도항리·말산리유적』, 경남고고학연구소, 2000.

으므로 그 상한은 기원전 1세기까지 올라갈 것이다(그림 6, 7). 더구나 인접한 군북 소포리유적에서 기원전 1세기대까지 올라가는 목관묘가 최근 발굴조사된 바 있다(그림 9).

따라서, 기원전 1세기대 도항리 일원에 대규모 목관묘군의 존재는 주변 읍락에 비해 가장 중심적이고 선진적인 읍락 즉 국읍의 성립을 의미하는 것이고, 국읍을 중심으로 읍락이 유기적으로 연결된 소국이 형성된 것을 의미한다. 다시 말하면, 국읍이 중심이 되어 함안천유역의 수개의 읍락을 통할하였을 것이다. 도항리 목관묘군은 함안군에서 가장 밀집되어 있는데, 향후 개별 읍락단위에서 목관묘가 확인될 수 있지만 그 수는 도항리에 미치지 못할 것이다. 늦어도 기원전후한 시기에는 함안분지의 여러 읍락을 관할하는 국읍이 도항리 일대에 형성되어 안야국이 성립하였던 것이다. 이 무렵에 함안천유역에 삼한 소국이 형성되어야만, 3세기대『三國志』위지 동이전의 기록대로 안야국이 삼한 소국 중 큰 나라로 인식되는 것이 가능했을 것이다.

지석묘군의 분포권으로 보면 여항면, 산인면, 대산면 일대 등 3개소 정도의 읍락이 존재했던 것으로 보인다(표 1 참조). 5-6세기대에, 산인면·여항면·대산면 일대에 초대형·대형 고분군은 보이지 않고 중대형고분군 이하의 고분군만 확인되는 점도, 국읍인 가야읍일대와의 위계적 차별성을 보여주는 자료이다(표 2 참조).

지석묘군의 분포권에서 가야읍과 함안면은 같은 공동체로 묶여지는데, 그 중에서도 가야읍 일원이 핵심 취락이었다고 파악된다. 이는 소국의 중심지와 관련해 가장 중요한 목관묘군이 도항리 일원에서만 확인된다는 점에서도 뒷받침된다. 요컨대, 도항리 일대가 국읍 내에서도 핵심취락이었던 것으로 보인다.

더구나, 함안분지내에서 산인면 · 여항면 · 대산면에는 중대형고분군이 있는데, 함안면에는 중대형고분군마저 없고 중형 · 소형고분군만 존재한다. 또한 초대형고분군과 대형고분군이 가야읍에만 3개 고분군이 집중 분포한다는 것(표 2 참조)은 함안면 일대가 일찍부터 가야권에 흡수되었음을 의미하고, 국읍에 딸린 촌락으로 존재하였음을 의미한다고 하겠다. 그 상한은 도항리 도동지석묘군에 암각화가 조성된 청동기시대 후기일 것이다.

〈표 2〉 함안지역의 고분군[23]

지역권	초대형 고분군	대형 고분군	중대형 고분군	중형 고분군	소형 고분군	분포수
가야권	가야-말이산	가야-남문외, 필동	가야-춘곡, 선왕동 산인-달현, 중목골 여항-음촌 대산-송라, 무덤실, 논골	가야-상광, 중광, 신암, 신기, 덕전, 장명 함안-괴항, 동지산, 고시미, 상파, 오리미, 미산 법수-윤외리, 황사리, 대산-하동촌, 장장골 여항-대촌	가야-질목, 돈산, 이곡, 장명 함안-정동 Ⅰ, Ⅱ, 백암, 득성, 금천 산인-대밭골, 산익, 유목정, 법수-사평, 돌구등	43개군
군북권			군북-오당골 Ⅰ, 수곡 Ⅰ	군북-국실, 갓먼당, 동촌, 압실, 명동, 남산, 덕재, 하림, 집전 Ⅰ	군북-오당골 Ⅱ, 머정골, 사랑목, 모로, 죽산, 수곡 Ⅱ, Ⅲ, 지곡, 우계 Ⅰ, Ⅱ, 집전 Ⅱ, 신사동, 태실, 원촌	25개군
칠원권			칠원-용산	칠서-신산, 안기, 닭재 칠북-덕촌, 양달 칠원-유하 Ⅰ, Ⅱ, 오곡리	칠서-구포, 천계 칠북-내봉촌 칠원-문동재, 유하 Ⅲ	14개군
계	1개군	2개군	13개군	34개군	33개군	82개군

23 아라가야향토사연구회, 『안라 고분군』, 1998; 조수현, 「함안지역 고분문화의 전개양상」 『동아문화』창간호, (재)동아문화연구원, 2005

삼한시대에 읍락과 국읍이 형성되는 과정은 다음과 같은 측면에서 접근해 볼 수 있다[24].

“복수의 취락이 결집되어 구성된 읍락이 독자적 운동성을 가질 수 있었던 것은 혈연적 유대로 보기보다는 경제적 요인이 주된 동인이다. 산지가 한정된 철과 소금의 확보라는 문제에서 자체생산이 불가능한 집단들은 ‘國’사이의 교역을 통하여 공급받으려 했을 것이다[25]. 국읍은 철과 소금을 복수의 취락에 개별적으로 분배하기보다는 읍락단위로 재분배하고 읍락의 중심취락은 다시 읍락을 구성하던 다수의 취락에 분배하는 방식을 밟았을 것이다. 아울러 농경도 주요한 요인이다. 소규모의 취락만으로 수리시설을 개발 · 유지하기 곤란한 경우 복수의 취락들이 결집되었을 것이며, 이것이 읍락이 사회적 기초단위로 존재할 수 있게 한 주요한 요인이다. 요컨대, 국읍이 타 읍락에 비해 우월하게 되는 이유는 가경지의 규모, 철자원의 분포, 교역의 매개처 등의 자연지리적 조건을 상정할 수 있다[26]”.

함안천유역에서 도항리 일대를 중심으로 하는 가야읍 · 함안면 일대가 국읍에 비정될 수 있는 이유는 저습지의 피해가 없는 가장 넓은 평지를 가지고 있고, 낙동강 및 진동만으로 연결되는 대외교통로의 편리성이 부각된다[27].

요컨대, 함안분지내에서 안야국이 성장할 수 있었던 배경은 농업생산력

---

24 이동희, 「전남동부지역의 마한소국 형성」『호남고고학보』 29, 2008.

25 이현혜, 「삼한의 국읍과 그 성장에 대하여」『역사학보』 69, 1976.

26 권오영, 「三韓社會 ‘國’의 構成에 對한 考察」『삼한의 사회와 문화』, 신서원, 1995; 권오영, 앞의 논문, 1996.

27 남재우, 앞의 책, 2003.

[28], 높은 산들이 배후에 있어 방어가 용이하고, 앞쪽은 낙동강과 남강이 있어 하천을 통한 교역로 확보가 가능하며, 낙동강 하류역에서 상류역과의 교역에 있어 낙동강의 중간에 입지한 지정학적 관계로 경제적 이득 등을 들 수 있다[29].

5-6세기대가 중심시기이겠지만, 함안에 존재하는 가야시대 고분유적은 최근 지표조사 결과, 최소 130여 개소 이상[30]이다. 이러한 수치는 경남의 타지역에 비해 그 밀도가 높은 것으로서, 마을수 · 인구밀도가 높다는 의미로 볼 수 있다[31]. 이러한 통계치를 목관묘 단계까지 소급할 수 있다면 안야국에는 단위 면적 당 인구가 많은, 그 만큼 생활에 유리한 여러 조건들이 있었다는 것을 의미한다.

그리고, 함안광산을 언급할 수 있다. 함안광산은 동광이지만, 황철광이 함께 산출되어 철광석도 채굴되었을 가능성이 있다.[32]

사로국과 구야국 지역의 수장권이 성장하는 이유는 철생산과 같은 경제적 통제력[33]과 그를 매개로 한 원격적인 상호작용 때문이라고 설명된 바 있다[34]. 하지만 철생산을 통한 정치권력의 성장이 안야국에도 꼭 같이 적

---

28 『咸州誌』에 근거해 보면, 농업에 유리한 지역은 대부분 지석묘가 밀집되어 나타나는 지역이다(남재우 위의 책, 2003).

29 김형곤, 앞의 논문, 1995.

30 창원대학교박물관, 『문화유적분포지도-함안군-』, 2006.

31 김형곤, 「아라가야의 고분」『고고학을 통해 본 아라가야와 주변제국』, 학연문화사, 2013.

32 이성주, 「1-3세기 가야 정치체의 성장」『한국고대사논총』5, 한국고대사회연구소, 1993; 남재우, 앞의 책, 2003.

33 이현혜, 「철기보급과 정치세력의 성장」『가야제국의 철』, 신서원, 1995.

34 이성주, 앞의 논문, 1993; 이성주, 『신라 · 가야사회의 기원과 성장』, 학연문화사, 1998.

용될 수 있다고 볼 수는 없다. 안야국 정치권력의 성장은 경제적인 통제력의 증대와 관련시켜 설명되어야 하는데 그것이 무엇이었는지는 고고학자료에서 확인되지 않는다. 다만, 경주 중심지역과 김해 부산지역 수장묘와 비교한다면 매장의례에서 철정의 소비는 집중적이지 않으므로 철과는 다른 종류의 생산에 대한 통제가 중요했을 것이다[35].

도항리 목관묘는 창원 다호리 집단에 비해 철기유물 뿐만 아니라 소국수장의 신분 상징인 동경과 의기류가 매우 빈약하다. 이러한 도항리 목관묘 부장유물의 특수성에 대하여 다음과 같은 해석은 주목할 만하다.

"다호리유적은 김해의 대외무역거점과 함안의 내륙무역거점 지역의 중간지점의 지정학적 위치 즉, 다호리유적의 목관묘 축조집단은 양동리와 대성동집단이 수행한 철자원의 수출과 對郡縣 교역품들을 낙동강과 남강수계를 통해 내륙으로 분산시키는 도항리집단과의 중개무역을 담당한 세력으로 추정된다. 대중국 또는 대왜교섭의 창구였던 김해 양동리유적과 중개무역거점이었던 다호리유적에서는 중국의 선진문화적인 영향력이 강하게 나타나고 전한경 등 각종의 위세품이 발견된다. 이와는 달리 내륙의 서쪽에 위치한 도항리 목관묘 축조집단의 경우 전자에 비해 비교적 성장이 늦은 내륙지로서 물자분배와 교섭의 結点地였으므로 대외적인 위세품은 그다지 보유하지 못하여 김해와 창원지역의 동시대 유적에 비해 주변지역적인 성향을 가지게 된 것이다[36]."

함안 목관묘에서도 향후에 銅鏡이 출토될 가능성은 있다. 예컨대, 가야

35 이성주, 「고고학을 통해 본 아라가야」『고고학을 통해 본 가야』(제23회 한국고고학전국대회), 한국고고학회, 1999,

36 이주헌, 「도항리 목관묘와 안야국」『문화재』제37호, 국립문화재연구소, 2004,

읍 사내리에서 전한경을 모방한 소형방제경이 출토된 바 있다[37].

따라서 도항리 인근에 대한 추가조사가 이루어지면 창원 다호리에서 출토된 바 있는 동경 등의 위세품들이 함안에서 확인될 가능성이 높다. 특히, 사내리와 바로 인접한 가야리 구릉 일대에서 안야국과 관련된 목관묘가 발견될 수 있다. 향후 조사성과를 기대해 본다.

Ⅲ. 군북지역 읍락의 형성과 안야국으로의 편입

1. 군북지역 읍락의 형성

1) 동촌리 지석묘 축조집단과 중심 취락의 형성

군북 동촌리는 함안에서 가장 대규모 군집(27기)이라는 점에서 청동기시대에는 다른 지역보다 선진적이었다고 볼 수 있다(도면 2). 이와 관련하여, 풍요와 다산을 기원하기 위한 의례행위의 일환으로 만들어진 성혈을 살펴볼 필요가 있다. 27기의 상석 가운데 10기에서 성혈이 확인되는데, 26호(398개)와 7호(65개)가 특히 많다(도면 8). 군북권의 다른 지석묘에서 성혈이 많지 않다는 점에서 동촌리지석묘군은 특별한 의미를 부여할 수 있다. 즉, 덕대리 · 명관리 · 중암리에서는 각기 1기에만 성혈이 있거나 없는 경우(중암리)도 있다. 이에 비해 10기에서 성혈이 확인되고 가장 대규모인 동촌리 지석묘군은 군북권의 가장 상위층의 집단으로 판단된다. 이 집

37 金廷鶴,『任那と日本』, 小學館, 1977; 남재우, 앞의 책, 2003.

단은 덕대리 · 명관리 · 중암리를 아우르는 중심집단으로서 의례의 중심이기도 하다. 다시 말하면, 개별 촌락별로 의례행위가 이루어지기도 하지만, 촌락단위를 초월하는 대단위 의례행위는 군북의 가장 중심지인 동촌리에서 행해졌을 것이다. 함안분지권의 도항리 같은 동심원 암각화는 없지만[38] 그에 준하는 많은 성혈이 확인되었다는 점에서 주변 마을주민들과 함께 공동의 의례행위를 지석묘 묘역에서 행해졌을 가능성이 높다.

동촌리 일대에 넓게 펼쳐진 평야는 '치바다들'이라 한다. 남강이 큰물로 범람하면 이곳에서 1㎞북쪽에 위치한 소포리 일대까지 물에 잠겼다고 하므로 이곳은 남강제방이 없던 시절에 군북지역에서 홍수 피해가 없는 대단위농경지였음을 알 수 있다.[39]

동촌리 24호 지석묘가 가장 북쪽이면서 가장 낮은 지대여서 당시에 해안선을 짐작케 한다. 따라서 동촌리 지석묘 축조집단은 수로를 통한 대외교류도 활발히 행했을 가능성이 높다[40].

요컨대, 동촌리 일원은 군북지역에서 농경의 중심지이자 대외교류의 거점으로 볼 수 있는데, 이러한 측면이 동촌리일원에 가장 많은 지석묘가 밀집하면서 주변 취락보다 상위의 집단으로 자리매김한 배경으로 보여진다.

2) 군북지역 읍락의 형성

군북권에서 가장 상위의 중대형고분군은 군북 소포리 오당골 고분군인

---

38 군북권의 동촌리에는 지석묘에 성혈만 확인되고 있어, 위계로 본다면 동심원이 확인된 함안권의 도항리 지석묘 집단보다 의례권역의 규모가 작았을 가능성이 있다.

39 아라가야향토사연구회, 앞의 책, 1997.

40 이는 함안권의 도항리 도동 지석묘 집단과 동일하다.

데, 가야읍의 초대형 · 대형고분군을 제외하고는 가장 대형의 고분군 중 하나이다.

군북권에서 청동기시대 지석묘로부터 목관묘, 고총고분, 현재의 중심지까지 모두 동촌리와 소포리일원으로 보인다. 즉, 동촌리에 가장 밀집된 지석묘군들이 자리하고 소포리에 유일하게 기원전 1세기대 지배층의 무덤인 목관묘군, 이후 고총고분이 모두 이곳에서 계기적으로 확인된다.

동촌리 지석묘군이 평지에 자리하는데, 소포리 목관묘가 지석묘 북쪽으로 1.5㎞ 이격된 구릉 말단부에 자리하고, 목관묘군에서 북동쪽으로 2㎞ 떨어진 구릉상에 고총고분들이 자리한다. 모두 3-4㎞범위내에 자리하고 있어 동촌리와 소포리 일원이 군북면의 중심지였음을 알 수 있다. 이곳은 청동기시대 이래 중심촌락의 역할을 하였다고 추정된다.

기원전 1세기대로 편년되는 군북 소포리 목관묘군은 개별 읍락의 지배층 묘일 가능성이 높다. 즉, 기원전 1세기대에 도항리 목관묘보다 유물의 양과 질에서 큰 차이가 없다고 본다면 별개 정치체(읍락)로 존재하였을 것이다(그림 9).

군북지역에서 읍락(형성기) 단계 생활유적의 중심지는 입지상 백이산에서 북서쪽으로 뻗어내린 설상형의 구릉지대(덕촌 · 오장골 일대 구릉)로 추정해 볼 수 있다. 이곳은 동촌리 지석묘군과 인접하고 있어 주목된다.

3) 군북권 세력 성장의 한계

군북지역 세력(석교천유역)의 성장의 한계는 기본적으로 석교천의 길이가 함안천이나 광려천보다 짧아, 함안분지권이나 칠원권보다 유역면적이 좁다는 점에 기인한다. 또한 소포리 · 동촌리 바로 앞까지 수로와 저습지가 연결되어 가경지가 함안분지(함안천유역)나 칠원권(광려천유역)보다 좁다. 이와 연동하여 지석묘의 분포가 동촌리 일원의 직경 2㎞ 범위내 1개 권역에만 존재한다는 점이다. 이는 함안천유역의 4개권역(읍락), 광려천유역의 3개권역(읍락)과 달리 1개 중심지(읍락)밖에 없는 셈이다. 다시 말하면, 지석묘의 분포범위가 하나의 읍락 단위에 불과하여 자체성장에는 문제없지만 주변 읍락을 아우르며 성장하기에는 지정학적으로 봉쇄된 셈이다.

군북권은 청동기시대 지석묘 축조단계나 기원전 1세기대 소포리 목관묘 단계까지는 함안분지권이나 칠원권보다 뒤지지 않았지만, 주변 읍락을 통합해서 성장해야하는 소국성립단계에 한계를 드러낸 것이다. 기원전후 이후단계에는 함안분지권이나 칠원권 세력들은 각기 해당 지역의 주변 읍락을 영향하에 두는 중심(국읍)세력이 성장하는데 비해 군북권에서는 더 이상의 성장은 원천적으로 어렵게 되었다는 것이다.

사촌리와 소포리 선돌은 청동기시대 동촌리일대 세력의 범위를 나타내는 것일 수도 있다. 특히, 소포리는 함안권과의 경계로서의 의미가 큰 것으로 보인다.

4) 초기 안야국이 군북지역에 존재하였을 가능성

안라국 형성과정에 있어 가장 큰 걸림돌이 함안 도항리 일대에서 3-4세기대 대형목곽묘와 표지적 유물인 후기와질토기가 거의 확인되지 않는 점이다. 이러한 현상은 함안을 포함한 서부경남지역의 공통된 고고학적 현상이다. 이에 대해 2가지 이유를 상정하는 견해가 있다. 즉, “하나는, 함안에 대한 발굴조사가 한정적으로 이루어져 아직 1-4세기대의 중심묘역이 확인되지 않았을 가능성, 또 하나는 안라국의 전신으로 안야국의 위치비정에 대한 재검토가 필요하다는 것이다. 이 지역에는 원래 후기와질토기 문화가 타지역에 비해 크게 유행하지 않았을 가능성이 높다. 그래서 안야국이 실제 함안지역에 존재했다면 그 중심지는 청동기시대에 가장 큰 고인돌이 있는 군북 동촌리일대 가능성까지 제시되고 있다. 즉, 4세기말-5세기초에 군북권과 가야권 세력이 합해져서 지배층의 중심묘역이 말이산 고분군으로 이동하였을 가능성이 그것이다"[41].

그런데, 안야국의 기반이 지석묘 집단이라는 것이지, 안야국의 실체는 목관묘·목곽묘 집단이다. 3세기대에 『三國志』 위지 동이전에 삼한 소국 가운데 '큰 나라'로 기록된 안야국이 2-3세기대에 군북권에 국한된다면 그 면적상 도저히 큰 나라가 될 수 없다. 최근에 발굴조사된 자료로 보면 군북지역의 목관묘는 소포리에 10여기에 불과하다. 가야읍 도항리의 50여기에 비교하면 소수이고, 유물도 소포리유적이 더 우월하다고 할 수 없다.

더구나, 이 논리가 성립하려면 더 큰 걸림돌에 직면한다. 즉, 군북면 동촌리 일대에 도항리보다 더 많고 위세품이 탁월한 목관묘 뿐만 아니라 그를 이어서 대형 목곽묘들이 다수 확인되어야 한다. 이에 비해, 도항리 일대에는 50여기의 목관묘와 5세기 전반대 지배층의 목곽묘인 마갑총, 5세기중엽-6세기중엽의 고총이 누세대적으로 이어지고 있다. 따라서 군북일원에서 초기 안야국의 실체를 찾는 것보다 공백기의 3-4세기대 아라가야의 지배층의 묘제가 도항리 북쪽 일원에서 조만간 발견되는 것이 훨씬 용이해 보인다. 즉, 말이산 고분군 북쪽 일원에서 목관묘군 이외에 일부 목곽묘가 확인되고, 5-6세기의 고총고분이 거의 동일공간에서 분포하므로 향후에 3

41 조수현, 앞의 논문, 2005.

세기대의 후기와질토기문화 및 목곽묘가 발견될 가능성은 높다[42].

2. 군북권의 안야국으로의 편입

안야국이 3세기대에는 『三國志』 위지 동이전에 소국 가운데 '큰 나라'로 표현된 것으로 보아 2-3세기대에는 군북을 포괄하는 소국이었을 것이다. 이와 관련하여, 안야국과 인접한 칠원분지에 위치한 칠포국이 늦어도 2세기경에는 성립되었을 것이라는 점[43]을 고려해야 한다. 2세기대까지 안야국의 영역이 군북지역을 흡수하지 않고 함안천유역에만 한정되었다면, 칠원의 칠포국과 면적에서 별 차이가 없다. 이러한 상황이라면, 안야국이 '큰 나라'로 표현될 수가 없다.

향후 목관묘가 추가로 발견될 수도 있지만, 현재로서는 군북지역의 목관묘 축조가 기원전 1세기대에 멈추고 그 군집도가 심하지 않다. 즉, 기원전 1세기대에 한정하여 목관묘가 축조되고 그 수가 도항리보다 적으면서 더 이상 축조되지 않았다면 기원후 어느 시점에 이르러 도항리세력에 의한 통제가 이루어졌을 가능성이 높다.

다시 말하면, 도항리일대에는 1-2세기대까지 목관묘가 이어지면서 그 수도 50여기에 달한다. 이에 비해 군북에는 기원전 1세기대 중심의 목관묘 10여기에 그치고 기원후의 목관묘가 미확인되고 있다. 향후 발견될 가

42 마갑총의 충진토에서 출토된 조합우각형파수부장경호 동체부편과 함께 3세기대의 노형기대편이 존재하는 것으로 보아 후대의 대형 분묘들에 의해 이미 훼손되었을 가능성도 제기되고 있다(박광춘, 「아라가야 토기의 편년적 연구」『함안 도항리 6호분』, 동아세아문화재연구원, 2008).

43 남재우, 「칠포국의 성립과 변천」『한국상고사학보』 제61호, 2008.

능성도 배제할 수 없지만 그 수가 많지는 않을 것이다.

그런데, 군북지역이 안라국에 편입된 시점을 늦게 잡아 4세기후반-5세기 전반으로 보는 견해도 있는데, 그 이유는 이 시기에 안라국의 지배층의 무덤으로 볼 수 있는 대형 목곽묘가 등장하기 때문이라는 논리이다[44]. 하지만, 이는 현재까지의 목곽묘 자료에 기인하는 것인데, 도항리 북쪽 지역에 대한 목곽묘 조사가 추가로 된다면 그 상한은 소급될 수 있을 것으로 본다.

더구나, 함안지역을 벗어난 의령 남부지역 · 진주 동부지역 · 안라국의 외항인 마산 일대에서 4세기대 유물이 다수 확인되고 있어, 4세기 이전에 군북지역 일대를 영역화하지 않았다면 불가능한 일이다.

이러한 점을 고려하면, 군북권은 2-3세기대에 아라가야권의 통제권내에 들어왔을 것이다. 전술한 바와 같이, 3세기에 편찬된 『三國志』 위지 동이전에 안야국은 구야국과 함께 大國으로 기술되어 있기 때문이다[45]. 결국, 안야국은 함안분지 뿐만 아니라 군북권을 포함하지 않으면 대국으로서의 면모를 보일 수 없다.

요컨대, 3-4세기전반대로 추정되는 포상팔국전쟁[46]에 참가하는 칠원의 칠포국은 그 무렵에 '小國'으로 표현되고 독립적으로 남아 있었겠지만, 군북권을 포함하지 않는 '大國'으로서의 안야국의 존재는 이해하기 어렵다. 따라서 안야국은 2-3세기대에는 군북권을 포괄했을 것으로 보인다. 현재까지의 발굴성과로 보면, 군북 소포리 목관묘가 기원전 1세기대에 10여기

44 조수현, 앞의 논문, 2005.

45 진변한의 대국은 4-5천가의 인구구성원을 갖는 정치집단이다(남재우, 위의 논문, 2008).

46 남재우, 위의 논문, 2008.

군집에서 끝나고 있는 반면, 도항리 목관묘는 2세기대까지 이어지고 있어 도항리 일원에 지배층의 거점이 성립·발전하고 있었음을 뒷받침한다.

Ⅳ. 칠포국의 형성과 안라국으로의 편입

1. 칠원지역 정치체의 형성

칠원지역이 지금은 함안의 행정구역에 포함되어 있지만, 변한시기에는 함안분지와는 다른 정치집단이었다. 함안분지일대에는 안야국이 존재하고, 칠원지역에는 칠포국이 존재했던 것으로 보는 것이 다수의 견해이다. 칠포국이 3세기에는 실재했으므로 늦어도 2세기경에는 칠포국이 형성되었을 것이다[47].

이와 같이 칠원일대의 칠포국이 함안분지의 안야국과 구분되어 독자적인 정치체를 이루고 포상팔국 중 하나로 성장한 배경에는 지정학적 특징과 관련지어 볼 수 있다.

칠원분지의 서쪽으로는 함안분지와 접해 있는데 화개산(456m), 자양산(401m), 안국산(343m), 용화산(193m) 등이 경계를 이룬다. 함안분지-군북권 사이의 산 높이보다 칠원-함안분지의 경계에 더 높은 산들이 자리하여 뚜렷한 자연적 경계가 된다. 같은 맥락에서, 함안분지 중심지인 가야읍에서 군북으로의 직선거리(5㎞)보다 가야읍에서 칠원간의 거리가 2배 정도

47 남재우, 위의 논문, 2008.

(직선거리 10㎞)가 된다. 이러한 점에서 보더라도 칠원권은 함안권 · 군북권과 지리적 · 문화적 차별성이 있었으며, 군북지역이 함안분지 세력에 먼저 통합된 것은 쉽게 이해되는 바이다.

칠원분지는 남쪽으로는 광려천을 거슬러 올라가면서 마산 내서읍과 연결되어[48] 칠원지역의 정치집단에게 마산만은 중요한 교통로였을 것이다. 칠포국은 마산만을 통하여 창원 골포국 등과 교섭했을 것이다. 또한 창원 다호리와 가까운 칠포국도 낙동강을 통한 낙랑이나 왜와의 교역이 충분히 가능했을 것이다. 칠포국의 발전 기반은 농업생산력, 해상교역, 자원 분포 등을 들 수 있다[49].

칠원권에서는 칠포국의 성립기와 직결시킬 수 있는 목관묘 조사가 아직 이루어지지 않았다. 따라서 목관묘 직전 단계인 지석묘의 분포와 조사성과로 어느 정도 유추가 가능하다.

지석묘군의 분포로 보면 광려천 중상류권의 칠원면 오곡리 · 예곡리 · 용정리 일대 4개군 29기, 광려천 중류권의 칠원면 운서이 · 세만이 · 칠서면 회산리 3개군 15기, 광려천 하류권의 칠북면 이령리 · 칠서면 구포리 2개군 10기 등이다[50](표1, 그림10 참조).

지석묘군의 분포에서도 알 수 있듯이 광려천 중상류권인 칠원면 오곡리 · 예곡리 · 용정리 일대에 지석묘의 밀집도가 가장 높다.

광려천유역에서도 하류권은 간척전에는 저습지로서 농경지나 생활공간으로 적당하지 않은 곳이다. 따라서 지석묘가 가장 밀집된 광려천 중상류

48 칠원지역은 마산 내서읍에서 시작되는 광려천(17.8㎞)이 관통한다.
49 남재우, 위의 논문, 2008.
50 아라가야향토사연구회, 앞의 책, 1997.

역이 가경지가 가장 넓어 중심권역으로 추정된다. 또한 광려천이 마산 내 서읍까지 이어지므로 고개를 넘어 마산항을 통해 대외 교역에도 유리한 지정학적 위치이다. 향후, 이 일대에서 칠포국과 직결될 수 있는 목관묘와 이른 단계의 목곽묘 유적들이 발굴될 것으로 기대된다.

함안에서 묘역식 지석묘는 전술한 함안천유역의 도항리 지석묘 이외에 최근 조사된 칠원 용정리 지석묘군에서 확인되었다. 발굴된 유적은 기존에 알려진 용정리 지석묘군(10기)에 바로 인접하는데, 묘역식 지석묘 3기, 석관묘 10기 등이 확인되었다[51].

묘역식 지석묘 주변에 잇대어 석관묘들이 분포하여 상대적인 위계관계를 짐작할 수 있다. 특히, 1호 묘역식 지석묘는 묘역의 길이가 12m, 너비 5.2m로서 가장 규모가 크며, 이단 굴광을 하였다(1차 굴광: 길이460㎝, 너비 240㎝, 깊이50㎝, 2차굴광: 길이320㎝, 너비180㎝, 깊이 60㎝). 이에 비해 석관묘 중에 가장 규모가 큰 3호 석관묘의 굴광의 규모는 길이 242㎝, 너비 125㎝, 깊이 45㎝에 불과하다.

이와 같이 용정리 유적에서 묘역식 지석묘가 석관묘의 중심부에 자리하고, 주변에 석관이 잇대어 분포한다. 또한 묘역식 지석묘의 매장주체부는 깊은 굴광(2단)에 깊고 넓다(그림 11).

요컨대, 석관묘에 비해 상대적으로 우월한 묘역식 지석묘의 존재는 계층분화의 진전을 의미한다. 현재까지 광려천유역권에서는 칠원면 용정리 유역 일대에서 유일하게 묘역식 지석묘가 확인되고 있어 함안천유역의 도항리 도동의 묘역식 지석묘와 더불어 청동기시대 후기에 우월한 위치에

51 한국선사문화연구원, 앞의 자료집, 2017.

있던 집단임을 알 수 있다.

한편, 오곡리유적에서는 지석묘, 석관묘, 석개토광묘 등 모두 34기의 매장주체부가 발굴되었다[52]. 이중 32호와 22호가 주목되는데, 32호에서는 홍도 1점, 석검 2점, 석촉 6점 등이, 22호에서는 석촉 10점이 각기 출토되었다. 석검 2점이 하나의 무덤에서 출토된 것은 함안에서 유일한 예이고, 22호 출토 석촉 10점은 도항리 '바'호(13점) 다음으로 많은 수치이다(그림 12). 34기의 매장주체부 중 15기에서 출토유물이 확인되지 않으므로 집단 내에서도 차별성이 보여, 계층화가 진전되는 단계로 파악된다. 특히, 상석이 존재하는 지석묘보다 석관묘나 토광묘에서 유물이 빈약하여 주목된다. 따라서 무덤을 쓸 수 없는 하층민을 고려하면, 지석묘-석관묘·토광묘-무덤없는 계층 등의 3개 계층의 분화가 점진적으로 진행되고 있음을 알 수 있다.

아직 전반적인 발굴조사가 이루어지지 않아 속단하기는 이르지만, 지석묘군의 밀집도·출토유물 뿐만 아니라, 오곡리·용산리 일대에 청동기시대부터 가야시대까지 유적의 밀집도가 가장 높아 이 일대가 광려천유역권 초기 정치체(칠포국)의 중심지인 국읍이 자리했을 가능성이 높다. 국읍 주변의 읍락들은 4㎞정도씩 간격을 두고 있는 광려천 중류권의 칠원면 운서이·세만이·칠서면 회산리 일대 지석묘군 분포지역[53], 광려천 하류권의 칠북면 이령리·칠서면 구포리 지석묘 분포지역이 거론될 수 있다.

즉, 지석묘 밀집도·상석의 규모로 보아 칠원면 오곡리,예곡리,용정리

52 창원대학교박물관, 『함안 오곡리유적』, 1995.

53 세만이 유적은 광려천변 구릉에 위치하고 청동기-삼국시대의 취락지로 추정되기에 칠원 오곡리와 다른 칠서일대 읍락의 중심취락으로 보여진다.

일대에 위치하는 4개 지석묘군이 타지역에 비해 우월하다. 지석묘 인근 지역의 가야시기 유적으로 보아도 칠원의 중심지이다. 지리적으로도 4개군 지석묘 유적은 마산 내서읍과 접경지이고 마산만의 창원·마산쪽에서 내륙의 낙동강 남지쪽으로 연결되는 길목에 위치하여 마산만을 통해 인근지역과 교류할 수 있으며 광려천으로 이어지는 낙동강을 활용할 수 있는 중요한 위치이며, 농업생산에 유리한 들판과 구릉지가 넓게 분포한다[54].

칠원권에서 아직 목관묘는 보이지 않지만, 그 뒤를 잇는 목곽묘와 석곽묘들은 발굴조사된 바 있다. 대표적인 유적은 함안 오곡리고분군[55]으로서, 4-5세기대의 목곽묘와 석곽묘가 발굴되었으며 중소형분이다. 오곡리에 인접한 용산리 고분군에서는 직경 13m의 봉분 2기가 확인되었다[56]. 용산리 고분군이 광려천유역의 칠원권에서는 가장 큰 중대형고분군이라는 점[57]에서, 지석묘의 중심권역(용산리·오곡리일원)이 고분군까지 계기적으로 연결됨을 알 수 있다.

오곡리 일원이 광려천유역의 중심이라는 것은 목곽묘의 규모에서도 알 수 있다. 즉, 함안지역에서 A(6m이상 대형),B류(5-6m중대형) 목곽묘는 모두 8기인데, 주로 5세기 전반대부터 출현하고 안라국 지배집단 묘역인 도항리고분군에 집중되고 그 외 지역에서는 유일하게 칠원 오곡리유적에서 5m이상인 B류가 1기 확인되었다. 도항리고분군을 안라국의 지배층 묘역이라고 본다면, 오곡리고분군은 칠원지역 수장층의 무덤으로 볼 수 있을

54 남재우, 앞의 논문, 2008.
55 창원대학교박물관, 앞의 보고서, 1995.
56 김형곤, 앞의 논문, 1995.
57 아라가야향토사연구회, 앞의 책, 1998; 조수현, 앞의 논문, 2005.

것이다[58].

즉, 오곡리고분군에 5,9,11호는 6m내외의 대형무덤이지만, 금동품 등 위세품이 확인되지 않아 당시 말이산 고분군의 중심지배층에 예속된 주변지역 수장층 무덤으로 판단된다[59].

오곡리 8호분에서는 기대 5점, 고배 11점으로 토기류 30점, 철촉 13점 등 모두 55점의 유물 집중 출토되었다. 이중 함안양식적 특징을 보여주는 화염형투창고배와 통형고배, 통형기대 등의 부장이 이 유적내 타 분묘에 비해 우월한 것으로 보아 당시 위계화된 사회의 일면을 고려해 볼 수 있을 것이다[60].

칠원의 칠포국이 군북권과 달리 독립적인 소국으로 한동안 영위할 수 있었던 것은 함안천유역과 군북권은 남강을 경유하여 낙동강으로 이어지는데 비해, 칠원권은 광려천이 바로 낙동강으로 연결된다는 점과 무관하지 않을 것이다. 또 주목되는 것은 오곡리와 용산리 일대에 저습지가 아닌 넓은 가경지가 있고, 남쪽으로 광려천 상류를 통해 마산항에 다다를 수 있다는 점이다. 이러한 대외교역로의 확보가 포상팔국의 하나로서 안야국과 구별되는 독자적인 소국으로 한동안 지속될 수 있었던 원동력이었을 것이다.

---

58 조수현, 앞의 논문, 2005

59 함안박물관, 『함안박물관(개관도록)』, 2004

60 이주헌, 「함안지역의 고분과 토기문화」『안라국의 상징 불꽃무늬토기』, 함안박물관, 2005

2. 칠원권(칠포국)의 안라국으로의 편입

"아라가야가 포상팔국전쟁에서의 승리로 진동만 · 마산만 · 남강의 교통로를 확보하여 성장하였는데, 아라가야가 칠원지역으로 권역을 확대해 나간 시기는 도항리 거대 고분의 축조시점과 아라국의 대표적 토기인 화염문투창고배의 분포로 보아 5세기대 이후였을 것이다. 따라서 칠포국은 4세기대까지는 인근 지역과 관계를 유지하면서 명맥을 유지했을 것이다[61]".

상기한 견해를 참고하면, 4세기대까지 칠원권의 칠포국은 독립세력을 유지하다가 5세기대 이후에 안라국에 속하게 되었다는 것이다. 이에 대해서는 좀 더 살펴볼 필요가 있다.

4세기대 칠원권의 칠포국은 독립세력에서 안라국으로 편입되는 과도기로 파악된다. 즉, 안라국은 주변 소국을 편입하면서 바로 복속시키는 것이 아니라 연맹체단계(아라가야연맹체)를 거친 것으로 보인다. 연맹체 단계는 고대국가로의 전환기에 대가야에서도 확인되는 바이다.

전술한 바와 같이, 함안지역내 유역권으로 구분되는 3권역에서 함안분지권(함안천유역)이 주도가 되어 주변권역을 통합한 것으로 보았다.

칠원권은 군북권과 달리, 별도의 소국명(칠포국)이 확인되고, 가야읍 중심지에서 군북중심지까지의 거리보다 가야읍에서 칠원까지의 거리가 2배 이상이고 더 높은 산들로 경계를 이룬다. 즉, 가야읍과 군북과의 경계에 위치한 삼봉산은 해발 200m정도이지만, 가야읍과 칠원간 경계에 있는 자양산은 해발 400m를 상회한다.

---

61 남재우, 앞의 논문, 2008.

이와 관련하여, 목곽묘 후기 단계인 4세기 후반-5세기전반대의 함안지역의 세 권역을 비교하여 상대적인 위상을 검토할 필요가 있다.

목관묘 단계에는 칠원지역의 조사성과가 없고, 기원후 3-4세기대 목곽묘 단계에는 그 자료가 희소하여[62] 3지역권별 위계에 대한 구체적인 논의가 어렵다.

향후, 군북권, 특히 동촌리·소포리일원에서 목곽묘 단계의 다른 신자료가 나올 수도 있지만, 지금까지의 자료로 본다면 목곽묘 늦은 단계(4세기후반-5세기전엽)의 계층을 살펴보면 함안천유역(도항리)-광려천유역(오곡리)-석교천유역(황사리)으로 구분해 볼 수 있다.

가야읍 도항리고분군과 칠원 오곡리고분군의 목곽묘에서 보듯 규모가 비교적 크고 부장유물이 다량인 상층민의 분묘와 규모가 작고 유물이 소량 부장되어 있는 중하층민의 중소형 목곽묘(황사리·윤외리고분군)가 구분된다[63]. 이러한 목곽묘의 규모로 보면, 4-5세기대에 국읍이나 국읍에 준하는 중심지의 묘역은 가야읍 도항리와 칠원 오곡리에 한하고, 그보다 하위의 村主집단 정도의 목곽묘 유적은 황사리·윤외리 유적으로 볼 수 있다.

이처럼, 목곽묘 늦은 단계에서의 각 지역권별 위계차가 보이는데, 이러한 위계차는 3-4세기대의 연장선상으로 본다면, 안라국 중심지(가야함안권)-칠포국 중심지(칠원권)- 안라국에 흡수된 세력(군북권)으로 구분해서 계층차를 논의할 수 있다. 이러한 세력차가 최상위의 안라국이 군북권, 칠포

62 함안지역에서 3세기-4세기전반대의 목곽묘는 거의 확인되지 않고 4세기중엽 전후부터 목곽묘가 확인되고 있다. 대표적인 예가 도항리,윤외리,황사리,오곡리유적의 목곽묘이다(김형곤, 「가야지역 가야전기의 묘제연구」『제2회 아라가야사 학술토론회』,함안문화원, 1997; 조수현, 앞의 논문, 2005).

63 이주헌, 「아라가야에 대한 고고학적 검토」『가야 각국사의 재구성』, 혜안, 2000.

국을 차례로 영역화하는 순서이기도 하다.

현재까지 군북권에서는 수장급이 아니라 촌주급[64]의 목곽묘만 확인되고 있다. 이는 군북권이 안야국에 빨리 편입되어 자치권이 없고, 수장급 고분이 축조되지 않은 것과 관련될 수 있다.

이에 비해, 칠포국에서 안라국의 영역화 이후에도 수장급의 무덤이 존재하였다면, 이는 안라국이 영역화한지 얼마되지 않은 기간 동안 종래 독립국이었던 칠포국에 대해 현지 수장층의 권한을 인정해주는 간접지배 형태를 취했을 가능성이 높다.

군북권에 큰 규모의 목곽묘가 희소한 것은 안야국단계에 이미 복속되어 수장급의 권한이 제한되었을 가능성이 높다고 볼 수 있다.

아무튼, 군북지역에서 칠원 오곡리유적이나 가야읍 도항리유적에 비해 대형 목곽묘가 없다는 것은 칠원 오곡리유적보다 먼저 도항리세력에 통합되고 상대적으로 위상이 낮았음을 의미한다.

4세기의 과도기를 넘어, 5세기 이후가 되면 칠원권은 도항리세력에 좀 더 종속적이 된다고 하겠다. 5-6세기대 고분군을 살펴보면, 칠원지역은 대형고분군이 없다. 이는 5-6세기대에는 함안분지의 도항리 세력권에 속하게 되었음을 뒷받침한다. 요컨대, 도항리에 거대 고총고분군이 들어서기

64 군북면의 석교천유역에 위치한 황사리 고분군에서는 목곽묘 47기가 확인되었다. 통형고배 외에 철기는 철촉,철겸,도자,철모로서 종류도 단순하고 수량도 매우 빈약하다. 대형 목곽묘가 1기도 없으며 규모가 모두 소형이고 유물에서 철검이나 환두대도와 같은 의기성 유물이 거의 발견되지 않아 매장된 사람들은 지역의 일반인으로 추정된다. 다만, 철촉이 무더기로 출토된 21호분과 철부와 장경의 철모가 확인된 45,49호분은 이 지역 지배집단에 속한 사람의 무덤이었던 것으로 보이는데 소수의 村主級피장자로 추정된다(이주헌, 앞의 논문, 2005).

시작하는 5세기전반대에는 칠원지역의 독립적인 정치체는 약화되어 도항리세력에 귀속되었을 것이다.

Ⅴ. 함안 이외지역으로의 영역 확대

1. 포상팔국 전쟁과 안라국의 성장

안야국은 3세기 중후엽에서 4세기 전반 사이에 일어난 것으로 보이는 포상팔국 전쟁[65]을 계기로 급속한 성장한 이룬다. 포상팔국 중 일부 국의 병합과 진동만을 통한 해안으로의 진출이 중요 성장기반이 되었을 것으로 추정된다. 이 시기부터 국명도 安羅로 바뀌었을 것이다[66].

안라국은 포상팔국 전쟁 이후, 4세기대에 급속히 발전한다. 4세기대 함안식토기의 분포권이 가야읍과 군북면 지역을 벗어나 확대되고 있음에서도 알 수 있다. 포상팔국지역의 일부가 안라국의 영향하에 놓이게 됨으로써 안라국은 바다를 통해 자원을 확보할 수 있어 농업조건 외에 해로를 통한 인근 국가와의 교역도 더욱 활발하게 진행되었다[67].

4세기이후 아라가야 문물, 특히 아라가야 토기의 확산이 뚜렷해지는 것으로 보아 아라가야는 포상팔국 전쟁의 최대 수혜자로 볼 수 있다. 즉, 포

65 포상팔국 전쟁의 원인은 교역권을 둘러싼 가야세력권의 내분 혹은 농경지의 확보를 위한 내륙지역으로의 진출과 관련짓고 있다(남재우, 앞의 논문, 2008).

66 백승옥, 『가야 각국사 연구』, 혜안, 2003a.

67 남재우, 앞의 책, 2003.

상팔국세력의 좌절은 오히려 안야국이 성장할 수 있는 계기가 된다. 특히 직접 해안으로 진출할 수 있게 되어 수산자원의 확보 뿐만 아니라 중국이나 왜와의 교역이 활발하게 된다. 이것이 바탕이 되어 4세기 이후 안라국으로 급속히 성장한다. 이후, 5세기대에 말이산고분군이라는 대형고분군을 축조할수 있을 만큼 커다란 정치집단화 된다. 즉, 변진제국 중에서 유력한 정치집단이었던 安邪國이 포상팔국전쟁을 계기로 安羅國으로 발전하게 된 것이다[68].

2. 4세기대 마산만 · 진동만의 확보

전술한 바와 같이, 5세기 이후에 말이산 고총고분군의 등장은 4세기대 안라국의 성장에 기반한다. 다시 말하면 5세기대 이후에 급성장한 안라국을 살펴보기 위해서는 그 직전 단계인 4세기대의 안라국이 언급되어야 한다.

안라국의 세력권은 함안분지의 입구에 해당하는 낙동강 · 남강을 통한 수로를 1차적으로 확보하였지만 대외교섭의 해안 출구를 확보하기 위해 분지를 에워싼 높은 산줄기에 뚫려 있는 2개의 육로를 개척하여 마산만과 진동만쪽으로 진출하고자 하였고 이러한 노력은 함안 세력권과 남해안 제소국들 사이에 상호여건에 따라 협력과 갈등 또는 대결의 양상으로 전개되다가 결국 포상팔국 연합군과 안라국의 전쟁으로 이어졌을 가능성이 높다. 이 전쟁을 통하여 안라국이 독자적인 항구를 확보하여 경남 서남부 일대의 지역적 중심지 역할을 담당한 세력으로 부상하였던 것으로 보인다[69].

68 남재우, 앞의 논문, 2008.
69 김형곤, 앞의 논문, 1995.

기존 연구성과로는, 마산 현동지역은 4세기대 이후에 안라국의 영역으로 편입되는 것으로 파악되며[70], 진동만으로의 진출은 포상팔국과의 전쟁에서 승리한 후로 보았다[71].

마산만 일대에서 아라가야의 흔적을 확인할 수 있는 대표 유적은 마산 현동유적이다. 이 유적에서는 4세기초부터 통형고배 등의 아라가야양식의 토기들이 다량 출토된다[72].

이와 같이, 안라국은 포상팔국전쟁 직후 포상팔국의 약화를 틈타 마산만·진동만을 거쳐 남해안을 통해 대외교섭을 활발히 진행하였을 것이다. 그러한 증좌로서 전남도서지역, 왜에까지 널리 파급된 아라가야 토기와 철정 등을 들 수 있다.

예컨대, 전남 남해안지역을 중심으로 4세기중후반대부터 확인되는 아라가야토기와 철정들[73]은 4세기 중엽 이전에 아라가야가 마산만·진동만을 확보했다는 뒷받침 자료이기도 하다. 안라국이 전남 남해안지역에 토기나 철기를 주었다면, 그 물물교환의 대상이 있었을 텐데 현재로서는 뚜렷하지 않다. 다만, 고고학적으로 그 흔적이 잘 남지 않는 쌀이나 소금 등이 그 반대급부일 것으로 추정해 본다.

군북의 월촌리 야철지와 가야읍 묘사리 윗장명도요지, 법수면 우거리 토기가마터 등에서 생산된 철과 토기는 남해안의 마산·진동만 및 낙동강수계를 통해 왜·백제·가야·신라 제국들과 활발한 교역을 하였을 것

70 남재우, 「안라국의 성장과 대외관계연구」, 성균관대학교 박사학위논문, 1998.

71 백승옥, 앞의 책, 2003a.

72 동서문물연구원, 『마산 현동유적 I 』, 2012.

73 이동희, 「아라가야와 마한·백제」『고고학을 통해 본 아라가야와 주변제국』, 학연문화사, 2013.

이다[74].

화염형투창고배가 일본의 近畿지역에 보이는 것은 5세기대의 안라국이 일본과의 교류를 보여주는 것이고 교섭 루트는 진동만이나 마산만이었을 것이다[75].

최근, 마산 현동유적 조사성과[76]를 보면, 마산 일대에 대한 안라국의 지배형태는 간접지배 정도로 파악하는 것이 적절할 것으로 보인다. 즉, 종래 독립적인 정치체를 이루고 있던 마산 현동세력은 4세기대에는 안라국의 강한 영향을 받지만, 5세기대 이후에는 안라국 이외에도 소가야 · 창녕 · 왜 등 다양한 정치체와 교류하는 모습이 보인다. 이러한 점에서 보면, 마산 현동 일대의 세력은 안라국의 간접적인 영향은 있지만 자율성이 유지되고 있었다고 하겠다. 고대국가 형성기에 간접지배 형태는 백제 · 신라 · 대가야에서도 공히 확인되는 바이다.

3. 남강수계를 통한 의령 남부 · 진주 동부권으로의 영향력 확대

의령 예둔리 고분군(목곽묘, 석곽묘)에서는 4세기대 함안식토기와 함께 철제무기,농공구, 장신구 등이 출토된 바 있다. 의령지역임에도 함안중심의 토기문화권에 해당한다[77].

예둔리고분군은 함안과 동일한 남강변에 위치하며, 황사리유적과는 4

---

74 함안박물관, 앞의 책, 2004.
75 남재우, 앞의 논문, 1998.
76 동서문물연구원, 앞의 보고서, 2012.
77 이주헌, 앞의 논문, 2000.

km밖에 떨어져 있지 않아 동일 생활권으로 볼 수도 있다. 4세기대의 공반 유물상으로 보면 예둔리 일대를 포함하여 의령의 남부 남강유역은 안라국의 영역권에 포함된다고 볼 수 있겠다.

의령 지정면 유곡리, 의령 가례면 봉두리 고분군 등지에서도 5세기대 이후의 화염문투창고배가 지속적으로 출토되어[78], 안라국의 영향력이 5세기대에도 의령군 남부지역에 미쳤음을 알 수 있다(도면 13). 토기양상으로 보면, 6세기 전반경에도 안라국과 남강변의 의령군 지역이 강한 유대관계를 형성했던 것으로 파악된다[79].

신라의 군현설치가 복속지역의 사정을 고려한 것으로 본다면, 咸安郡의 속현으로 편재된 玄武縣(군북지역)과 宜寧縣(의령읍 일대, 의령남부) 지역은 안라 말기의 권역으로 보아도 될 것이다[80].

진주시 동부권도 4세기대에는 안라국의 영향권에 들어가는 것으로 파악되는데, 대표적인 유적이 진주 사봉산업단지내 목곽묘 유적이다. 공자형고배, 무파수노형기대,파배,양이부단경호 등 전형적인 4세기대 아라가야토기들이 확인되었다[81]. 진주 지수면 압사리에서도 5세기대 화염문투창고배가 출토되어[82], 진주 동부권에 대한 안라국의 영향력이 지속적이었음을 알 수 있다(그림 13).

78 남재우, 앞의 논문, 2008.

79 우지남, 「함안지역 출토 도질토기」『도항리,말산리유적』, 경남고고학연구소, 2000.

80 백승옥, 앞의 책, 2003a.

81 조영제, 「아라가야의 고고학」『고고학을 통해 본 아라가야와 주변제국』, 경남발전연구원 역사문화센터, 2012; 김형곤, 「아라가야의 고분」『고고학을 통해 본 아라가야와 주변제국』, 학연문화사, 2013.

82 남재우, 앞의 논문, 1998.

사봉면은 함안 군북면과도 교통로로 연결되고 있어 안라국세력이 군북면을 영역화시킨후 바로 영향을 미칠 수 있는 지역이다. 따라서 군북면이 안라국의 영역권에 들어간 것은 4세기 이전으로 보아도 무리가 없다.

4. 안라국의 최대 영역

안라국의 위상은 말이산 고분에 의해 뒷받침된다고 해도 과언이 아니다. 말이산 고분군의 고총화의 시작은 5세기전반부터이며, 안라국의 최대 영역은 5세기후반-6세기초로 볼 수 있다.

5세기대 안라국의 권역을 상정해 볼 수 있는 것은 화염형투창고배가 집중적으로 분포한 지역과 무관하지 않다. 이를 토대로 안라국의 권역을 설정하면, 함안 외에 의령남부, 진주 동부, 진동만과 마산만, 칠원, 창원 서부 등지를 포함하는 범위이다[83]. (도면 14)

화염문투창고배는 마산 진동만의 진북 대평리 고분군과 창원 서부권의 도계동 유적에서도 출토되어 안라국의 영역권을 유추할 수 있다[84].

화염형투창고배와 함께 5세기대 함안식토기인 상하일렬장방형투창유개고배 등의 분포 또한 화염형투창고배가 발견되는 지역과 거의 일치한다[85].

이러한 권역이 멸망기까지 그대로 유지되었다고 보기는 어렵다. 즉, 6세기중엽대에 이르면 백제 · 신라의 진출과 대가야의 성장은 안라국의 권

83 백승옥, 앞의 책, 2003a.

84 남재우, 앞의 논문, 1998.

85 김정완, 「함안권역 도질토기의 편년과 분포 변화」, 경북대학교 석사학위논문, 1994; 조영제, 「아라가야의 고고학」『아라가야사 학술토론회』, 함안문화원, 1994; 남재우, 앞의 책, 2003.

역을 축소시켜 나갔을 것이다[86].

상기한 바와 같이, 전성기 안라국의 영역은 고령의 대가야에 비해 좁은 편이다. 이는 안라국이 대가야와 달리 무력을 위주로 주위를 통합하거나 영역을 확대하지 않고 일본이나 백제 · 신라 · 고구려와의 대외 교역 혹은 외교를 위주로 발전하여 넓지 않은 영역 안에서 내실을 다져간 것으로 볼 수 있다. 이러한 교역과 외교 정책이 비교적 좁은 권역을 가졌던 안라국이 전 가야지역을 고령의 대가야세력권, 김해의 금관가야 세력권, 함안의 아라가야 세력권으로 삼분할 수 있었던 저력이었을 것이다[87].

Ⅵ. 맺음말

본고는 안라국의 형성과정과 영역변화를 살펴보기 위해 정치체 형성의 맹아기인 지석묘단계부터 목관묘 · 목곽묘 · 고총에 이르기까지 분묘유적과 관련 출토유물을 분석하였다.

안라국은 삼한시대의 안야국에서 기원한다. 본고에서는 안야국의 형성과정에 대해 많은 지면을 할애하였다. 특히, 함안지역을 수계별로 3개 유역권으로 구분하여, 각 유역권별 읍락과 국읍의 형성과정을 살펴보았다. 함안군은 가야읍 일대의 함안천유역(함안분지권), 군북면일대의 석교천유역

86 남재우, 앞의 책, 2003.

87 김세기, 「고고자료로 본 아라가야의 형성과 영역권」『고대 함안의 사회와 문화』, 2011년 아라가야역사 학술대토론회, 2011.

(군북권), 칠원면 일대의 광려천유역(칠원권) 등 3개 유역권으로 구분된다.

먼저, 안야국의 형성은 가야읍이 위치한 함안천유역이 중심을 이루는데, 함안천중류역인 도항리일대에서 지석묘・목관묘・목곽묘・고총고분군인 말이산 고분군이 계기적으로 자리한다. 말이산 고분군과 동일한 곳에 위치한 도항리 도동 지석묘군은 함안천유역에서 가장 밀집된 지석묘군이며 암각화와 이단굴광, 함안천유역에서 유일하게 묘역식 구조, 탁월한 유물 등으로 청동기시대 후기에 가장 상위의 취락이면서 제의권의 중심으로 파악하였다. 이 핵심 취락을 중심으로 주변 촌락이 유기적으로 연결되는 읍락이 등장하는 것은 청동기시대 후기인 기원전 4-3세기대로 추정된다. 초기 읍락의 범위는 가야읍과 함안면을 포함하는 것으로 보인다. 늦어도 기원전후한 시기에는 도항리세력은 함안천유역의 3개소 정도의 읍락을 통할하는 소국의 국읍으로 자리매김한다. 이는 말이산고분군 북쪽의 도항리 목관묘군(50여기)으로 유추해 볼 수 있다.

석교천유역의 군북권도 청동기시대 후기에는 동촌리지석묘군을 중심으로 개별 읍락을 형성한 것으로 보이지만, 유역면적이나 가경지가 함안분지권이나 칠원권에 비해 좁아 성장에는 한계가 있었던 것으로 보인다. 또한 지석묘의 분포범위가 한 개 읍락 단위에 불과하여 주변 읍락을 아우르며 성장하기에는 지정학적 한계가 보인다. 기원전 1세기대의 목관묘가 확인되어 읍락의 핵심세력의 존재는 확인되지만 목관묘가 수가 도항리세력에 비해 적고 이후 목관묘의 축조가 중단된다. 이후 2-3세기대에는 함안분지의 도항리세력의 영향권 내에 들어가는 것으로 파악된다.

3세기대에 편찬된『三國志』위지 동이전에 변진한 소국 가운데 '큰 나라'로 표현된 안야국의 범위는 함안분지권과 군북권이 합쳐진 범위로 추정된다.

칠원권은 군북권과 달리, 적어도 3세기대까지는 독립소국인 칠포국(漆

浦國)이 존재하였던 곳이다. 지석묘의 밀집도, 구조, 출토유물로 보면 칠원권의 지석묘군 중심부는 칠원면 오곡리·용정리 일원이다. 목관묘가 아직 조사되지 않았지만 오곡리에서 도항리에 준하는 목곽묘가 확인되고 있어 칠포국의 국읍이 있었던 곳으로 추정된다. 칠원권은 지석묘의 분포권으로 보면 국읍 아래에 2개소 정도의 읍락이 있었던 것으로 파악된다. 3세기말-4세기초의 포상팔국 전쟁이후에 점차 쇠퇴하여 5세기대에는 안라국의 영역에 포함되는 것으로 보인다. 5세기 이후에 군북권과 칠원권에 대형 고분군이 보이지 않는 것은 도항리세력의 정치적 영향과 무관하지 않을 것이다.

포상팔국 전쟁 이후에 안라국이 급성장하게 되는데, 4세기 이후에는 안야국의 국호가 안라국으로 바뀌었을 것으로 보인다. 통형고배 등의 아라가야토기에 근거해 보면, 4세기 이후 안라국의 영역은 급격히 확장된다. 즉, 같은 남강유역권인 의령 남부와 진주 동부권 이외에, 마산만·진동만으로 영향력을 확대한다. 특히, 안라국의 마산만·진동만의 확보는 남해안 여러세력 및 倭 등과의 폭넓은 교류와 교섭을 가능하게 하여 안라국의 위상을 높이는 계기가 되었다.

안라국의 최대 영역은 5세기후반-6세기초로 볼 수 있다. 5세기대 이후 안라국의 권역을 상정해 볼 수 있는 것은 화염형투창고배·상하일렬장방형투창유개가 집중적으로 출토된 지역과 관련된다. 이를 토대로 안라국의 권역을 설정하면, 함안 외에 의령 남부,진주 동부, 진동만과 마산만, 칠원, 창원 서부 등지를 포함한다.

마산만 일대의 정치체나 칠원의 칠포국 등 종래 소국명을 가진 정치체는 포상팔국 난 이후 안라국의 영향권 하에 들어가는데, 직접지배라기보다는 고대국가 형성기의 간접지배 혹은 상하연맹체 정도라고 파악된다.

이러한 정치적 동맹관계 혹은 간접지배 형태는 고대국가형성기에 백제·신라·대가야에서도 공히 확인되는 바이다.

【참고문헌】

권오영, 「三韓社會 '國'의 構成에 對한 考察」『삼한의 사회와 문화』, 신서원, 1995.

권오영, 『三韓의 「國」에 對한 硏究』, 서울대학교 대학원 박사학위논문, 1996.

김봉우, 『경남의 막돌탑과 선돌』, 집문당, 2000.

김세기, 「고고자료로 본 아라가야의 형성과 영역권」『고대 함안의 사회와 문화』, 2011년 아라가야역사 학술대토론회, 2011.

김정완, 「함안권역 도질토기의 편년과 분포 변화」, 경북대학교 석사학위논문, 1994

金廷鶴, 『任那と日本』, 小學館, 1977.

김현, 「함안 도항리 목관묘 출토 와질토기에 대하여」『도항리·말산리유적』, 경남고고학연구소, 2000.

김형곤, 「아라가야의 형성과정 연구」『가라문화』 12, 경남대학교 가라문화연구소, 1995.

김형곤, 「가야지역 가야전기의 묘제연구」『제2회 아라가야사 학술토론회』,함안문화원, 1997.

김형곤, 「아라가야의 고분」『고고학을 통해 본 아라가야와 주변제국』, 학연문화사, 2013.

남재우, 「안라국의 성장과 대외관계연구」, 성균관대학교 박사학위논문, 1998.

남재우, 『안라국사』, 혜안, 2003.

남재우, 「칠포국의 성립과 변천」『한국상고사학보』 제61호, 2008.

동서문물연구원, 『마산 현동유적 I』, 2012.

박광춘, 「아라가야 토기의 편년적 연구」『함안 도항리 6호분』, 동아세아문화재연구원, 2008.

박동백, 『가야문화권유적정밀지표조사보고서-함안군-』, 1984.
박동백 · 김형곤 · 최헌섭, 『아라가야권유적정밀지표조사보고』(함안군의 선사 · 고대 유적), 1995.
박순발, 「전기 마한의 시 · 공간적 위치에 대하여」『마한사 연구』, 충남대학교 출판부, 1998.
백승옥, 『가야 각국사 연구』, 혜안, 2003a.
백승옥, 「전기 가야 소국의 성립과 발전」『한국 고대사 속의 가야』, 혜안, 2003b.
아라가야향토사연구회, 『함안 고인돌』, 1997.
아라가야향토사연구회, 『안라 고분군』, 1998.
우지남, 「함안지역 출토 도질토기」『도항리,말산리유적』, 경남고고학연구소, 2000.
유태용, 「고인돌 암각화의 사회정치적 성격 검토」『한국암각화연구』 20, 한국암각화학회, 2016.
이동희, 「전남동부지역의 마한소국 형성」『호남고고학보』 29, 2008.
이동희, 「아라가야와 마한 · 백제」『고고학을 통해 본 아라가야와 주변제국』, 학연문화사, 2013.
이성주, 「1-3세기 가야 정치체의 성장」『한국고대사논총』 5, 한국고대사회연구소, 1993.
이성주, 『신라 · 가야사회의 기원과 성장』, 학연문화사, 1998.
이성주, 「고고학을 통해 본 아라가야」『고고학을 통해 본 가야』(제23회 한국고고학전국대회), 한국고고학회, 1999.
이성주, 「기원전 1세기대의 진 · 변한지역」『전환기의 고고학Ⅲ-역사시대의 여명-』, 제24회 한국상고사학회 학술발표회, 2000.
이성주, 「가야고분군 형성과정과 경관의 특징」『가야고분군 세계유산적 가치 비교연구』, (가야고분군 세계유산 등재추진 학술대회), 경남발전연구원, 2017.

이주헌, 「아라가야에 대한 고고학적 검토」『가야 각국사의 재구성』, 혜안, 2000.

이주헌, 「도항리 목관묘와 안야국」『문화재』 제37호, 국립문화재연구소, 2004.

이주헌, 「함안지역의 고분과 토기문화」『안라국의 상징 불꽃무늬토기』, 함안박물관 , 2005.

이주헌, 「함안 말이산 고분군의 세계유산적 가치」『가야고분군 세계문화유산 가치 연구』, 경상남도, 2013.

이현혜, 「삼한의 국읍과 그 성장에 대하여」『역사학보』 69, 1976.

이현혜, 「철기보급과 정치세력의 성장」『가야제국의 철』(인제대학교 가야문화연구소 편), 신서원, 1995.

임세권, 『한국 선사시대 암각화의 성격』, 단국대학교 대학원 박사학위논문, 1994.

조수현, 「함안지역 고분문화의 전개양상」『동아문화』창간호, (재)동아문화연구원, 2005.

조영제, 「아라가야의 고고학」『아라가야사 학술토론회』, 함안문화원, 1994.

조영제, 「아라가야의 고고학」『고고학을 통해 본 아라가야와 주변제국』, 경남발전연구원 역사문화센터, 2012.

창원대학교박물관, 『함안 오곡리유적』, 1995.

창원대학교박물관, 『문화유적분포지도-함안군-』, 2006.

창원문화재연구소, 『함안 암각화고분』, 1996.

최헌섭, 「함안 도항리 선사유적」『한국상고사학보』 10, 1992.

한국선사문화연구원, 「함안 내서-칠원간 국도건설공사구간내 유적 발굴조사 2차 학술자문회의 자료집」, 2017.

함안박물관, 『함안박물관(개관도록)』, 2004.

함안박물관, 『새로 찾은 함안 군북의 문화유적과 유물』, 2015년 함안박물관 특별기획전, 2015.

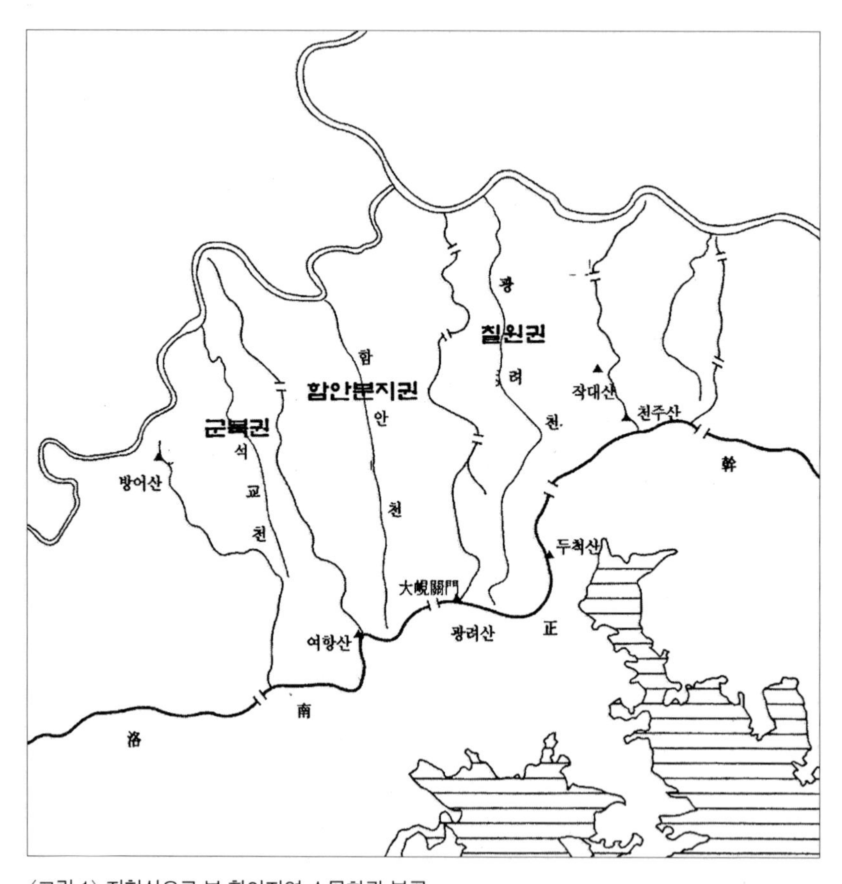

〈그림 1〉 지형상으로 본 함안지역 소문화권 분류

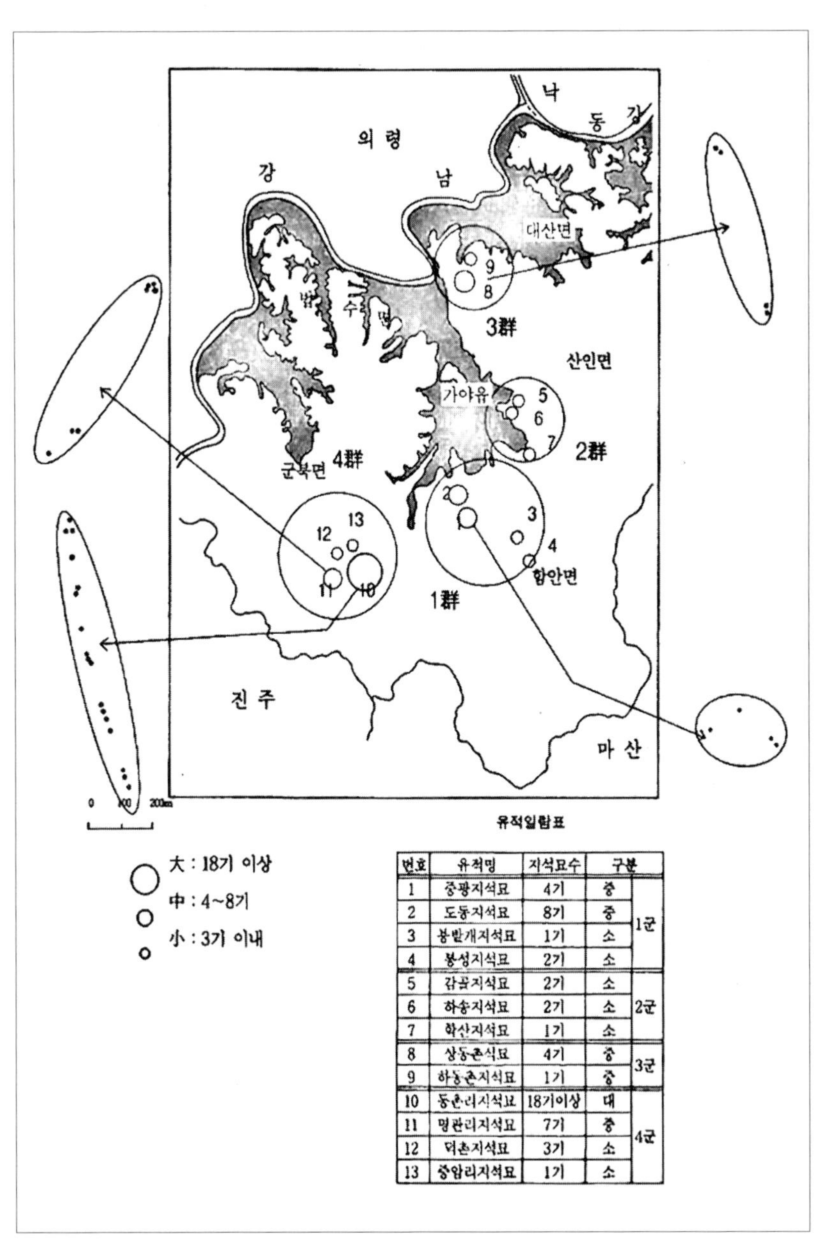

유적일람표

번호	유적명	지석묘수	구분	
1	중광지석묘	4기	중	1군
2	도동지석묘	8기	중	
3	봉발개지석묘	1기	소	
4	봉성지석묘	2기	소	
5	감골지석묘	2기	소	2군
6	하송지석묘	2기	소	
7	학산지석묘	1기	소	
8	상동촌석묘	4기	중	3군
9	하동촌지석묘	1기	중	
10	동촌리지석묘	18기이상	대	4군
11	명관리지석묘	7기	중	
12	덕촌지석묘	3기	소	
13	중암리지석묘	1기	소	

〈그림 2〉 함안분지 및 군북지역 지석묘 분포도(남재우, 2003)

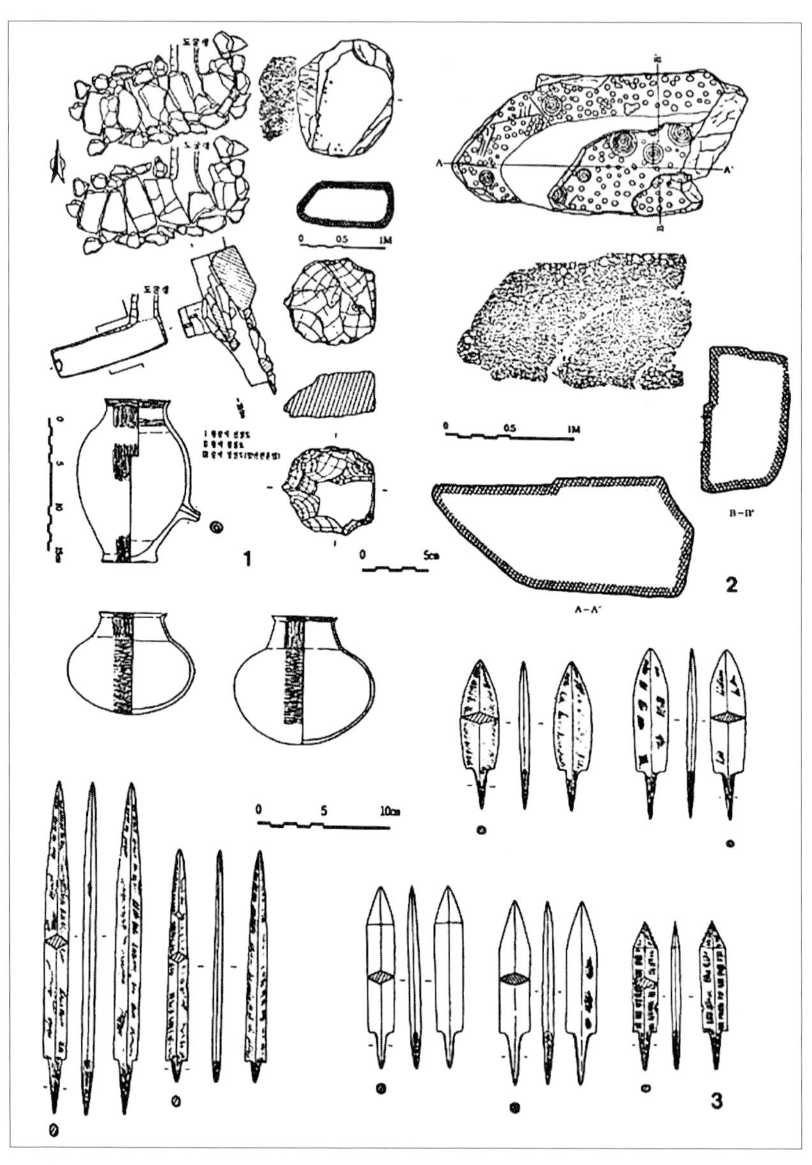

〈그림 3〉 함안 가야읍 도항리 도동지석묘 유구 및 출토유물(아라가야향토사연구회, 1997)
1. '나'호 지석묘 2. '다'호 지석묘(암각화) 3. '바'호 지석묘 출토유물

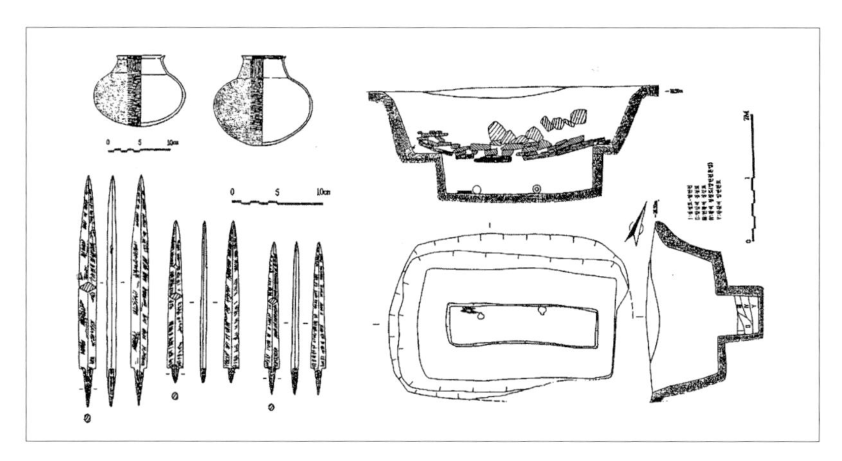

〈그림 4〉 함안 가야읍 도항리 '바'호 지석묘와 이단굴광(조수현, 2004)

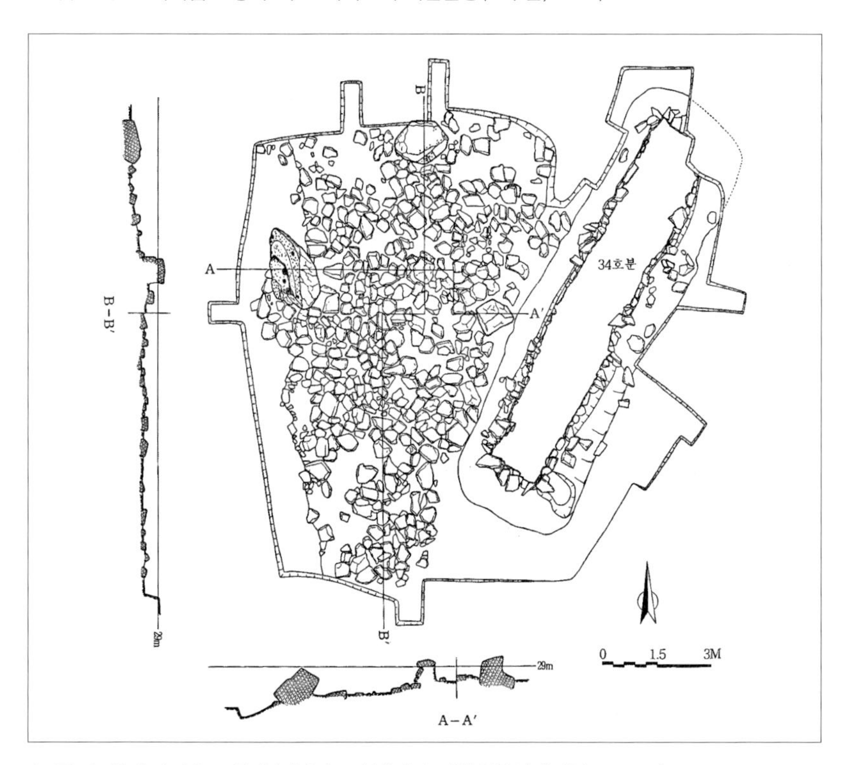

〈그림 5〉 함안 가야읍 도항리 '바'호 (묘역식)지석묘(창원문화재연구소, 1996)

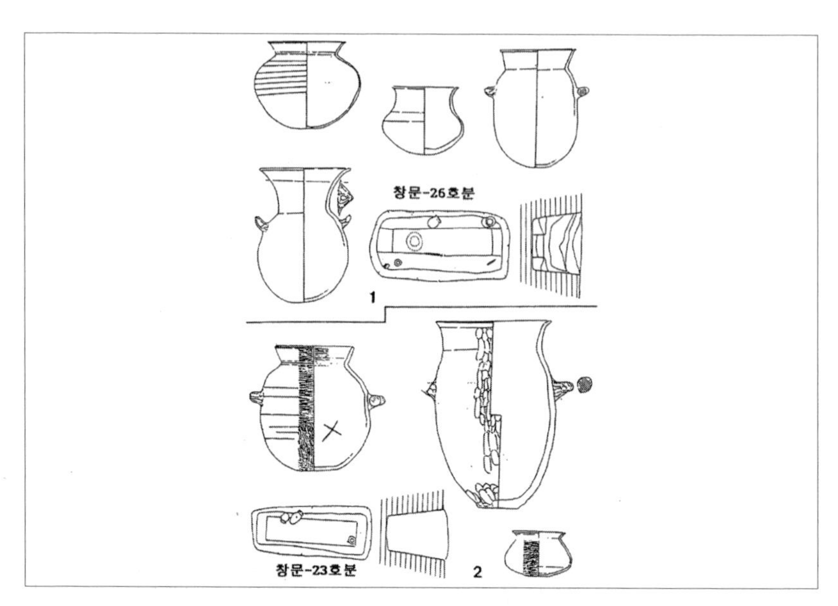

〈그림 6〉 함안 가야읍 도항리 목관묘와 출토유물(이주헌, 1994)
1. 26호 2. 23호

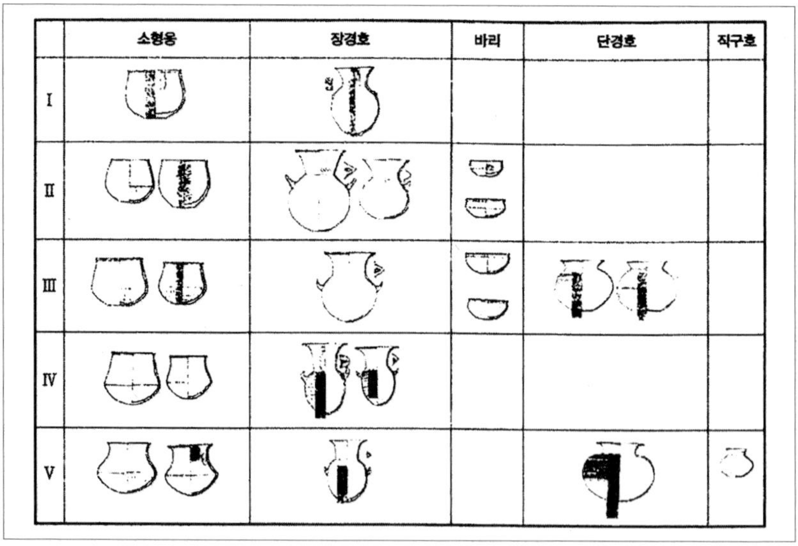

	소형옹	장경호	바리	단경호	직구호
I					
II					
III					
IV					
V					

〈그림 7〉 함안 가야읍 도항리목관묘 출토 와질토기 편년표(김형곤, 2013)

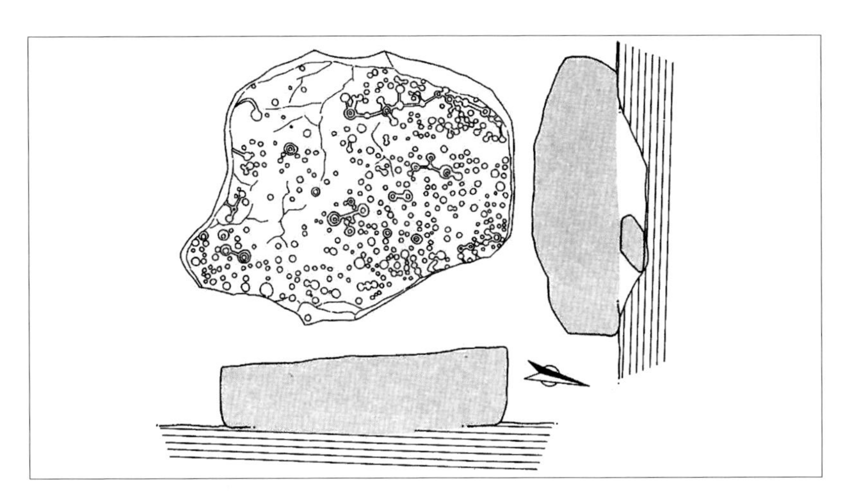

〈그림 8〉 함안 군북면 동촌리 26호 지석묘의 성혈

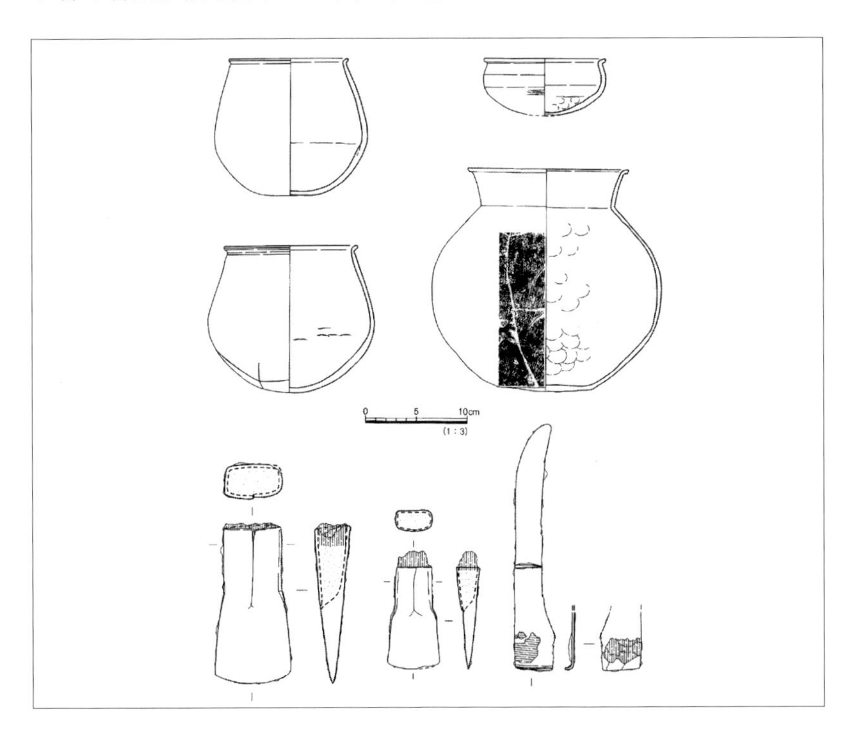

〈그림 9〉 함안 군북면 소포리 목관묘 출토유물

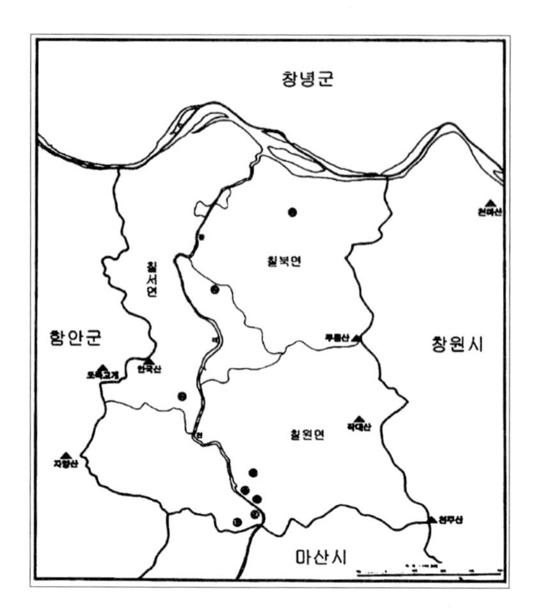

〈그림 10〉 칠원지역(광려천유역) 지석묘 분포도 (남재우, 2008)

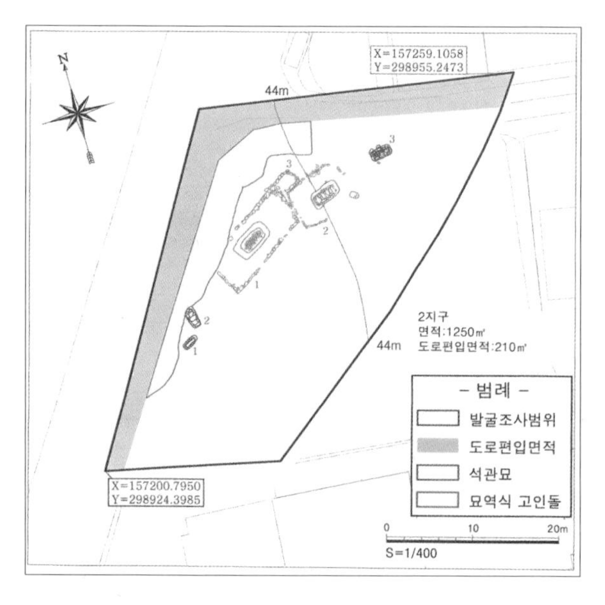

〈그림 11〉 칠원면 용정리 묘역식지석묘 및 석관묘(한국선사문화연구원, 2017)

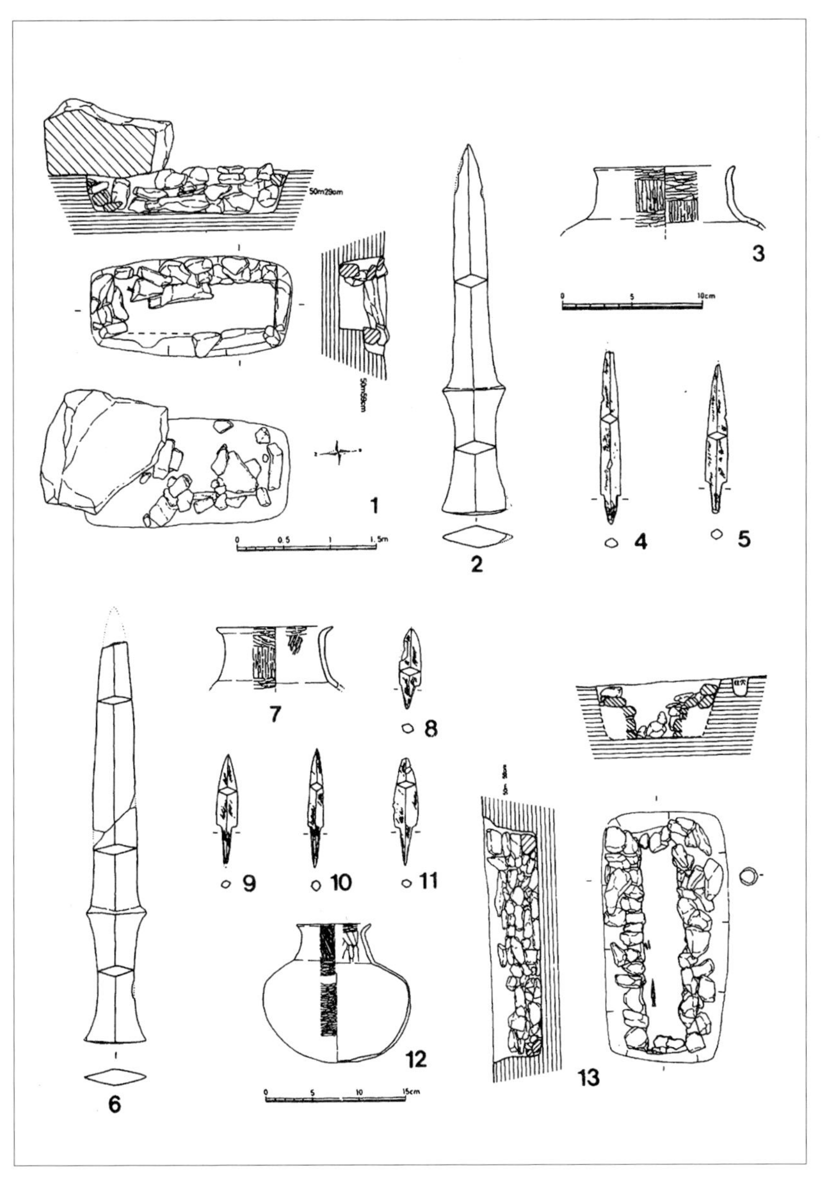

〈그림 12〉 칠원면 오곡리 지석묘 및 출토유물 (아라가야향토사연구회, 1997)
(1: 1호 고인돌, 2~5: 1호 출토유물, 7~11: 11호 출토유물, 12: 23호 출토유물,
6 · 13: 12호 출토유물)

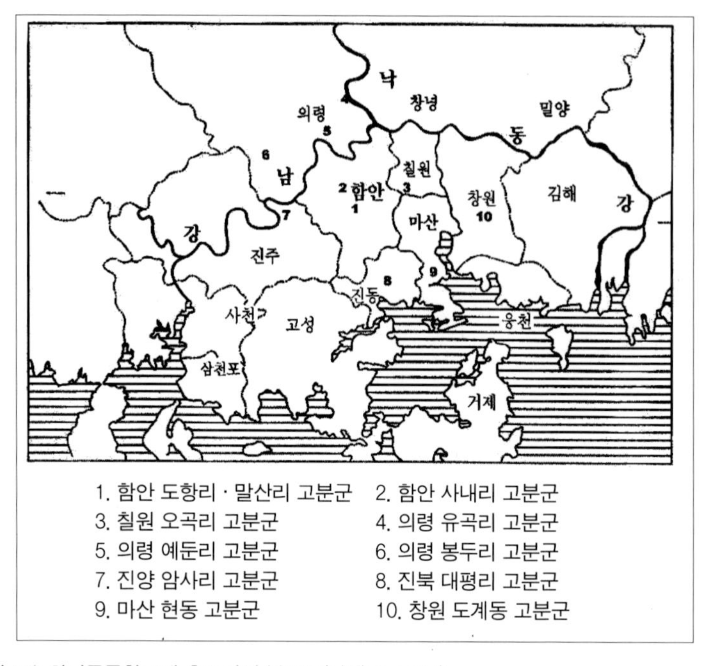

〈그림 13〉 화염문투창고배 출토지역 분포도(남재우, 1998)

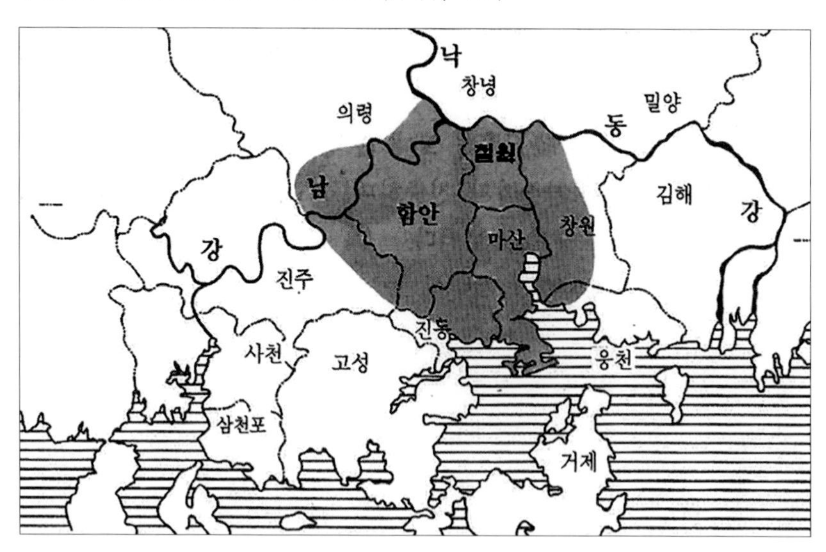

〈그림 14〉 안라국 최전성기(5세기후반~6세기초) 영역(백승옥, 2003a)

Formation and Territorial Change of Anra State(安羅國)

Lee Donghee Inje University

This study analyzed ancient remains and artifacts in order to examine the formation process of Anra State(安羅國) and its territorial changes. Anra State originated from Anya State in the Samhan(三韓) Period. By dividing Haman(咸安) area into three basin zones, this study examined the process in which a political body developed in each basin zone.

First, Anya State(安邪國) was formed centering on Hamancheon basin, and a group of ancient tombs from the phase dolmen is located successively in the whole area of Dohang-ri which is the middle basin of Hamancheon. The dolmen group in Dohang-ri was the most concentrated dolmen group in Hamancheon basin and seems to be the top-level settlement in the late Bronze Age. The Dohang-ri group was established as the central state of the political body which controlled various villages in Hamancheon basin

It seems that Gunbuk zone also formed individual political body centering on the dolmen group in Dongchon-ri in the late Bronze Age, however, must have had limitations in growing further as the area of the basin and arable land are small compared with those of Haman basin zone and Chilwon zone. It is understood that it falls under the influence of Dohang-ri group in the Haman basin during the 2nd and 3rd centuries.

Unlike Gunbuk zone, Chilwon zone was the territory of Chilpo State, an independent state, until the 3rd century at the latest. It decayed gradually from the 4th century and must have been included in the territory of Anra State by the 5th century.

It seems that the name of Anya State changed into Anra State when it made rapid growth from the 4th century. The greatest territory of Anra State was achieved between the late 5th century and the beginning of the 6th century, and it includes southern Euiryeong, eastern Jinju, Jindong Bay, Masan Bay, Chilwon, and western Changwon in addition to Haman.

『日本書紀』를 통해 본 安羅와 倭의 관계

다나카 도시아키 시가현립대학
번역 : 주홍규 인제대학교

『니혼쇼기(日本書紀)』에는「안라(安羅)」가 33회 등장한다. 이는 이미 함안에 있었던 가야국인 아라가야를 지칭하는 것이다. 여기서는 이와 같이『니혼쇼기』에 등장하는「안라」의 기사를 중심으로 생각해 볼 수 있는 안라와 왜의 관계에 관해 기술하고자 한다.

Ⅰ. 소위「가라칠국평정(加羅七國平定)」기사의 이해

『니혼쇼기』에「안라」가 처음으로 등장하는 것은, 진구황후(神功皇后) 섭정 49년조인, 소위 가라칠국평정(加羅七國平定)의 기사이다(이하, 마지막에 제시한 안라의 사료(史料)를 가리키는 경우에는〔 〕로 표시한다. 이 기사는〔1〕에 해당한다). 진구황후 섭정 49년을『니혼쇼기』에서는 서기 249년에 해당하는 기사로 적고 있으나,『니혼쇼기』의 진구기(神功紀)・오우진기(応神紀)는 육십갑자를 2번 내린(60년×2), 120년을 늦추어 수정해야 한다. 이는『니혼쇼기』가 진구황후를 히미코(卑弥呼)로 생각해, 원래 진구황후 기사의 기년(紀年)을 히미코에 가져다 붙이려고 120년이나 빨리 연대를 끌어온 것에 기인하므로, 이를 원래대로 되돌려야 하기 때문이다. 이는 메이지(明治)시대의 기년논쟁을 거쳐 명확해진 것으로 학계에서는 상식이다. 육십갑자를 2번 돌려 내린 것은, 원래 사료의 기년간지를 바꾸지 않고 그냥 그대로 살려 빠른 연대로 하기 위해서는 간지가 1번 돌아가는 60년을 단위로 해 옮겨야만 했기 때문이다. 따라서, 진구기49년은 249년에서 간지를 2번 돌려 내린 369년으로 수정해야 한다.

소위 말하는 이 가라칠국평정기사는, 예전에 이 기사를 근거로 고대 일본이 가야지역을 식민지(임라(任那)의 관가(官家))로 삼은 기점을 나타내는 기사로 보았으나, 이 기사에는 문제가 많아서 그대로 믿기는 어렵다. 아마도 『니혼쇼기』가 조작된 것으로 생각된다. 이 점을 좀 더 상세히 기술해 보자.

진구기49년조는 46년~52년이라는 일련의 기사 속 내용이다. 따라서 전체의 기사 속에서 생각할 필요가 있다. 여기서는 요약한 현대어 번역으로 표시하기로 한다. 【】안은 분주(分注)다.

○ 46년 3월, 시마노스쿠네(斯麻宿禰)를 탁순국(卓淳國)에 파견했다. 탁순왕이 시마노스쿠네에게 말했다. 「갑자년 7월에 백제의 구저(久氐) 등 3명이 와, 일본으로 가는 길을 물었다. 아직 통하지 않아서 모른다고 대답했더니, 만약 일본의 사자(使者)가 오면 알려주길 원한다고 하며 돌아갔다」. 시마노스쿠네는 종자(従者)인 니하야(爾波移)와 탁순인 과고(過古)를 백제에 파견했다. 백제의 초고왕(肖古王)은 기뻐하며 후대했다. 종자는 탁순으로 돌아와 지마숙례(志摩宿禰)에게 전하고 함께 귀국했다.

○ 47년4월, 백제왕이 구저 등 3명을 파견해 조공해 왔다. 함께 신라의 조공사도 왔다. 두 나라의 공물을 살펴보니 신라 쪽은 진기한 것이 많았으나 백제 쪽은 좋지 않았다. 구저 등에게 규명해 보았더니, 길을 잘 못 들어가 신라에 도착했고, 공물이 뒤바뀌게 되었다고 호소했다. 이에 황태후(皇太后)는 신라의 사자를 질책하고, 천신(天神)에게 누구를 신라에 파견해서 죄를 문책할 것인가를 물었다. 천신은 치쿠마나가히코(千熊長彦)【치쿠마나가히코는 정확한 성(姓)을 알 수 없다. 「백제기(百濟記)」의 「직마나나가비궤(職麻那那加比跪)」라고 하는 사람이 이 자일지도 모른다】가 적합

하다고 교시되었으므로, 치쿠마나가히코를 신라에 파견해 문책했다.

○ 49년(a)봄 3월, 아라타와케 (荒田別)와 카가와케 (鹿我別)를 장군으로 삼고, 백제에서 온 사신인 구저 등과 함께 병사들을 이끌고 건너가 탁순국에 도착해 신라를 치려고 했다. (b)그 때 어떤 이가 말했다.「군사가 적다면 신라를 격파할 수 없습니다. 더욱 또 사하쿠코우로(沙白蓋盧)를 보내 군사를 증가시킬 것을 요청합니다.」(c)이에 목라근자(木羅斤資)・사사나궤(沙沙奴跪)【이 두 사람의 성은 알 수 없다. 다만 목라근자만은 백제의 장군이다】에게 명해, 정병(精兵)을 이끌고 사하쿠코우로와 함께 파견했다. 모두 탁순에 모여 신라를 쳐 격파했다. (d)그 결과, 비자본(比自㶱)・남가야(南加羅)・탁국(㖨國)・안라(安羅)・다라(多羅)・탁순(卓淳)・가야(加羅)의 칠국(七國)을 평정했다. (e)다시 병사를 서쪽으로 이동시켜 고계진(古奚津)에 이르렀는데, 남만(南蛮)의 침미다례(忱弥多禮)를 공격해 취한 후 백제에 양여했다. (f)이에 백제왕인 초고(肖古) 및 왕자인 귀수(貴須)가 또 군을 이끌고 와 합류했다. (g)바로 그 때, 비리(比利)・벽중(辟中)・포미지(布弥支)・반고(半古) 등 사읍(四邑)이 스스로 항복해 왔다. (h)이에 백제왕 부자 및 아리타와케・목라근자 등이 함께 의류촌(意流村)에서 모여 서로 보고 기뻐하고, 후하게 대접해 보냈다. (i)다만 치쿠마나가히코와 백제왕이 백제국에 이르러, 벽지산(辟支山)에 올라 맹세했다. 또한 고사산(古沙山)에 올라가 반석 위에서 백제왕이 맹세하며 말했다.「……반석 위에서 맹세하는 것은 오랫동안 썩지 않는 것을 표하는 것입니다. 이에 지금 이후부터 천세만세(千秋萬歲)까

지 끊임없이, 항상 서번(西蕃)이라 칭하며, 봄, 가을에 조공하겠습니다.」(j)이에 치쿠마나히코를 데리고 도성 아래에 이르러 후하게 예우한 후 구저 등을 붙여서 보냈다.

○ 50년 2월, 아리타와케 등이 귀국했다. 5월에 치쿠마나가히코 · 구저 등이 왔다. 황태후가 왜 빈번하게 오는가를 물었더니, 구저 등은 우리 왕이 기뻐서 지극한 정성을 표하는 것입니다 라고 답했다. 이에 다사성(多沙城)을 다시 하사했다.

○ 51년 3월, 백제왕이 다시 구저를 파견했다. 치쿠마나가히코에게 구저를 보냈다. 백제왕 부자(父子)가 이마를 땅에 조아리며, 영구히 서번이 되고, 두 마음이 없는 것을 맹세했다.

○ 52년 9월, 구저 등이 치쿠마나가히코를 따라와, 칠지도(七枝刀) · 칠자경(七子鏡) 및 귀중한 보물을 바쳤다. 이 이후로 매년 조공해 왔다.

앞서 일련의 기사라고 한 것은, 이 전체에서 백제왕이 왜왕에 복속되어 조공하게 된 기원을 적고 있기 때문이다. 47년조의 분주에서 「백제기」를 인용하고 있고, 본문의 「치쿠마나가히코」를 「백제기」에서는 「직마나나가비궤」로 되어 있었다는 점, 『니혼쇼기』의 편자가 별도의 소전(所傳)에 보이는 「치쿠마나가히코」라고 하는 인명을 여기에 붙였지만 음(音)으로 일본풍의 인명을 고친 것으로 추정되는 것을 알 수 있다. 그러므로 대략적으로 봤을 때 「백제기」를 근본으로 한 기사를 핵으로 삼고 있는 것으로 상상해 볼 수 있다.

이 일련의 기사 중에서, 49년조에는 많은 문제점이 있다.

우선 (d)에 「비자본 · 남가야 · 탁국 · 안라 · 다라 · 탁순 · 가야의 칠국(七國)을 평정했다」라고 보이는 것은 모두 가야의 제국(諸國)들인데, 그 중의 「가야」는 대가야를 가리키는 것으로 보아도 좋다. 다른 육국(六國)은, 비자본이 창녕, 남가야가 김해, 안라가 함안, 다라가 쌍책, 탁순이 창원으로 각각 비정된다. 탁국은 대구로 보는 견해도 있지만, 케이타이기(継体紀)에 보이는 탁기탄(喙己呑)이라면, 김해의 서쪽으로도 볼 수 있다. (e)의 「남만의 침미다례」는 전라남도의 탐진(耽津)으로 보인다. (g)의 「비리 · 벽중 · 포미지 · 반고의 사읍」은 「비리 · 벽중 · 포미 · 지반 · 고사(古四)의〔오(五)〕읍」으로 읽을 수 있다는 견해도 있지만, 어떤 것도 모두 전라도로 보고 있다.

이 49년조의 문제점은 다음과 같이 지적할 수 있다.

(1) (c)에 신라를 쳤다고 되어 있고, (d)에 「그 결과」(원문에는 「因으로」)가야 칠국을 평정했다고 되어 있으나, 왜 「因으로」가 되는지 알기 어렵다. 신라가 격파됨으로 인해, 이에 종속되어 있던 가야칠국이 신라로부터 떨어져 나와 항복했다고 하는 것과 같은 인과관계를 상정해 볼 수도 있다. 만약 그렇다고 한다면, 그 사이의 설명이 반드시 있어야만 하고, 원래 이 가야칠국이 신라에 종속되어 있었다 라고 하는 사실이 562년의 가야 제국(諸國) 멸망 이전에 있었다고는 생각하기 어렵다. 가야 제국의 평정 기사는 매우 당돌한 인상을 준다.

(2) 평정했다고 하는 칠국 중 하나에, 신라를 치기 위해 집결했던 탁순이 포함되어 있는 것은 불합리하다.

(3) 가야 · 남가야 라고 하는 표기는, 가야 = 대가야국을 단순히 가야로 기술하고, 이것을 기준으로 삼아 거기에 대응하는 남쪽의 가야로서 금관국을 적은 것은, 대가야국이 금관국과 어깨를 나란히 하거나, 혹은 그것을

뛰어 넘는 유력국이 되는5세기 중엽 이후라야만 된다고 생각한다.

(4) 전라남도까지 백제의 지배가 영향을 미치게 되는 것은, 현실적으로는 웅진(熊津)으로 천도해 부흥한 이후인 5세기 말부터 6세기 초에 걸친 때로 보인다. (e)에 있는 바와 같이「백제에 하사했다」라고 하는 것이라고 하더라도, 혹은 왜와는 무관하게 백제가 실력으로 영유했다고 보는 입장이라고 하더라도, 이것을 4세기 시점의 것으로 생각할 수는 없다.

천관우는 이 기사의 연대는 그대로 두고, 주체를 왜가 아닌 백제로 바꿔야 한다고 주장했다. 즉 가야 칠국평정도 이후 계속되는 전라도 방면의 경략도 모두 백제가 369년에 실제로 행했던 사실이라고 보는 것이다. 이와 같이 천관우는 이 기사를 통해 4세기에 백제의 전라도 영유를 역사적 사실로 보고 파악하는데, 이렇게 되면 자신에게 유리한 논리만을 내세우는 영원한 논쟁으로 끝날 위험도 있다. 다만, 나주 반남면의 고분군을 중심으로 하는 영산강 유역은, 옹관고분의 묘제를 특징으로 하고 있어서 백제의 묘제와는 다르다. 이것은 이 지역이 백제문화권과는 다른 문화권을 형성하고 있었던 것을 나타내 주는 것이라고 생각한다.

(5) 49년조는 여러 가지 점에서 이중적으로 되어 있다고 보인다. 이는 스에마츠 야스카즈(末松保和)가 이미 지적한 것인데, 스에마츠에 의하면 정복전쟁의 주인공으로서, 아라타와케・카가와케 이외에도「치쿠마나가히코」가 주인공으로 등장하는 점, (h)에서 백제왕 부자와 목라근자 등이 만났다고 하는「의류촌」은 백제 왕도(위례성＝한성)를 가리키는 것으로 보이지만, 이것은 (j)에서「치쿠마나가히코」가 이르렀다고 하는「왕도 아래」와 같은 것으로 보이는 점, 또한 (g)에서 스스로 항복했다고 하는 읍 중에「벽중」과, (i)에서「치쿠마나가히코」와 백제왕이 올라 맹세했다고 하는「벽지산」이 같은 것으로 보이는 점 등을 그 이유로 들고 있다. 지명이 일치하는

지 일치하지 않는지는 별도로 하더라도, (i), (j)에서 지금까지 보이지 않던「치쿠마나가히코」가 갑자기 나타나는 것은 부자연스럽다.

이와 같은 문제점에 관해서 그 나름의 해답을 제시할 필요가 있다. 필자는 다음과 같이 생각한다.

야마오 유키히사(山尾幸久)는 목라근자에 관한 기사를 『니혼쇼기』가 육십갑자를 한 번 올린 조작으로 본다. 목라근자는 이 이외에도 『니혼쇼기』에서 그 이후에 두 번 더 등장한다. 진구기62년(육십갑자를 두 번 연속으로 내려 수정한 382년)조와, 오우진기(応神紀) 25년(동일하게 414년)의 각각 분주에 인용된「백제기」속에 나오는데, 이는 다음과 같다.

『니혼쇼기』진구기62년(수정 382년)조

신라가 조공하러 오지 않았다. 그 해에 소츠히코(襲津彦)를 보내 신라를 공격했다【「백제기」에는 다음과 같이 되어 있다.「임오년(壬午年)에 신라가 귀국(貴國)을 우러러 받들지 않았다. 귀국은 사치히코(沙至比跪)를 보내 신라를 치게 했다. 신라인은 미녀 2명을 단장시켜 나루터에서 맞이하고 유혹했다. 사치히코는 그 미녀를 받고, 오히려 가라국(加羅國)을 쳤다. 가라국왕인 기본한기(己本旱岐) 및 아들인 백구지(百久至)·아수지(阿首至)·국사리(国沙利)·이라마주(伊羅麻酒)·이문지(爾汶至) 등은 사람들을 이끌고 백제로 도망쳤다. 백제는 후하게 대접했다. 가라국왕의 누이인 기전지(既殿至)는 대왜(大倭)에게 하소연했다.「천황(天皇)이 사치히코를 보내 신라를 치게 했습니다. 그러나 신라의 미녀를 받고는 신라를 토벌하지 않고, 거꾸로 우리 나라를 멸망시켰습니다. 형제·인민들이 모두 뿔뿔이 흩어지게 되고 말았습니다. 근심과 걱정이 끊이지 않습니다. 이에 여기 와 아뢲니다」라고 했다. 천황은 크게 노해, 바로 목라근자를 보내 병사들을 이끌고 가라에 와서 모여 그 사직(社稷)을 원래대로 부활시켰다」라고 되어 있다】.

『니혼쇼기』 오우진기25년(수정414년)조

백제의 직지왕(直支王)이 몽거(薨去)했다. 곧 아들인 구이신(久爾辛)이 즉위해 왕이 되었다. 왕이 아직 어려 목만치(木滿致)가 국정을 잡았다. 그러나 왕모(王母)와 간음하고 많은 무례를 행했으므로, 천황이 이를 듣고 불러 들였다【「백제기」에는 다음과 같이 되어 있다. 「목만치, 목라근자는 신라를 칠 당시에 그 나라의 부녀자를 취하고 산 자다. 그 아버지의 공적으로 임나(任那)를 맡게 되었다. 우리나라에 와 귀국에 왕래했다. 천조(天朝)로부터 명을 받아 우리 나라의 정치를 맡았는데 그 권세는 세상에 견줄 것이 없었다. 그러나 천황은 그 횡포를 듣고 불러 들였다」라고 되어 있다】.

그러나 이 연대에는 문제가 되는 부분이 있다. 목라근자의 아들인 목만치가 보이는데, 이 목만치는 「목라근자가 신라를 칠 때에, 그 나라의 부녀자를 취해 살았다」라고 한다. 목라근자가 신라를 친 것은 사료에서 보이지 않는 사실을 상상해 볼 수도 있지만, 우선은 사료에 보이는 그대로 생각하는 것이 정도(正道)이므로, 그렇다면 이는 진구49년조의 기사 외에는 없다. 하지만 이 목만치와 동일인으로 보이는 사람이 『삼국사기』백제본기 개로왕21년(475)조에 등장한다. 백제의 왕도인 한성이 고구려에게 공격 당해 함락되고, 왕이 살해되려고 할 때,

〔왕자〕문주는 목협(리)만치(木刕(劦)滿致), 조미걸취(祖彌桀取)【목협

(劦), 조미는 모두 복성(複姓)이다. 수서(隋書)는 목협(리)을 이성(二姓)으로 보고 있다. 어느 쪽이 맞는지는 알 수 없다】와 함께 남행(南行)했다.

라는 기사이다. 여기서 보이는 「목협」은 「목리」가 올바르고, 목리는 목라와 같은데 백제의 유력한 일족(一族)이다. 이를 한 글자로 표기할 경우에 목씨(木氏)로 되는데, 목만치와 목협만치(정확히는 목리만치)는 동성동명(同姓同名)이다. 이를 별도의 인물로 생각할 수도 있지만, 비슷한 시기의 백제 왕권과 가까운 한 인물로서 우선 생각해 이야기를 풀어가자면, 목만치는 475년에 다음 왕이 되는 문주와 함께 한성을 버리고 남행하는 인물로 등장한다. 이 목만치가 태어난 것은 목라근자가 신라를 친 369년에서 그다지 멀지 않은 시기로 봐야 하므로, 그 때 목만치는 100세를 넘긴 인물이 되고 만다. 이렇게 생각하기에는 부자연스러우므로 『니혼쇼기』의 간지를 한번 더 60갑자 내려 수정하면 429年에 신라를 친 것으로 되고, 이 당시에 태어난 자로 생각할 수가 있다. 그렇다고 한다면 연대적인 문제가 발생하지 않고, 오우진기의 기사도 474年에 있었던 일이 되므로 전혀 문제가 없다(이 이외에도 이렇게 이해하는 것에 잇점이 많다).

이러한 이유로 49년조이기는 하지만, 목라근자가 보이는 기사(c)와 (h) 및, (c)와 연결되면서도 「사하쿠코우로」라고 하는 「백제기」에 표기된 인명을 포함하는 (b)가 본래 429年에 계년(繫年) 되어 있던 것으로 볼 수 있다. (c)와 (h) 사이에 있는 (d)(e)(g)도 일단은 이에 준하는 것으로 생각해 본다. 그렇다면 「아라타와케 · 카가와케」가 보이는 (a)와, 「백제왕인 초고 및 왕자 귀수」가 보이는 (f), 그리고 「치쿠마나가히코」가 보이는 (i), (j)가 남는데, 이것들을 따로 떼어 생각해 보자. 원래 369년에 계년된 것인지 아닌지를 지금 따지지 말고, 다른 것들과 같이 더 늦춰서 생각할 수는 없다. 그렇다면 우선 앞에서 든(5)의 이중성이 해소된다.

그렇다면 429년의 일로 수정할 경우, (b)~(e)(g)(h)는 어떻게 되는 것일까? (1)~(4)에서 든 문제점은 여전히 남는다. 특히 (d)의 「가라칠국평정」기사에 문제점이 집중되어 있다. 이것은 아무래도 조작을 상정하지 않고서는 이해하기 어렵지 않을까? 야마오는 이를 진구52년조에 보이는 「칠지도・칠자경」의 「헌상(獻上)」기사에 대응시키고, 그 연기(緣起)로서 『니혼쇼기』의 편자가 첨가한 조작으로 본다. 필자는 「백제기」의 조작으로 보더라도 상관없다고 생각하지만, (d)를 생략하더라도 (c)와 (e)는 무리 없이 연결되므로, 역시 『니혼쇼기』가 조작된 것일 개연성이 더 높다고 본다.

이에 반해 (e), (g)는 「백제기」의 조작으로 봐야 한다. 다만 (h)는 (a), (f)와 대응시키기 위해, 『니혼쇼기』의 편자가 부가했던 것으로 보이는 「부자」, 「아라타와케」를 생략하면 특별히 문제될 것은 없다. 더구나 (c)에 「함께 탁순에 모여」라고 되어 있는 것은, 앞뒤의 정황을 잇기 위해 『니혼쇼기』의 편자가 덧붙였던 것으로도 볼 수 있지만, 본래 그대로였다고 하더라도 모순되지 않으므로, 우선 그대로 두고 생각하고자 한다.

이상, 추측을 더해본 결과를 정리하면 진구49년조는 다음과 같이 볼 수 있다.

「백제기」에는 (b), (c), (e), (g), (h)가 429년에 계년되어 기술되어 있었다. 그 중, (e), (g)는 「백제기」의 조작이고, 역사적 사실의 핵으로서는 (b), (c), (h)뿐이다. 『니혼쇼기』는 통례(通例)적으로 「백제기」의 육십갑자를 두 번 올려 이용하고 있는데, 이 경우에는 간지를 세 번 연속으로 끌어올려 이용했다. 더구나 여기에다가 (h)에 개변(改變)을 더해 (a), (d)를 조작했다 라고 하는 것이라 할 수 있다.

(f), (i), (j)는 정확히 알기 어렵지만, 혹시 본래「백제기」에 369년으로 계년되어 있던 기사를 함께 쓰고 있었던 것은 아닐까라고 추측해 볼 수 있다.「치쿠마나가히코」는「백제기」에「직마나나가비궤」로 되어 있었던 것이고,『니혼쇼기』의 개변은 부정하기 어렵지만, 46년조 · 50년조 · 51년조 · 52년조에서 계속 나타나고 있으므로, 이에 한정해서는 일관되어 있다고 말할 수 있다.

따라서 간지를 3번 늦춰서 봐야 할 것을 빼고 나타내면 다음과 같이 된다.

- 46년 3월, 시마노스쿠네를 탁순국에 파견했다. 탁순왕이 시마노스쿠네에게 말했다.「갑자년 7월에 백제의 구저 등 3명이 와, 일본으로 가는 길을 물었다. 아직 통하지 않아서 모른다고 대답했더니, 만약 일본의 사자가 오면 알려주길 원한다고 하며 돌아갔다」. 시마노스쿠네는 이에 종자(니하야)와 탁순인(과고)를 백제에 파견했다. 백제의 초고왕은 기뻐하며 후대했다. 종자는 탁순으로 돌아와 지마숙례에게 전하고 함께 귀국했다.
- 47년 4월, 백제왕, 구저 등 3명을 파견해 조공해 왔다. 함께 신라의 조공사도 왔다. 두 나라의 공물을 살펴보니 신라 쪽은 진기한 것이 많았으나, 백제 쪽은 좋지 않았다. 구저 등에게 규명해 보았더니, 길을 잘 못 들어가 신라에 도착했고, 공물이 뒤바뀌게 되었다고 호소했다. 이에 황태후는 신라의 사자를 질책하고, 천신에게 누구를 신라에 파견해서 죄를 문책할 것인가를 물었다. 천신은 치쿠마나가히코【치쿠마나가히코는 정확한 성을 알 수 없다.

「백제기」의 「직마나나가비궤」라고 하는 사람이 이 자일지도 모른다】가 적합하다고 교시했으므로, 치쿠마나가히코를 신라에 파견해 문책했다.

- 49년 3월, 아라타와케 · 카가와케를 장군으로 삼고, 백제에서 온 사신인 구저 등과 함께 병사들을 이끌고 건너가 탁순국에 도착해 신라를 치려고 했다. 이에 백제왕인 초고 및 왕자인 귀수가 또 군을 이끌고 와 합류했다. 치쿠마나가히코와 백제왕이 백제국에 이르러, 벽지산에 올라 맹세했다. 또한 고사산에 올라가 반석 위에서 백제왕이 맹세하면 말했다. 「천세만세까지 끊임없이, 항상 서번이라 칭하며, 봄 · 가을로 조공하겠습니다.」 이에 치쿠마나히코를 데리고 도성 아래에 이르러 후하게 예우한 후 구저 등을 붙여서 보냈다.
- 50년 2월, 아리타와케 등이 귀국했다. 5월에 치쿠마나가히코 · 구저 등이 왔다. 황태후가 왜 빈번하게 오는가를 물었더니, 구저 등은 우리 왕이 기뻐서 지극한 정성을 표하는 것입니다 라고 답했다. 이에 다사성을 다시 하사했다.
- 51년 3월, 백제왕이 다시 구저를 파견했다. 치쿠마나가히코에게 구저를 보냈다. 백제왕 부자가 이마를 땅에 조아리며, 영구히 서번이 되어 두 마음이 없는 것을 맹세했다.
- 52년 9월, 구저 등이 치쿠마나가히코를 따라와, 칠지도(七枝刀) · 칠자경(七子鏡) 및 귀중한 보물을 바쳤다. 이 후로 매년 조공해 왔다.

이상은 전체를 통해서 볼 때 앞서 언급한 바와 같이, 백제왕이 왜왕에 복속되어 조공하게 된 기원을 적은 것인데, 이는 대략「백제기」를 근본으로 한 기사를 핵으로 삼고 있었던 것으로 생각된다.

그러나, 예를 들어 고텐분가쿠타이케이(古典文學大系)의 『니혼쇼기』 두주(頭注)에도,「백제기를 사료로 한 매우 자유로운 필치로 구성된 문장이다. 다만, 50년조 · 51년조 등은 전체적으로 볼 때, 쇼기의 서술로 보이고, 47년조도 그런 것일 가능성도 배제하기 어렵다」라고 되어 있는 것과 같이, 『니혼쇼기』에 조작이 많은 점 또한 예전부터 지적되어 왔다. 특히 예로 든 50년조 · 51년조는 일반적으로 명백한 조작이라고 지적되고 있다.

이를 살펴보면 『니혼쇼기』가 도대체 무엇을 주장하고자 했는지 명백하다. 왜는 이즈음부터 백제가 반복해서 조공사를 보내고, 서번을 칭하면서 영구히 조공할 것을 맹세하는 상대로서 존재하고 있었다 라는 것이다. 이러한 주장을 하기 위해 이 이외에 다른 조작도 하고 있는데, 49년조에 60년 후의 사실도 끌어와 쓴 것은 앞서 기술한 대로이며, 상기의 49년조에서는 이 부분을 빼고 적었다. 그 이외의 조작에 관해서는 논자(論者)에 따라 의견이 나뉘나, 필자는 다음과 같이 생각한다.

(1) 46년조에는 왜가 탁순에 사자를 파견했고, 그 사자가 종자인「니하야」를 탁순에서 백제로 파견했던(탁순인「과고」에 수반해)것으로 전한다. 탁순왕과 왜의 사자와의 문답 등은 조작이 많으나, 백제에 왜인이 탁순인과 함께 왔다 라는 것은「백제기」에서 전했던 것이라고 보아도 무방할 것이다.

(2) 46년조에 탁순왕의 말 중에 보이는「갑자년」은 364년일 것이다. 이 해에 백제의 사자가 탁순에 왔다는 것은 인정해도 좋다고 본다. 다만, 탁순의 왕이 왜의 사자에 고한다고 하는 형식으로「백제기」에 적혀 있었다고는 생각되지 않는다. 이 해에 백제가 탁순에 사자를 보냈지는 않았다고 생

각한다.

(3) 47년조에는 백제에서 구저 등의 3명(이외에 미주류 · 막고)이 파견된 것으로 전한다. 이러한 인명이 「백제기」에 의한 것이라는 점에는 문제가 없을 것이다. 다만, 구저 등은 명백히 조작이라고 볼 수 있는 50년조 · 51년조를 포함해 전후(前後) 4회(가장 마지막은 52년조)에 왜에서 사자로 왔다. 고덴분가쿠타이케이의 두주에서는 47년조 또한 조작이라고 생각하고 있지만(필자도 이에 동의한다), 구저 등의 파견 사실이 1회로 한정된다면, 이 사이에 구저 등에만 집착해 조작한 것은 너무 집요하다고 생각한다. 필자는 구저 등이 왜에 온 것은 47년과 52년에 걸쳐 2번 있었던 것이 아닐까라고 생각한다.

(4) 「직마나나가비궤」가 「백제기」에 적혀 있었던 것에는 의심의 여지가 없다. 그렇다면 언제, 어떤 식이었을까? 49년조에는 「치쿠마나가히코」가 등장한다. 게다가 이 기사에서는 백제왕과 만나는 모습으로 등장한다. 그러나 언제 파견되었는지에 관해서는 적지 않았다. 찾아보면 47년조에 신라로 파견한 것으로 확인되는 것이 전부이고, 기사의 형식으로는 이 후, 백제로 향했다고 하는 것뿐이다. 47년조의 신라 파견이 조작이고, 백제에 직접 파견했다고 하는 것이 본래의 기술이지 않을까? 다만, 그 계년이 마음에 걸리지만, 계년과는 별도로 「백제기」에는 본래 「직마나나가비궤」가 백제로 와 백제왕을 만났고, 백제왕은 구저 등을 붙여서 보냈다고 적혀 있었던 것으로 생각해 볼 수 있다.

(5) 그렇다면 「직마나나가비궤」가 구저 등과 함께 왜에 돌아간 것은 언제일까? 50년조 · 51년조가 조작이라고 한다면, 남는 것은 52년뿐이다. 이에 필자는 52년조의 계년에도 조작을 상정하고자 한다. 52년조는 일반적으로 「백제기」를 근본으로 삼은 것으로 보지만, 「백제기」에는 본래 49년조와 동

일한 해의 기사로 적혀 있었던 것은 아닐까? 『니혼쇼기』는 49년조에서 목라근자의 기사를 들어 「가라칠국평정」기사 등을 조작했고, 더욱이 50년조 · 51년조도 조작했기 때문에 52년조를 3년 정도 내려 계년한 것이 아닐까라고 생각한다.

만약, 원래 「백제기」에 있었다고 하고 간지기년의 간지를 바꾸지 않을 방침이라면, 52년조를 고치지 않은 기사로 봐야 하겠지만, 그러기 위해서는 『니혼쇼기』가 조작할 때 간지는 절대로 바꾸지 않았다 라는 인식이 필요하다.

이상과 같은 생각에 입각해서 볼 때, 「백제기」에 기술된 것으로 생각되는 내용을 정리해 보면 다음과 같다.

364年 백제가 탁순에 사자를 파견했다.

366年 백제에 왜인(시마노스쿠네의 종자인 니하야)이 탁순인(과고)과 함께 왔다.

367年 백제가 왜에 구저 등을 파견했다.

그 후, 왜가 직마나나가비궤를 백제에 파견했다.

369年 백제왕인 근초고왕은 이들을 후히 대접했고, 구저 등을 붙여 보냈다. 구저 등은 칠지도 등을 기념으로 가져왔다.

이상과 같이 필자는 「가라칠국평정기사」가 조작된 것으로 생각하므로, 당연히 여기에서 시작되었다고 하는 일본의 텐노우(天皇)에 의한 식민지 지배(「임라관가(任那官家)」)도 존재하지 않았던 것으로 생각한다.

Ⅱ. 안라와 왜와의 관계의 시작

다음으로 생각해 볼 기사는 케이타이기 7년조인데, 케이타이텐노가 안라의 신이해(辛已奚)와 분파위좌(賁巴委佐) 등의 앞에서 백제에 기문(己汶)·대사(滞沙)를 떼어주었다는 은칙(恩勅)을 적은 것이다〔2〕. 다시 말해 안라의 인물이 왜에 체제하고 있었는데, 이 때, 안라 이외의 사라((斯羅)(신라(新羅)), 반파((伴跛)(대가야))의 인물도 동시에 왜에 체제하고 있었다고 적혀 있다. 과연 적힌 그대로 안라·신라·대가야의 사람들이 왜에 있었다는 것을 인정해도 좋을지는 판단하기 어렵다. 다만, 여기에서는 이 문제보다 우선적으로 이 이후, 안라와 왜가 깊은 관계였던 것을 전제로 한 기사가 계속되고 있는 것을 강조하고 싶다. 이는 다시 말해, 이 이전에 안라와 왜의 관계가 시작되어야만 한다. 「가라칠국평정」기사를 조작이라고 한 경우, 안라와 왜의 관계가 어떻게 시작되었다고 생각해 볼 수가 있을까?

『니혼쇼기』에 가야 관계 기사가 최초로 등장하는 것은 스진기(崇神紀) 65년(『니혼쇼기』의 기년으로는 기원전 33년)조의 「임나국(任那國)」기사다. 애초에 『니혼쇼기』의 외국관계 기사로는 이 기사가 최초다.

> 가을 7월, 임나국이 소나갈질지(蘇那曷叱知)를 파견해 조공하러 왔다. 임나 라고 하는 곳은 치쿠시노쿠니(筑紫國)에서 2천여리 떨어진 곳으로서, 바다 건너 북쪽에 있다. 계림(신라)의 서남쪽에 있다.

이 기사에 의하면 「임나국」이 소나갈질지를 파견해 조공하러 왔다고 되어 있다. 여기에 이어지는 기사가 스이닌기(垂仁紀) 2년(『니혼쇼기』의 기년으로는 기원전 28년)의 시세조(是歲条)인데,

> 임나인인 소나갈질지가 국(國)으로 돌아가고 싶다고 요청했다. 아마 선황(先皇)의 시대에 내조(来朝)한 이후로 아직 돌아가지 못했기 때문일 것이다. 이에 소나갈질지에게 후한 상을 내리고 붉은비단 100필을 주며 임나왕을 하사하려고 했다. 그러나 신라인이 길을 막고 그것을 빼앗았다. 이 두 나라가 미워하는 것은 이 때부터 시작되었다.

라고 되어 있다. 스진이 68년에 죽고, 다음 세대인 스이닌이 즉위한 것으로 되어 있으므로 소나갈질지가 온 지 5년째의 일이다. 여기에 기술된 바와 같이, 「임나국」이 견사조공(遣使朝貢)하러 온 것이 사실이라고 생각할 필요는 없고, 『니혼쇼기』의 구상에 근거한 것이나, 『니혼쇼기』에 외국과의 교섭이 「임나국」부터의 견사조공에서 시작되는 점이 중요하다. 실제 연대는 4세기가 시작되는 즈음으로 생각하는 것이 좋다고 생각된다.

여기서 말하는 「임나국」은 금관국(金官國)을 지칭하고 있는데, 이는 예로부터의 구야국(狗邪國)이다. 왜로 보자면 가장 가까운 위치에 있다고 말할 수 있다. 따라서, 거기서부터 외교관계가 시작되었다고 적고 있는 것은 매우 자연스러운 것이고, 또한 상징적인 것이기도 하다. 현실적으로도 아마 금관국에서부터 외교관계가 시작되었던 것으로 보인다. 여기에 연결되는 기사가 앞서 든 진구기의 46년조다. 여기에는 왜가 탁순에 사자를 파견한 것으로 기술되어 있다. 탁순은 여러가지 설이 있으나 남해안에 면한 곳이어야 한다. 백제에서도 배를 타고 오고 있고, 탁순왕도 이에 앞서 왜에서는 큰 배가 아니면 건널 수 없다고 서술되어 있다. 현재의 창원 지방으로 생각해도 좋다. 탁순은 금관국의 서쪽에 위치한 나라이다. 『니혼쇼기』에서 우호적인 상대로 금관국과 함께 등장하는 것이 탁순이라고 하는 것은, 사실로서도 전혀 무리가 없는 순서라고 말할 수 있다.

그리고, 이 기사가 나타내는 바와 같이, 백제와 탁순의 통교가 성립된 이후에, 탁순이 중개하는 형태로 왜와 백제의 통교가 시작된다 라고 되어 있는 것은 매우 상징적인 것이다. 개략적으로 말해보면 백제와 가야남부와 관계를 맺고 있었고, 또 한편으로는 일본과 가야남부가 관계를 맺고 있어서, 가야남부가 중개하는 형식으로 백제가 일본과 관계를 맺기 시작했던 것이라고 할 것이다.

백제와 가야와의 관계에 관해서는 킨메이기(欽明紀) 2년(541) 4월조〔5〕에,

> 성명왕(聖明王)이 말했다. 옛날 우리 선조인 속고왕(速古王), 귀수왕의 치세에 안라・가라・탁순의 한기 등이 처음으로 사자를 보내 와 통교하고 두터운 친교를 맺었다. 자제(子弟)가 되어 항상 서로 깊은 관계를 유지하길 원했다. 그러나 지금은 신라에 속아 텐노를 노하게 하고 있다.

라고 되어 있다. 더욱이 같은 해 7년조〔6〕에도,

> 〔성명왕이〕 임나에 말했다. 옛날 우리 선조인 속고왕・구숭왕이 예전의 한기 등과 처음으로 화친을 약속하고 형제가 되었다. 이에 백제가 여(汝)를 자제(子弟)로 삼았고, 여는 백제를 부형(父兄)으로 삼아 함께 텐노을 섬기고 더불어 강적을 막으려고 했고, 국가를 안전하게 보존해 지금에 이르고 있다.

라고 되어 있다. 성명왕(성왕)이 과거의 속고왕 · 귀수왕, 다시 말해 근초고왕 · 근구수왕의 시대(346~383)에 안라 · 가라 · 탁순등과 우호관계를 맺었던 것을 회상하고 있는 것이다. 여기서의 「가라(加羅)」는 『니혼쇼기』의 표기로는 대가야를 지칭하는 것으로 보는 것이 타당하기 때문에 필자도 같이 생각했으나, 4세기의 일이라고 한다면 대가야로 보기에는 이상하고 금관을 가리키는 것이 아닐까라고 추측하게 되었다. 안라 · 가라 · 탁순은 모두 남해안의 나라들로서, 백제가 서해안에서 남해안으로 항로를 취해 도달하는 곳으로 적합하다. 백제는 대국(大國)인 고구려와 대적하기 위해 남쪽의 전라남도 지역 마한(馬韓) 세력과 우호관계를 가진 후, 더 동쪽으로 나아가 가야남부의 여러 나라들과도 동맹을 체결하게 되었다고 생각해 볼 수 있다.

이 금관 · 탁순보다도 서쪽에 위치한 것이 안라인데, 왜가 관계를 가지는 순서로는, 이 다음이라고 하는 것이 자연스럽다. 그러나 『니혼쇼기』에는 「가라칠국평정」 기사가 이어지고 있다.

여기서 주목되는 것이 고구려 『광개토왕비(廣開土王碑)』(414년 건립)이다. 널리 알려진 바와 같이 고구려는 영락(永樂) 10년(400)에, 전년(前年)에 신라의 구원요청을 받아 신라를 침공해 거기에 있던 왜인을 몰아냈다. 왜인들이 도망쳐 「임나가야」까지 이르렀다. 그 때 「안라인술병(安羅人戍兵)」이 등장한다.

비문의 해당 부분은 다음과 같다.

十年庚子教遣步騎五萬往救新羅從男居城至新羅城倭滿其中官軍方至倭賊退□侵背急追至任那加羅從抜城城即歸服安羅人戍兵□新羅城□城倭潰城大□□盡更□□安羅人戍兵滿□□□□其□□□□□□□

言………□□安羅人戍兵昔新羅寐錦未有身來論事□國罡上廣開土境好太王□□□□寐錦□□□勾□□□□朝貢

10년 경자(400), 〔광개토왕이〕교시(명령)해 보병 오만을 파견해, 신라에 가서 구원하게 했다. 남거성(男居城)에서 신라성에 이르기까지 왜가 그 속에 가득했다. 관군이 도착하려 하자 왜적이 도망쳤다. 그 배후를 급습해 임나가야의 종발성(從拔城)에 이르렀다. 성은 곧 항복했다. 안라인의 술병이 신라성 □성을 □했다. 왜가 궤멸되고 성도 대략 □□盡更□□, 안라인의 술병이 滿□□□□其□□□□□□□□言………□□안라인의 술병. 오래전, 신라의 매금(寐錦)이 지금에 이르기까지도 스스로 와서 논사(論事)한 적이 아직도 없었다. □國罡上廣開土境好太王□□□□寐錦□□□勾□□□□조공하게 되었다.

「안라인 술병」은 안라인의 수비병이 되는데, 최근에는 이와 다른 새로운 해석들도 있다.

우선 첫째로, 「안라인」을 「안라」국의 「인(人)」으로 보지 않고, 「나인」을 「편안」하게 한다고 해석하는 것이다. 이 경우의 「나인」이란 신라인을 의미하는 것으로 보는 경우와, 「나인(邏人)」, 다시 말해 변경의 수비병을 의미하는 경우로 나뉜다. 이 점에 관해서는 신라 이외에 안라도 존재하는 상황 속에서, 신라를 생략형으로 적어 이해했는지, 이해하지 않았는지가 문제이다. 또한 전후에는 생략되지 않은 형태로 신라를 적고 있는데, 여기서만 생략형으로 적은 것으로 보는 것은 무리한 해석이라고 할 수 있다. 더구나, 같은 5자구가 3회 나타나는데, 이 경우에만 생략되었다고 하는 것도 이상하다. 이에 반해 「나인(邏人)」쪽은 이런 문제가 없다. 만약 「안라」를 국명으로 생각하지 않는다면, 가장 이해하기 쉬운 것이 「나인(邏人)」설이라고 할 것이다.

둘째는 「술병」인데, 「안라인」의 해석과도 연동해서 이것을 「술병하게 한다」라고 하는 동사로 해석하는 것이다. 그러나 「술(戍)」이 이미 동사이므로 「술하게 한다」라고 하는 것이 된다. 이미 충분함에도 불구하고 왜 굳이 「술병하게 한다」라고 하는 특이한 표기를 했느냐가 문제다. 그러한 비판을 토대로 나인(邏人), 술병을 병렬적으로 보고 「나인(羅人), 술병을 편안하게 한다」라고 하는 해석도 제시되었다. 그러나 이 경우, 나인(邏人)과 술병(戍兵)의 차이를 도대체 어떻게 생각해야 할 것인가? 만약 군제(軍制)로 그러한 구별이 있었다고 생각한다면, 유사한 용어라고 할지라도 제도적으로 다르다고 보면 된다. 하지만, 군제용어로 볼 때 한편으로는 「인(人)」, 다른 현편으로는 「병(兵)」을 사용한다고 하는 통일되어 있지 못한 점은 의문이다. 따라서 제도적으로 정해진 용어로는 보기 어렵다. 일반적인 용어였다고 한다면 이와 같이 통일하지 않은 것은 단순하게 수사적(修辭的)인 문제가 있다고 할 뿐이고, 현실적으로 있을 수 있는 일이었는지는 모르겠지만, 그렇다고 하더라도 연속해서 비슷한 의미의 용어를 사용하는 이유를 이해할 수 없다. 더욱이 같은 표기가 3회나 반복되고 있다. 이렇게 본다면 「안라인술병」에 대한 새로운 해석에는 의문점이 많아서 적극적으로 지지하기 어렵다.

이 기사에서 왜와 도망쳐 간 곳인 「임나가라」와의 관계를 살펴볼 수 있는데, 「임나가라」는 금관이다. 상기의 왜와 금관과의 관계를 전제로 본다면 이는 당연한 것이다. 「안라인술병」은 왜와 같이 금관국 쪽에 서서 같은 위기를 겪고 진출해 왔던 것으로 볼 수 있고, 또한 고구려군과 싸우고 있었던 것으로 생각할 수 있다.

이러한 점에서 400년까지 왜 · 금관 · 안라의 연대가 성립되어 있었다고 생각하는 것이 가능할 것이다. 금관·탁순·안라를 필자는 가야남부제국(加耶南部諸國)이라고 부르고 있는데, 백제와 가야남부제국, 왜의 동맹관계가 4세기 후반에 성립된 것으로 생각한다.

Ⅲ. 신라의 금관 침공과 안라

이렇게 성립한 백제·가야남부·왜의 동맹관계는 5세기에도 유지된 것으로 생각되나, 『니혼쇼기』에는 5세기의 안라 관련 기사가 확인되지 않는다. 안라가 다음으로 등장하는 것은 6세기 전반인 케이타이기 23년(529)3월조다〔3〕.

> 이 달에, 오우미노케나노오미(近江毛野臣)를 안라에 파견해 칙을 내려 신라에게 남가라·탁기탄(㖨己呑)을 재건하도록 권했다. 백제는 장군인 군윤귀(君尹貴)·마나갑배(麻那甲背)·마로(麻鹵) 등을 파견해 안라로 가서 조칙을 받게 했다. 신라는 인접 국의 관가(官家)를 없앤 것을 두려워해, 신분이 높은 자를 파견하지 않고 부지나마례(夫智奈麻禮)·혜나마례(奚奈麻禮) 등을 파견해 안라에 가서 조칙을 듣게 하려 했다. 이에 안라는 새로 높은 당(堂)을 세우고 칙사를 안내해 전(殿)에 오르게 했다. 국주(國主)는 그 뒤를 따라 계단을 올랐다. 국내(國內)의 신분이 높은 자로 전에 오를 수 있었던 자는 한 두 명에 지나지 않았다. 백제의 사자인 장군군(將軍君) 등은 당 아래에 있었다. 대략 수개월에 걸쳐 2·3회, 당 위에서 모의했다. 장군 등은 뜰에 있는 것을 한스럽게 여겼다.

라고 보이는 바와 같이 오우미노케나노오미(이름은 불명확하다)를 안라에 파견했다. 오우미노케나노오미는 케이타이 21년(527)에도 6만의 군사를 이끌고 「임나」에 파견되었으나, 큐슈(九州)의 치쿠시(筑紫)에서 이와이(磐井)의 세력 때문에 길이 막혔다. 이 때는 이와이와 싸워 승리했으나 「임나」에는 갈 수가 없었다. 이 당시의 파견 이유는 「신라에 격파된 남가라 · 탁기탄을 복건해 임나와 합치게 하기 위해」서였다. 남가라는 금관를 가리키는데, 「임나」란 「임나관가」를 지칭하는 것으로 추정된다.

그러나 이 시점에 아직 금관이나 인근의 탁기탄이 신라에 패했고, 부흥시키지 않으면 안 될 상태였다고는 생각하기 어렵다. 그렇다고 하더라도 이미 신라의 금관 침공은 시작되고 있었고, 그러한 상황 속에서 왜에 구원을 요청했을 것이다.

좀 더 상세히 말해 보면, 백제는 이미 513년부터 가야의 서북단에 위치한 기문을 침공해 516년에는 이를 확보했다. 계속해서 같은 섬진강 유역의 하구에 위치하는 대사(다사)도 침공해, 이 지역도 522년까지는 확보했다. 기문 · 대사는 필자가 대가야 연맹이라고 명명했다. 대가야를 중심으로 하는 제국 연합에 속하고 있었으므로, 백제의 침공은 당연히 대가야 연맹과의 싸움이었다. 그러나 대가야를 시작으로 하는 연맹제국의 저항에도 불구하고, 백제는 다사까지 진출했다. 이에 대가야는 신라와 결혼동맹을 요구해 522년에 성립되었다.

이러한 신라와의 연대 속에서 신라는 524년에 금관으로 침공을 개시했다. 『삼국사기』 권4 신라본기4 법흥왕 11년(524)조의,

> 가을 9월, 왕이 도성을 나와 남경(南境)을 순행하고 영토를 개척했다. 가야국왕이 와서 만났다.

라는 기사는 신라의 침공과 대가야와의 연대를 나타내는 것이라고 생각된다.

신라가 금관국을 거의 괴멸시킨 것은 케이타이기 23년조의 3월조 보다 뒤인 4월조에서 보이는데, 상신(上臣)인 이질부례지간기(伊叱夫禮智干岐)의 공격에 의해서였다.

이로 본다면 527년에 있었던 오우미노케나노오미가 최초로 바다를 건넜던 것은 「신라에 격파된 남가라·탁기탄」의 복건이 아니라 신라에 공격받고 있던 남가라=금관에 대한 구원 때문이었던 것이다. 구원을 요청한 것은 공격을 받고 있던 금관으로 보아도 좋고, 금관과 함께 왜와 동맹관계에 있던 안라로 보아도 무방하다. 왜에게 4세기 후반 이래로 우호관계가 이어지던 가야남부제국에서, 신라의 침공을 받고 있으므로 구원해주길 원한다는 요청이 있었던 것으로 추정해 볼 수 있다. 그러나 이 도해(渡海)는 치쿠시의 이와이 세력에 의해 중단되어 실현되지 못했다. 이와이는 신라와 연결되어 있었다고 한다. 그 후, 다시 요청이 있어서 도해가 실현된 것은 529년이었다.

이런 상황 속에서 상기한 소위 고당회의(高堂會議)가 어디까지 실상을 전하고 있는 것인지에 관해 필자는 큰 의문을 품고 있다. 적어도 신라가 사신을 안라에 파견했다고 하는 것을 쉽게 인정하기 어렵다. 백제는 안라나 왜와 동맹관계에 있었고, 신라의 침공에 대해 작전회의를 열더라도 이상하지 않다. 하지만 실제로는 4월조에서 보이는 바와 같이 상신인 이질부례지간기가 이끄는 신라군에 의해 금관국을 구성하던 4촌(村)을 빼앗겨 버렸다. 529년에 있었던 오우미노케노오미의 도해는 신라의 요청에 의한 것일 것이다. 신라의 침공이 거세지고, 안라 자신도 한층 위험이 높아졌다고 말할 수 있는 상황이었다.

소위 말하는 고당회의 후(실제로 열렸다고 하더라도 수 개월동안에나 열렸다고는 생각하기 어렵다), 오우미노케노오미는 웅천(熊川)을 향했으나 신라의 군세를 보고 웅천에서 「임나의 기질기리성(己叱己利城)」으로 이동했다고 한다(기질기리성은 구사모라(久斯牟羅)와 같은 것으로 후의 굴자군(屈自郡), 즉 탁순으로 생각된다). 웅천이 최전선이라고도 말할 수 있는데, 탁순이라면 완전히 후퇴, 다시 말해 퇴각한 것이다.

결국, 요청을 받아서 파견된 오우미노케노오미는 아무 것도 할 수 없었고, 신라는 4촌을 빼앗아 금관국을 괴멸시킨 것이다. 어떤 자는 「다다라(多多羅) 등의 4촌을 빼앗긴 것은 케노오미의 잘못이었다」라고 말했다고도 전한다.

안라는 이 상황을 보고 또 다른 동맹국인 백제에 구원을 요청했다. 케이타이 25년(531)조의 분주에는 「백제본기」을 근본으로 삼은 기사가 있다.

> 군(軍)은 안라로 진군해 걸탁성(乞乇城)을 조영했다.

> 백제군은 상기와 같이, 이미 다사까지 도달했고, 거기서 안라의 요청을 받아 안라까지 진군해 왔던 것이다. 이미 신라는 탁순을 공격하고 있었고, 백제군은 그 수비를 맡았다. 그러나 결국 탁순도 신라에게 빼앗겨 버리고 만 것이다.

Ⅳ.소위 「任那復興會議」에서의 安羅

이러한 경위로 신라가 탁순까지 점유하고, 백제가 안라에 진주(進駐)하게 되면서, 신라와 백제가 가야의 남부에서 서로 대치하는 관계가 되었다. 그로부터 10년, 교착상태에 빠지게 되나, 그 사이에 안라는 동맹관계에 있던 백제에서 떨어져 나와 신라에 접근했던 것으로 생각할 수 있다.

그 이유는 두 가지이다. 첫째는 신라의 금관에 대한 파격적 대우이다. 529년에 괴멸적인 타격을 입은 금관이었지만 최종적인 멸망은 532년이었다.

『삼국사기』 권4 신라본기4 법흥왕19년(532)조에,

> 금관국주인 김구해가 비와 3명의 아들, 즉 장남이 노종(奴宗), 둘째가 무덕(武德), 막내를 무력(武力)이라고 하는데, 함께 데리고 나라의 재산·보물을 들고 와 항복했다. 왕은 예를 다해 대우하고 상등(上等)의 직위를 준 후 본국을 식읍(食邑)으로 삼게 했다. 아들인 무력은 섬겨 각간(角干)까지 되었다.

라고 되어 있는 바와 같이, 최후의 왕인 구해가 왕비와 3명의 아들들을 데리고 신라에 항복했던 것이다. 이에 대해 신라에서는 왕도에 살게 하고, 본국을 식읍으로 삼게 하고 진골 신분을 주었고, 또한 김이라는 왕의 왕을 주었다. 이는 정말 파격의 대우이다. 물론 신라의 의도는 남아 있는 가야제국이 신라에 항복할 것을 재촉하는 것으로서, 이 이후에는 같은 대우를 하지 않았다.

둘째는 백제의 「하한(下韓)」에 군령(郡令) · 성주(城主)를 설치한 것이다. 안라가 다사국까지 와 있던 백제군을 바로 근처까지 불렀을 때, 백제군은 「하한」지역을 제압하면서 안라까지 진군했다. 531년의 일이었다. 「하한」지역은 다사와 안라 사이에 있는데, 대가야연맹에 속하는 나라들이 있었다. 백제는 538년에 사비로 천도하는데, 그 후에 전국에 배치한 것이 군장 · 성주였지만, 이를 「하한」의 지역에까지 넓혔다. 군령 · 성주라고도 하지만 실태는 같다. 다시 말해 백제는 「하한」지역에 대한 직할지배를 넓혀 나가려고 했던 것이다. 이 두 가지 정황은 안라가 신라에 붙게 만드는 자세를 취하게 하기에 충분했다. 그래서 백제는 이러한 상황에 위기의식을 가졌다. 그래서 안라가 생각을 바꾸도록 하기 위해 움직이기 시작했다. 그것이 소위 「임나부흥회의」이다.

소위 「임나부흥회의」란, 스에마츠 야스카즈가 이름 붙인 것에서 영향을 받아 편의적으로 사용하는 명칭으로, 실제로 백제의 성명왕이 「임나」의 복건에 이름을 빌려 가야제국의 수장(한기)등을 백제의 왕도인 사비(부여)에 소집해 주장했거나, 안라에 사자를 보내 주장을 펼쳤다. 『니혼쇼기』의 킨메이(欽明)2년(541)부터 5년(544)에 걸쳐 기술되어 있다. 엄밀히는 백제에서 열린 2회의 회의를 말해야만 하지만, 여기서는 그 사이의 일련의 움직임들을 한꺼번에 이와 같이 부르기로 한다.

다만 백제는 이에 앞서 신라에게 화의(和議)를 구하고 있다.

『삼국사기』 권4 신라본기4 진흥왕 2년(541)조에,

> 백제가 사자를 파견해 화의를 요청해 왔으므로, 이를 허락했다.

라고 되어 있다. 이는 북쪽의 강적인 고구려에 대해, 협력해 침공하자고

하는 것으로, 실제로 고구려 영역으로의 진출을 노리는 신라로서도 구미가 당기는 것이었지만, 내실은 신라의 관심을 돌리게 하기 위한 것이었다.

그렇다면 킨메이 2년부터 5년에 걸친 움직임의 개요를 살펴 보자(〔5〕~〔9〕는 그 일부이다).

(a) 2년 4월, 임나의 한기 등과 임나일본부의 길비신(吉備臣)이 백제로 가자, 성명왕이〔남가라 · 탁순 · 탁기탄의 삼국인〕 복건의 방책을 물었다. 한기 등이 대답했다. 「신라와 다시금 논의했으나 대답이 없었다. 탁순 등과 같은 재앙을 입을까 두렵다」 라고 했다. 성명왕은 속고왕 · 귀수왕대부터의 우호관계를 강조하고, 「세 나라는 신라가 강해서가 아니라 내응 등으로 인해 망한 것으로, 신라는 혼자 힘으로 임나를 멸망시킬 수 없다. 힘을 합치자」라고 말했다. 한기 등은 선물을 받아 들고 돌아갔다.

(b) 가을 7월, 백제는 안라의 일본부와 신라가 통하고 있는 것을 듣고, 사자를 안라에 파견해 신라에 간 임나의 집사를 불러 꾸짖었다. 따로 신라와 통하고 있던 안라의 일본부 하내직(河内直) 등도 문책했다. 그리고 「임나」에게 속고왕 · 귀수왕 이후의 우호관계를 다시금 강조하고 「세 나라를 원래대로 되돌리고 왜에 조공하자. 신라의 계략에 걸려들어서는 안된다」라고 타일렀다. 성명왕은 다시 임나의 일본부에「신라의 감언이설에 말려 텐노를 부끄럽게 해서는 안 된다」고 했다.

(c) 가을 7월(혹은 3년의), 백제가 왜에 사자를 파견했는데, 하한 · 임나의 정사를 아뢰고 4년 4월에 돌아갔다.

(d) 4년 가을 9월, 성명왕이 왜에 사자를 파견하고 부남(扶南)의 재물 등을 올렸다.

(e) 11년, 츠모리노무라지(津守連)를 파견해 백제를 가르쳤다. 「임나의 하한에 있는 백제의 군령 · 성주를 일본부에 귀속시켜야만 한다」라고 했다. 아울러 선포했는데, 「임나를 빨리 세운다면 하내직 등은 스스로 물러날 것이다」라고 했다. 성명왕은 선칙(宣勅)을 듣고 좌평(佐平) 등에게 물었다. 좌평 등은 「군령 · 성주를 내어 주어서는 안됩니다. 복건하는 것은 조칙으로 물어야만 합니다」라고 대답했다.

(f) 12월, 성명왕은 앞의 조칙을 널리 군신들에게 보이고 물었다. 군신 등은 「임나의 집사와 각국의 한기 등을 불러 함께 획책해야 합니다. 하내직 · 이나사 · 마도(麻都) 등이 있으면 복건은 어려우므로, 본국으로 돌려보내도록 합시다」라고 말했다. 성명왕도 자신의 의견과 같다고 했다.

(g) 이 달에, 백제가 견사해 임나의 집사와 일본부의 집사를 불렀으나 모두 「정초가 지난 후에 가겠다」고 대답했다.

(h) 5년 봄 정월, 백제가 다시 견사해 임나의 집사와 일본부의 집사를 불렀으나, 모두 「제가 끝난 후에 가겠다」고 대답했다.

(i) 이 달에, 백제가 다시 견사해 임나의 집사와 일본부의 집사를 불렀으나, 모두 집사를 보내지 않고 신분이 낮은 자를 보냈으므로 논의할 수가 없었다.

(j) 2월, 백제는 사자을 임나에 파견해 일본부와 임나의 한기 등에게 말했다. 「우리나라는 왜에 견사하고 일본부와 함께 좋은 계략을 구하라고 하는 조칙을 받았다. 또한 왜에서 사자인 츠모리노무라지도 왔다. 이에 3번이나 일본부 · 임나의 집사를 소집했으나 오지 않아 논의할 수가 없었다. 3월 10일에 왜로 사자를 보내 이와 같은 일을 텐노에게 아뢸 예정이다. 일본부의 쿄(卿), 임나의 한기 등 각각의 사자를 우

리 사자와 함께 왜로 파견하라」라고 했다. 또한 하내직에게 따로 말했다. 「예전부터 너의 악행을 듣고 있었다. 너의 선조들도 모두 부정한 생각을 품고 사람들을 유혹했다. 임나가 점점 쇠약해지는 것은 그대들 때문이다. 텐노에게는 너희들을 본국으로 돌려보내도록 아뢰겠다」라고 했다. 또한 일본부의 臣, 임나의 한기 등에게 말했다. 「그대들이 오지 않으면 임나의 복건을 논의할 수 없다」라고 했다. 일본부가 대답했는데, 「임나의 집사가 가지 않은 것은 우리가 안 보내주었기 때문입니다. 텐노는 이가노오미(印奇臣)를 신라에, 츠모리노우라지(津守連)를 백제에 보냈기 때문에 신라, 백제에는 가지 말라고 말했습니다. 우연히 이가노오미가 신라에 간다는 것을 듣고 물어 보았더니, 신라에 가서 조칙을 들어라는 것이었습니다. 도중에 들른 츠모리노우라지도, 백제에는 군령·성주의 철퇴를 요구하러 가는 것뿐이라고 말했습니다. 백제에 모여서 조칙을 들어라는 말은 듣지 못했습니다」라고 했다. 또한 임나의 한기 등도 「일본부의 臣가 가는 것을 인정할 수 없으므로, 성명왕의 심정은 이해하나 갈 수 없습니다」라고 했다.

(k) 3월, 백제가 사자를 왜에 파견해 표를 올렸다. 「앞서 임나나 일본부의 집사 등을 불렀으나 오지 않았습니다. 이는 아현이나사(阿賢移那斯)와 좌로마도(佐魯麻都)의 책모에 의한 것입니다. 무릇 임나는 안라를 형으로 삼고, 안라의 사람은 일본부를 부(父)로 삼아 그 뜻을 따르고 있습니다. 적신(的臣)·길비신(吉備臣)·하내직(河內直) 등은 이나사·마도에게 따르고 있습니다. 이 두 명이 정사를 좌지우지하고 있습니다. 이 두 명이 안라에 말해 책모를 꾀하면 임나를 복건하는 것은 불가능합니다. 신라가 淳을 취하고, 우리 구례산(久禮山)의 술(수비병)을 쫓아내고 점령했습니다. 안라에 가까운 곳은 안라가 경종(耕種)하고,

구례산에 가까운 곳은 신라가 경종하고 있어서 서로 침략하지 않았습니다. 그러나 이나사·마도는 경계를 넘어 경작하다가 도망갔습니다. 저는 예전부터 신라가 봄·가을 마다 많은 무기를 모아 안라와 하산(荷山)을 습격하려고 한다고 들었습니다. 또한, 가라를 습격하려고 한다고도 들었습니다. 이 무렵, 편지를 받고 구원군을 보내니 임나도 경종할 수 있었고, 신라도 쫓아오지 않게 되었습니다. 적신 등이 신라와 통했기 때문에 경종하는 것이 가능해졌다고 하는 것은 천조(天朝)를 속이는 것입니다. 좌로마도는 한복(韓腹)에서 태어났음에도 불구하고, 일본의 집사 사이에 섞여 영달했고, 지금은 신라의 나마례관(奈麻禮冠)을 입고 신라에 따르는데 거리낌이 없습니다. 세 나라는 내응으로 망한 것입니다. 마도 등을 본국으로 옮겨야만 합니다」라고 했다.

(l) 10월, 백제의 사자가 돌아갔다.

(m) 11월, 백제가 일본부의 신(臣)·임나의 집사를 소집했는데, 한기 등은 백제로 갔다. 성명왕은 임나를 복건할 계략을 물었다. 길비신(吉備臣)·임나의 한기 등은「왕과 함께 텐노의 조칙을 들읍시다」라고 했다. 성명왕은「임나를 부흥해 원래와 같이 형제가 되고 싶다. 듣자하니 신라와 안라 양 국의 경계에 큰 강이 있는데 요충지라고 한다. 나는 여기에 6성을 조영하고 텐노에게 3천의 병사를 청해 신라가 경작하지 못하도록 고통을 주면, 구례산의 5성은 스스로 무기를 버려 항복하고, 탁순도 부흥할 것이다. 이것이 첫번째 계책이다. 남한(南韓)에 군령·성주를 두는 것은 다난함을 구하고, 강적(북적=고구려)을 막아 신라를 제압하기 위함인데, 그렇지 않다면 멸망해 조빙(朝聘)할 수가 없다. 이것이 두번째 계책이다. 길비신·하내직·이나사·마도가 가더라도 임나를 복건시킬 수 없다. 그들을 본읍(本邑)으로 이동시켜야한 한다. 이

것이 세 번째 계책이다」라고 했다. 길비신이나 한기 등은「세 가지 계책은 우리의 심정이 이루어진 것입니다. 돌아가 일본의 대신, 안라의 왕・가라의 왕에게 자문해 텐노에게 진상(奏上)하겠습니다」라고 대답했다.

아주 긴 인용이었으나 이것도 요약한 것이다. 이 일련의 기사가 대략 백제 삼서(三書)의 하나인「백제본기」에 근거한 것이라는 것은, 이 사이에 9회나 걸쳐 분주에 이를 인용하고 있는 점에서도 알 수 있다. 그러나, 백제의 삼서 그 자체에 조작이 있을 수 있고, 또한,『니혼쇼기』를 편찬하는 단계에서도 조작을 생각할 수 있다는 점은 널리 알려져 있다. 따라서「백제본기」에 근거한다고 하더라도 사료로서는 충분한 주의를 요한다.

우선, 이 일련의 움직임은 백제계의 사료인 점에서 무리가 없다고 말할 수 있는데, 백제의 적극적인 움직임이 눈에 띈다. 그렇다면 백제는 무엇을 의도하고 있었던 것일까?

(a)(b)에는 앞서 기술한 바와 같이 근초고왕・근구수왕 이래의 가야남부제국과의 우호관계를 들어, 원래와 같은 관계로 회복하자고 주장하는 것이다.

그러나 현실은, 그러한 느슨한 주장이 아니라 보다 구체적인 요구가 보인다는 것이다.

(k)를 보면 아현이나사・좌로마도의 악행을 강하게 이야기하고 있다.

임나, 다시 말해 참석한 가야제국은 안라를 형으로 삼고 그 뜻을 따르고 있으나, 안라인은 일본부를 하늘로 삼고 그 뜻을 따르고 있다. 그리고, 일본부는 아현이나사・좌로마도에게 제압되어 있다 라고 되어 있다.

이 기사를 시작으로「회의」에서 백제가 일관되게 주장하고 있는 것은

「임나일본부」에서 적신 · 길비신 · 하내직 · 아현이나사 · 좌로마도 등의 추방이다. (j), (m)에서 직접 서술한 바와 같고, (e), (f)에서도 또한 이를 엿볼 수 있다.

왜 그들의 추방이 필요했는지를 이야기 해 본다면, 그들이 신라와 통하고 획책하거나, 내응하고 있었던 것이 그 이유이다. 적신 · 하내직 등은 신라에 왕래하고, 좌로마도는 신라 나마의 의관을 입고 있었다. 이는 신라의 신분을 표시하는 것이다.

그렇다면 하내직 · 아현이나사 · 좌로마도 등은 도대체 어떤 사람들일까?

상기의 (j)본문과 분주에 인용된 「백제본기」를 함께 생각해 보면, 이 3명의 공통된 선조는 나간타갑배(那干陀甲背)(나기타갑배(那奇陀甲背))인데, 이는『니혼쇼기』 켄조우(顯宗) 3년(487)의 당해 연조에, 백제에 살해된 것으로 보이는 「임나의 좌(左)(좌(佐))노나기타갑배(魯那奇他甲背)」와 동일인물이다. 연대적으로 볼 때 조부(祖父)가 아닐까라고 추정된다. 그렇다면 가렵직기갑배(加猟直岐甲背)나 응기기미(鷹奇岐弥)가 아버지라고 말할 수 있다. 가렵직기갑배와 응기기미가 동일인물이라는 설도 있는데, 이 경우에는 세 명이 형제가 된다. 다른 사람이라고 할 지라도 세 명 중, 누군가 두 명이 형제가 되고, 나머지 한 명은 사촌이 된다.

(k)에 「좌노마도는, 한복으로 태어났음에도 불구하고, 일본의 집사와 함께 영달하고……」로 되어 있다. 「한복」이란 어머니가 한인(韓人)인 자로, 거꾸로 부친이 왜인인 것을 시사한다. 그렇다면 3명은 왜계의 인물이고, 적어도 좌노마도는 한인과의 사이에서 난 2세로 말할 수가 있다.

갑배는 백제의 어떤 칭호라고 이해하는 것이 보통인데, 이는 「전부목리불마갑배(前部木劦不麻甲背)」(케이타이10년 5월조)나 「성방갑배매노(城方甲背昧奴)」(킨메이2년 4월조) 등, 명백한 백제인이 가지고 있던 칭호에서 보이기 때문이다. 그러나, 한편으로 「임나의 좌(左)(좌(佐))노나기타갑배」에서 「임나」에 주목해 보면 반드시 백제의 칭호로 한정할 수도 없다고 생각된다. 백제나 「임나」의 칭호로 봐야 할 것이다. 3명의 조부인 나간타는 왜인으로 「임나」를 섬겼다고 된다.

가렵직기갑배에 관해서 가렵를 가라(加羅)로 보는 견해가 있다. 그렇다면 「가라의 직기」라고 할 수 있고, 같이 「가라」를 섬겼다고 생각할 수 밖에 없다.

일단 이렇게 생각해 볼 때, 나간타를 섬겼던 「임나」, 직기를 섬겼던 「가라」는 어디일까? 「가라」에 관해서는 대가야로 보는 설이 다수이지만, 이 경우에는 안라로 보는 것이 자연스럽고 모순되지 않는다. 이를 일부러 대가야로 삼을 필연성은 없다. 안라를 단순히 가라로 적는 경우도 있다. 「임나」 또한 안라로 봐도 무방할 것이다.

결국, 필자는 왜인인 나간타가 안라에 건너 가서 안라를 섬기다가 백제와 싸우다 죽고(안라국과 백제국과의 전투는 아니다), 그 아들인 직기(웅기기미와 동일인물설에서 직기는 수장의 뜻으로 웅기가 이름이라고 본다)도 그대로 머물면서 안라를 섬겼다. 직기가 「한복」, 다시 말해 안라의 여성을 취하고 산 것은 마도(혹은 이나사)였다고 생각한다.

하내직의 어머니는 알 수 없으나, 3명은 이와 같이 할아버지 대부터 안라에 살면서 안라와 관계를 가졌던 왜계의 인물인 것이다. 「임나일본부」에 관해서 다음에서도 살펴보겠지만, 대개 일본에서 보낸 사신단으로 보아도 무방하다. 이 사신단은 이와 같이 재지의 인물을 이용하고 있었던 것이다.

그들의 「내응」·「서로 통하며 획책하는」으로 불리는 행동은, 안라국과 무관계였다고는 생각하기는 어렵다. 그 의향에 따라 이들은 신라와 통하고 있던 자라고 생각된다.

「임나부흥회의」라고 불리는 것은, 신라에 멸망된 남가라(금관)·번기탄·탁순 의 세 나라를 복건할 것을 목적으로 한 모임이지만, 앞서 든 사료를 통해 보면 이는 단순히 명목에 지나지 않는 것을 알 수 있다.

백제를 반복해서 기술하고 있는 것은, 세 나라가 신라의 실력에 의해서가 아니라 내응에 의해 멸망한 것이라는 점에서, 신라에 내응하는 것을 제지하는 형태로 강조하고 있는 것이다. 이는 당연히 참석한 제국(諸國)의 「내응」을 경계하고 있기 때문이다.

실제로 「내응」은 「임나일본부」의 하내직·아현이나사 등에 한정되는 것은 아니었다. 백제의 비난이 그들에게 집중하고 있으나, 단지 한 곳, (b)에 안라에 가서 「신라에 간 임나의 집사를 불러서 의논했다」라고 되어 있다. 「임나의 집사」는 드문드문 보이는데, 특히 (m)에서 사용된 예를 보면, 「임나의 한기」를 가리키고 있다고 볼 수 있다. 그러나 실제로는 일반적으로 말하는 바와 같이, 한기 아래의 관인일 것이다. 안라에서 불렀다는 점에서 특히 안라의 관인으로 생각된다. 신라와의 「내응」은 안라의 의향이기도 했을 것이다.

백제가 하내직·아현이나사 등의 추방을 반복해서 요구하는 것은, 안라의 의향에 따른 왜계 인물을 배제하는 것이 목적이었던 것이다. 이는 백제의 노림수와도 관련되는 것으로 보인다. 백제로서는 안라가 신라에 「내응」하는 것을 멈추게 하는 것이 가장 중요한 과제였던 것이다.

이에 다시금 통하고 획책하는 배경을 생각해 보면, 상기와 같이 백제가 「하한」지역에 군령·성주를 설치한 것이 떠오른다. 안라로 봐서는 위험하기 짝이 없는 군령·성주를 철폐시키는 것이 안라의 중요한 과제였다. 3명은 이와 같은 안라의 의향에 힘입어, 왜의 사신단을 데리고, 더구나, 직접 신라와 왕래했다고 할 수 있을 것이다.

안라가 이와 같이, 신라와 통하는 것을 선택한 배경으로는 또 한 가지를 들 필요가 있다. 이는 신라의 금관국에 대한 파격의 대우이다. 이와 같은 신라와 백제를 대비시켜 어느 쪽을 취하는 것이 스스로에게 득이 되는지를 생각할 경우, 답은 쉽게 나온다고 생각된다.

백제가 그들의 추방을 집요하게 요구한 것은, 백제의 이해(利害)에서 보면 당연한 정략이었던 것이다.

여기서 안라의 의향을 몸소 드러내고 있다고 말할 수 있는「임나일본부」에 관해서 생각하지 않을 수 없다. 애초에『니혼쇼기』에서「임나일본부」라고 하는 표기가 보이는 것은,

1) 킨메이기2년 4월조

2) 同上

3) 同年7월조

4) 同上

인 네 가지 예에 지나지 않는다.「일본부」를 포함한 표기로 말하자면,

유랴기(雄略紀)8년(464) 2월조

「日本府行軍元帥」

킨메이기2년(541) 7월조

「安羅日本府」의 두 사례

킨메이기2년 7월조「日本府」

4년 11월조「日本府」

동일 연월조「日本府執事」

5년 정월조「日本府執事」

동일 연월조「日本府執事」

同上「日本府」

同 2월조「日本府」의 다섯 사례
同上「日本府卿」의 세 사례
同 3월조「日本府」의 두 사례
同 11월「日本府臣」의 두 사례
同上「日本府」의 두 사례
6년 9월조「日本府臣」
9년 4월조「日本府」의 두 사례
13년 5월조「日本府臣」

로 늘어나게 된다. 그러나,「임나일본부」의 네 가지 예 모두 및「일본부」의 대부분 예가 킨메이2년~5년 사이의 기술이다. 다시 말해 소위 말하는 이「임나부흥회의」라는 일련의 사료 속에서 보이는 것들이다.「임나일본부」를 알기 위해서는「임나부흥회의」를 정확히 파악하지 않으면 안 된다.

「일본부」라고 하는 단어에서 연상되는 것은, 이것을 기관・관아와 같이 생각할 수도 있지만「일본」은 당시의 용어가 아니다. 킨메이 15년조에「안라에 있는 제왜신(諸倭臣)」이라고 하는 단어가 있다. 이것이 이와 같은 실태를 전해주는 것으로 생각된다. 그러나, 기능을 나타내는 것이 아니다. 의미로는「왜재(倭宰)」에 가까울 것이다.

「왜재」로 보자는 이해는『샤쿠 니혼기(釈日本紀)』에도 보이는 바와 같이, 오래 전부터 있었다.「왜의 부」라고 말하는 것에서 왜의 사신이라고 하거나, 사신단을 의미한다. 최근에 이와 같은 이해를 채택하는 논자가 늘어났다. 필자도 이 해석이 적합하다고 생각한다.

이 쿄(대신)・신・집사의 3등관 구성이었다고 하더라도 이상하지 않다. 또한, 하내직 등 재지의 인물을 포함하고 있으나, 일반적으로는 이 또한 이상하지 않다.

이를 예전부터 생각해 온 것과 같은 통치기관으로 보기 위해서는, 큰 비약이 필요하다. 그 용례를 아무리 보더라도 통치기관이라고 하는 이해는 나올 수 없다고 생각한다. 더욱이 이 단어가 나타나는 연대를 훨씬 뛰어넘어, 존재를 인정하려고 하는 것은 이미 사료의 한계를 넘어선 것이다.

이 회의에서 왜의 입장은 안라의 의향에 따른 것이라고 말할 수 있다. 그 입장은 백제를 비난하고 있는 것이다. 이 시기까지 백제・가야남부・왜의 동맹은 유지되어 왔다고 생각되지만, 가야남부와 백제와의 이해관계가 일치하지 않을 경우, 왜는 가야남부를 선택하고 있다. 이는 이 때 이외에도 보이지만, 그 당시에도 그다지 변하지 않은 것을 볼 수 있다. 왜로서는 금관이 멸망한 후, 의연하게 가장 깊은 우호관계국으로 안라를 상정하고 있었다고 하는 것이다.

Ⅴ. 安羅의 멸망

백제의 노림수와 안라의 의도가 교착하는 소위 「임나부흥회의」였지만, 회의를 거쳤어도 안라의 의도는 변하지 않았다.

『삼국사기』 권34・지리지1・강주・함안군에는,

> 함안군. 법흥왕이 대병을 이끌고 아시량국(阿尸良國)을 멸망시켰다【혹은 아나가야(阿那加耶)라고도 한다】.

라고 되어 있으나, 법흥왕은 540년까지 재위했으므로, 그때까지 멸망했다고 하는 것은 분명히 이상하다.

『니혼쇼기』 킨메이기22년(561)조에,

> 신라가 아라(阿羅)의 파사산(波斯山)에 축성하고 일본에 대비했다.

라고 되어 있다. 이것이 「아라의 파사산」을 의미한다면, 아라, 다시 말해 안라가 되는데, 이것이 구체적으로 어디를 가리키는지는 알 수 없지만, 561년에 신라가 안라에 축성하는 것이 가능했다고 말할 수 있는 것으로, 일반적으로 말하는 562년보다도 앞서 신라에 무릎을 꿇었을 가능성도 있다고 볼 수 있는 것이다.

『니혼쇼기』 킨메이 23년(562)조에는,

> 봄 정월, 신라가 임나의 관가를 멸했다【어떤 기록에는 「21년에 임나가 멸망했다」라고 되어 있다. 대체로 임나라고 하는데, 나누자면 가라국 · 안라국 · 사이기국 · 다라국 · 졸마국 · 고차국(古嵯國) · 자타국(子他國) · 산반하국(散半下國) · 걸찬국(乞飡國) · 임례국(稔禮國)이라고 한다. 모두 합쳐 10국이다】.

라고 되어 있다. 이것은 신라가 남은 대가야를 공격한 결과, 대가야가 무릎을 꿇게 되었으며, 이에 따른 대가야 연맹의 제국들도 항복하게 된 것과 대응된다. 이 10국 중에는 안라국도 보이지만, 안라와 신라의 「내응」 의향으로 보자면, 아마도 관산성(管山城) 싸움으로부터 얼마 지나지 않아, 신라에 완전히 종속되었다고 보아도 무방할 것이다.

【참고문헌】

千寬宇, 1991,『加耶史硏究』, 一潮閣

末松保和, 1956,『任那興亡史』, 吉川弘文館

山尾幸久, 1989,『古代の日朝関係』, 塙書房

그리고 田中俊明, 1992,『大加耶連盟の興亡と「任那」』吉川弘文館 및 田中俊明, 2009,『古代の日本と加耶』山川出版社를 참조.

『日本書紀』を通して見た安羅と倭との関係

田中俊明 滋賀県立大学

Ⅰ. いわゆる「加羅七国平定」記事の理解
Ⅱ. 安羅と倭との関係の始まり
Ⅲ. 新羅の金官侵攻と安羅
Ⅳ. いわゆる「任那復興会議」の安羅
Ⅴ. 安羅の滅亡

『日本書紀』には、「安羅」が３３回登場する。それはすべて咸安にあった加耶の国、阿羅加耶を指している。ここでは、そのような『日本書紀』に登場する「安羅」の記事を中心に、そこから考えることのできる安羅と倭との関係について述べることにする。

Ⅰ.いわゆる「加羅七国平定」記事の理解

『日本書紀』に「安羅」が初めて登場するのは、神功皇后摂政４９年の、いわゆる加羅七国平定記事である(以下、最後に掲げる安羅史料を指す場合、〔 〕で示す。この記事は〔1〕にあたる)。神功皇后摂政４９年は、『日本書紀』としては西暦２４９年にあたる記事として記しているが、『日本書紀』の神功紀・応神紀は、干支２回り(６０年×2)１２０年を繰り下げて修正しなければならない。それは、『日本書紀』が神功皇后を卑弥呼であると考えて、もともとの神功皇后記事の紀年を、卑弥呼に近づけるために１２０年早くに係年したからであり、それをもとに戻さないといけないということである。そのことは明治時代の紀年論争を経て、明らかになっていることで、学界では常識である。干支２回りとは、もとの史料の紀年干支を変えずに、そのまま生かして、早い年代にするためには、干支１回り６０

年を単位として移さなければならなかったからである。従って、神功紀４９年は２４９年に干支２回りを繰り下げた３６９年に修正しなければならないのである。

このいわゆる加羅七国平定記事は、かつては、この記事をもとに、古代の日本が加耶地域を植民地(任那の官家)にした起点を示す記事と見ていたが、この記事には問題が多く、そのまま信じることは難しい。おそらく『日本書紀』が造作したものと考えられる。その点を少し詳細に述べる。

神功紀４９年条は、４６年~５２年の一連の記事のなかにある。そのため、その全体のなかで考える必要がある。ここでは、要約して現代語訳で示す。【　】内は分注である。

○ 四六年三月、斯麻宿禰を卓淳国に派遣した。卓淳王が斯麻宿禰に言った。「甲子年七月に百済の久氐ら三人がやってきて、日本への道を尋ねたが、まだ通じていないので知らないと答えたところ、もし日本の使者が来たら告げて欲しいといって帰った」と。斯麻宿禰はそこで従者(爾波移)と卓淳人(過古)を百済に派遣した。百済の肖古王は喜んで厚遇した。従者は卓淳にもどり、志摩宿禰に伝え、ともに帰国した。

○ 四七年四月、百済王、久氐ら三人を派遣して朝貢してきた。いっしょに新羅の朝貢使も来た。二国の貢物を調べると、新羅のほうは珍異なものが多く、百済のほうはよくなかった。久氐らに糾明したところ、道に迷って新羅に着き、貢物を取り替えられてしまったと訴えた。そこで皇太后は新羅の使者を責め、天神に誰を新羅に派遣して罪を問わすべきか聞いた。天神は千熊長彦【千熊長彦はその姓がよくわからない。「百済記」に「職麻那那加比跪」というのはこれであろうか】がよいと教えたので、千熊長彦を新羅に派遣し、問罪させた。

○ 四九年(a)春三月、荒田別・鹿我別を将軍として、百済からの使者である久氐らとともに兵をととのえて渡り、卓淳国にいたり、新羅を襲おうとした。(b)そのときにあるものがいった。「兵衆が少なければ、新羅を破ることはできません。さらにまた沙白蓋盧を奉じて軍士を増すことを要請いたします」と。(c)そこで木羅斤資・沙沙奴跪【このふたりはその姓がわからない。ただし木羅斤資のみは百済の将である】に命じ、精兵をひきいて、沙白蓋盧とともに派遣した。ともに卓淳に集い、新羅を撃って破った。(d)その結果、比自炑・南加羅・㖨国・安羅・多羅・卓淳・加羅の七国を平定した。(e)そこで兵を西に移して、古奚津にいたり、南蛮の忱弥多礼を攻取して百済に賜与した。(f)ここで、百済王の肖古および王子の貴須がまた軍をひきいて来会した。(g)ちょうどそのとき、比利・辟中・布弥支・半古の四邑がみずから降伏してきた。(h)そこで、百済王父子および荒田別・木羅斤資らがいっしょに意流村に会し、たがいに見て喜び、厚くもてなして送らせた。(i)ただ千熊長彦と百済王は、百済国にいたり、辟支山に登って盟した。また、古沙山に登り、磐石のうえで、百済王が盟していった。「……磐石の上で盟するのは、長く朽ちることがないことを示すものです。そこで、いまからのち、千秋万歳まで絶えることなく、常に西蕃と称し、春秋に朝貢いたします」と。(j)そこで千熊長彦をつれて都下にいたり、厚く礼遇し、また久氐らをつけて送った。

○ 五〇年二月、荒田別らが帰国した。五月に千熊長彦・久氐らやってきた。皇太后がどうしてしきりにくるのか尋ねると、久氐らは、わが王が喜んで、至誠を表わすのですと答えた。そこで多沙城を増賜した。

○ 五一年三月、百済王がまた久氐を派遣した。千熊長彦に久氐を送らせた。百済王の父子は額を地につけ、永久に西蕃となり、貳心のないことを誓った。

○ 五二年九月、久氐らが千熊長彦に従ってやってきて、七枝刀・七子鏡および重宝を献じた。これよりいご、毎年朝貢してきた。

一連の記事というのは、これ全体で、百済王が倭王に服属し、朝貢してくるようになった起源を記した記事となっているからである。47年条の分注に「百済記」を引用しており、本文の「千熊長彦」は「百済記」では「職麻那那加比跪」とあったこと、『日本書紀』編者が別の所伝にみえる「千熊長彦」という人名をそれにあてたか、音から日本風の人名に改めたものであろう、ということがわかる。そこで、およそ、「百済記」をもとにした記事を核にしていることが想像される。

この一連の記事のなかで、49年条には多くの問題点がある。

まず(d)に「比自炑・南加羅・㖨国・安羅・多羅・卓淳・加羅の七国を平定した」とみえるのはいずれも加耶の諸国であり、そのなかの

「加羅」は大加耶を指しているとみてよい。ほかの六国は、比自炑が昌寧、南加羅が金海、安羅が咸安、多羅が双册、卓淳が昌原にそれぞれ比定される。喙国は大邱とみる意見もあるが、継体紀にみえる喙己呑であれば、金海の西とみられる。(ｅ)の「南蛮の忱弥多礼」は全羅南道の耽津とみられる。(ｇ)の「比利・辟中・布弥支・半古の四邑」は「比利・辟中・布弥・支半・古四の〔五〕邑」と読む考えもあるが、いずれにしても全羅道にあてられている。

この４９年条の問題点は、次のように指摘できる。

(1)(ｃ)に新羅を撃ったとあり、(ｄ)に「その結果」(原文「因りて」)加羅七国を平定した、とあるが、どうして、「因りて」になるのか、よくわからない。新羅が撃破されたことで、それに従属していた加羅七国が新羅から離れて降った、というような因果関係を想定できなくもないが、それならば、その間の説明があってしかるべきであるし、そもそもこの加羅七国が新羅に従属していた、ということが、５６２年の加耶諸国滅亡以前にあったとは考えられない。加羅諸国平定記事は、極めて唐突な印象をうける。

(2)平定したとする七国のひとつに、新羅を撃つために集結した卓淳がふくまれているのは、不合理である。

(3)加羅・南加羅という表記であるが、加羅＝大加耶国をたんに加羅と記し、それを基準にして、それに対する南の加羅として金官国を記すのは、大加耶国が金官国とならぶ、あるいはそれをしのぐ有力国となる、5世紀なかば以降でなければならない、と考える。

(4)全羅道まで、百済の支配がおよぶのは、現実には、熊津に遷都して復興してのち、5世紀末から6世紀初にかけてのこととみられる。(e)にあるように、「百済に賜与した」ということであっても、あるいは、倭とは無関係に百済が実力で領有した、とみる立場であっても、それを4世紀の時点のことと考えることはできない。

千寛宇は、この記事を、年代をそのままに、主体を倭ではなく、百済におきかえるべきことを主張した。つまり、加羅七国平定も、それにつづく全羅道方面経略も、すべて百済が369年に実際におこなった事実であるとするのである。このように、千寛宇はこの記事をとおして、4世紀における百済の全羅道領有を、史実として把握するのであるから、それでは水かけ論に終わるおそれもある。ただ、羅州潘南面の古墳群を中心とする栄山江流域は、甕棺古墳の墓制を特徴とし、百済の墓制とは異なる。それはこの地域が百済文化圏とは異なる文化圏を形成していたことを示すものと考える。

(5)49年条は、あらゆる点で二重になっているという。それは末松保和が指摘することであるが、末松によれば、征戦の主人公として荒田別・鹿我別のほかに「千熊長彦」が主人公然としてあらわれること、(h)で百済王父子と木羅斤資らが会したという「意流村」は百済王都(慰礼城=漢城)を指すとみられるが、それは(j)で「千熊長彦」が至ったという「都下」と同じであるとみられること、また(g)のみずから降伏したという邑のうち「辟中」と、(i)で「千熊長彦」と百済王が登って盟したという「辟支山」が同じとみられること、などがその理由としてあげられている。地名が一致するかどうかは別としても、(i)(j)に、それまでみえない「千熊長彦」がとつぜんあらわれるのは、不自然である。

これらの問題点について、それなりの解答があたえられねばならない。わたしは、次のように考える。

山尾幸久は、木羅斤資について記した記事は、『日本書紀』が干支をもう一回りさかのぼらせる造作をしているとみる。木羅斤資は、これ以外に、『日本書紀』にあと２回登場する。神功紀６２年(干支２運繰り下げ修正して３８２年)条と、応神紀２５年(同じく４１４年)のそれぞれ分注に引く「百済記」のなかにおいて、である。次の通りである。

『日本書紀』神功紀６２年(修正３８２年)条

新羅が朝貢してこなかった。その年、襲津彦を遣わして新羅を撃たせた【「百済記」にはつぎのようにある。「壬午の年に、新羅が、貴国を尊奉しなかった。貴国は、沙至比跪を遣わして、それを討たせた。新羅人は、美女ふたりを飾りつけて津に迎え誘わせた。沙至比跪は、その美女を受けて、逆に加羅国を伐った。加羅国王の己本旱岐、および児の百久至・阿首至・国沙利・伊羅麻酒・爾汶至らは、その人民をひきいて百済に来奔した。百済は厚くもてなした。加羅国王の妹既殿至は、大倭にむかい、啓していった。「天皇は、沙至比跪を遣わして新羅を討たせました。しかし新羅の美女を納め、新羅を討たずに、逆にわが国を滅ぼしました。兄弟・人民はみな流離してしまいました。憂思にたえません。そこでやってきて申し上げるのです」と。天皇は、おおいに怒り、すぐに木羅斤資を遣わし、兵衆をひきいて加羅に来集し、その社稷をもとに復させた」と】。

『日本書紀』応神紀２５年(修正４１４年)条

百済の直支王が薨去した。そこで子の久爾辛が即位して王となった。王は年が幼なく、木満致が国政を執った。しかし王母と姦淫し、多く無礼を行なったので、天皇が聞いて呼び出した【「百済記」にはつぎのようにある。「木満致は、木羅斤資が新羅を討ったときに、その国の婦女を娶って生んだものである。その父の功績によって、任那を専らにした。わが国にやって来て、貴国に往還した。制を天朝からうけて、わが国の政治を執り、権勢は世にならびなかった。しかし天皇は、その横暴さを聞いて召された」と。】。

しかしその年代では問題になることがある。ここに木羅斤資の子木満致がみえるが、その木満致は、「木羅斤資が新羅を討ったときに、その国の婦女を娶って生んだ」という。木羅斤資が新羅を討ったのは、史料にみえない事実を想像することもできなくはないが、まずは史料にみえるもので考えるのが正道であろう。とすれば、それは神功４９年条の記事しかないのである。ところが、その木満致と同一人物とみられる人物が、『三国史記』百済本紀・蓋鹵王２１年(４７５)条に登場する。百済王都漢城が、高句麗に攻撃されて陥落し、王が殺されようとしていた時に、

〔王子〕文周は木劦(刕)満致・祖彌桀取【木劦(刕)・祖彌はみな複姓である。隋書は、木劦(刕)を二姓としている。どちらが正しいかわからない】とともに南行した。

とある記事である。ここにみえる「木劦」は「木刕」が正しく、木刕は、木羅と同じで、百済の有力な一族である。それを一字で表記した場合に、木氏となる。ということで、木満致と木劦満致(正しくは木刕満致)は、同姓同名である。これを別人物と考えられなくもな

いが、似たような時期における百済王権に近い人物として、まずは一人と考えて話をすすめると、木満致は、４７５年に、次王となる文周とともに漢城をすてて南行する人物として登場するのである。その木満致が生まれたのは、木羅斤資が新羅を討った３６９年からそれほど遠くない時期とみるべきであるから、その時木満致は、１００歳を越えた人物となってしまう。それではおかしいので、『日本書紀』の干支をもう１回り下げて修正すると、４２９年に新羅を討ったことになり、そのころ生まれたと考えることができるようになる。そうであれば、年代的な問題は生じないし、応神紀の記事も、４７４年のこととなって、まったく問題がない(それ以外にも、そのように理解したほうがいい点がある)。

　ということで、４９年条であるが、木羅斤資がみえる記事(ｃ)と(ｈ)、および(ｃ)とつながり、しかも「沙白盖盧」という「百済記」の表記らしい人名をふくむ(ｂ)をとりあえず、ほんらい４２９年に繫年されていたものとする。(ｃ)と(ｈ)の間にある(ｄ)(ｅ)(ｇ)も、いちおう、それに準じて考えてみる。とすると、「荒田別・鹿我別」のみえる(ａ)と「百済王の肖古および王子の貴須」のみえる(ｆ)と「千熊長彦」のみえる(ｉ)(ｊ)が残るが、これはそれらとは切り離して考えてみよう。ほんらい３６９年に繫年されていたものかどうかはいま問わないで、ほかといっしょにさらに繰り下げては考えないのである。そうすればまず、上にあげた(5)の二重性は解消する。

　では、４２９年のことと修正したばあい、(ｂ)~(ｅ)(ｇ)(ｈ)は、どうであろうか。(１)~(４)としてあげた問題点は、あいかわらず残る。とくに(ｄ)の「加羅七国平定」記事に問題点が集中している。これはもはや、造作を想定しなければ、理解できないのではないだろうか。山尾は、これを、神功五二年条にみえる「七枝刀・七子鏡」の「献上」記事に対応して、その縁起として『日本書紀』編者が添えた造作であるとする。わたしは、「百済記」の造作であってもかまわない、とも思うが、（d）を省いても、（c）と（e）は無理なくつながるから、やはり『日本書紀』の造作である蓋然性のほうがより高いであろう。

それに対し（e）（g）は、「百済記」の造作とみるべきである。ただ、（h）は、（a）（f）と対応させるために、『日本書紀』編者がつけくわえたとみられる「父子」「荒田別」をはぶけば、とくに問題はない。なお、（c）に「ともに卓淳に集い」とあるのは、前後をつなぐために『日本書紀』編者がつけくわえたともみることができるが、ほんらいこのままあったとしても、矛盾はなく、ひとまずこのままにしておく。

以上、推測をかさねたところを、整理してみると、神功４９年条は、次のように考えることができよう。

「百済記」には、（b）（c）（e）（g）（h）が４２９年に繋年されて記されていた。そのうち（e）（g）は、「百済記」の造作であり、史実の核としては、（b）（c）（h）のみであった。『日本書紀』は通例「百済記」を干支２回りひきあげて利用するのであるが、このばあいは、干支３運ひきあげて用いた。そしてその上で、（h）に改変をくわえ、（a）と（d）を造作した、ということであろう。

（f）（i）（j）は、よくわからないが、あるいは、ほんらい「百済記」に３６９年に繋年していた記事であったものをもとにしているのではないかと思う。「千熊長彦」は、「百済記」では「職麻那那加比跪」とあったのであり、『日本書紀』の改変は否定しがたいが、４６年条・５０年条・５１年条・５２年条と、つづけてあらわれており、つまりその限りで、一貫しているといえる。

そこで改めて、三回り下げるべきものを省いて示せば次のようになる。

- 四六年三月、斯麻宿禰を卓淳国に派遣した。卓淳王が斯麻宿禰に言った。「甲子年七月に百済の久氐ら三人がやってきて、日本への道を尋ねたが、まだ通じていないので知らないと答えたところ、もし日本の使者が来たら告げて欲しいといって帰った」と。斯麻宿禰はそこで従者(爾波移)と卓淳人(過古)を百済に派遣した。百済の肖古王は喜んで厚遇した。従者は卓淳にもどり、志摩宿禰に伝え、ともに帰国した。
- 四七年四月、百済王、久氐ら三人を派遣して朝貢してきた。いっしょに新羅の朝貢使も来た。二国の貢物を調べると、新羅のほうは珍異なものが多く、百済のほうはよくなかった。久氐らにただしたところ、道に迷って新羅に着き、貢物を取り替えられてしまったと訴えた。そこで皇太后は新羅の使者を責め、天神に誰を新羅に派遣して罪を問わすべきか聞いた。天神は千熊長彦【千熊長彦はその姓がよくわからない。「百済記」に「職麻那那加比跪」というのはこれであろうか】がよいと教えたので、千熊長彦を新羅に派遣し、問罪させた。
- 四九年三月、荒田別・鹿我別を将軍として、百済からの使者である久氐らとともに兵をととのえて渡り、卓淳国にいたり、新羅を襲おうとした。ここで、百済王の肖古および王子の貴須がまた軍を率いて来会した。千熊長彦と百済王は、百済国にいたり、辟支山に登って盟した。また、古沙山に登り、百済王が盟していった。「千秋万歳まで絶えることなく、常に西蕃と称し、春秋に朝貢いたします」と。そこで千熊長彦をつれて都下にいたり、厚く礼遇し、また久氐らをつけて送った。

- 五〇年二月、荒田別らが帰国した。五月に千熊長彦・久氐らやってきた。皇太后がどうしてしきりにくるのか尋ねると、久氐らは、わが王が喜んで、至誠を表わすのですと答えた。そこで多沙城を増賜した。
- 五一年三月、百済王がまた久氐を派遣した。千熊長彦に久氐を送らせた。百済王の父子は額を地につけ、永久に西蕃となり、貳心のないことを誓った。
- 五二年九月、久氐らが千熊長彦に従ってやってきて、七枝刀・七子鏡および重宝を献じた。

これより以後、毎年朝貢してきた。

これは、全体を通して、先にもふれたように、百済王が倭王に服属し、朝貢してくるようになった起源を記した記事となっており、それはおよそ「百済記」をもとにした記事を核にしていとが想像される。

しかし、たとえば古典文学大系の『日本書紀』の頭注にも、「百済記を史料とし、かなり自由な筆致で構文したもの。ただし、五十年条・五十一年条などは全体として書紀の述作とみられ、四十七年条もそれか」とあるように、『日本書紀』の造作が多いことも古くから指摘されている。特にそこにあげられている５０年条・５１年条は、一般的にあきらかな造作であるといわれている。

これをみれば、『日本書紀』がいったい何を主張しようとしたか、明白である。倭はこのころより、百済がくりかえし朝貢使をおくり、西蕃と称し、永久に朝貢することを誓う相手として存在していた、ということである。そのような主張をするために、それ以外でも造作がおこなわれているが、４９年条に６０年後の事実も繰り上げられていることはすでに述べた通りであり、上記の４９年条では、その部分を省いて示したのであった。そのほかの造作については、論者によって、意見がわかれるが、わたしは、つぎのように考える。

(1)４６年条には、倭から卓淳への使者派遣と、その使者が従者「爾波移」を卓淳から百済に派遣した(卓淳人「過古」に随伴して)ことを伝える。卓淳王と倭の使者との問答などは造作が多いが、百済に倭人が卓淳人といっしょにやってきた、というようなことは、「百済記」に伝わっていてもよさそうである。

(2)４６年条の卓淳王のことばの中にみえる「甲子年」は３６４年であろう。この年、百済の使者が卓淳にきたということは、認めてよかろう。ただし、卓淳の王が倭の使者に告げる、というかたちで、「百済記」にあったとは思えない。この年百済が卓淳に使者をおくった、というようなことではなかったかと思う。

(3)４７年条には百済から久氐ら３人(ほかに弥州流・莫古)が派遣されたことを伝える。この人名が「百済記」によったものであることは問題なかろう。ただし、久氐らは、あきらかな造作とされる５０年条・５１年条をふくめて前後４回(最後は５２年条)、倭に使者として来ている。古典文学大系の頭注では、４７年条も造作であると考えており、わたしも大半はそうであると思うが、久氏らの派遣の事実が１回のみであれば、ここまで久氏らにこだわって造作するのはしつようにすぎるように思う。わたしは、久氏らがやって来たのは４７年と５２年の２回あったのではないかと考える。

（4）「職麻那那加比跪」が「百済記」にみえることは疑いない。ではそれはいつどのようなかたちでか。４９年条に、「千熊長彦」が登場する。しかもそこでは、百済王と会するかたちで登場する。しかしいつ派遣されたかは記していない。探せば、４７年条に、新羅に派遣したとみえるのがあるのみであり、記事のかぎりではこのあと百済にむかった、ということになろう。４７年条の新羅への派遣は造作であり、百済に直接派遣した、というのが本来ではなかろうか。ただし、その係年が気にはなる。係年は別にして、「百済記」にはほんらい、「職麻那那加比跪」が百済に来て百済王と会し、百済王は久氏らをつけて送った、とあったと考える。

（5）それでは、「職麻那那加比跪」が久氏らにともなわれて倭にもどったのはいつか。５０年条・５１年条が造作であるとすれば、それは、５２年しかない。ここでわたしは、５２年条の係年にも造作を想定したい。５２年条は一般に「百済記」にもとづくものであるといわれるが、「百済記」ではほんらい４９年条と同一年に係けられていたのではなかろうか。『日本書紀』は、４９年条に対して、木羅斤資の記事をひきあげ、「加羅七国平定」記事などを造作し、また５０年条・５１年条を造作したため、５２年条を３年ほどくりさげて係年したのではないかと考える。

もし本来「百済記」にあったとして、干支紀年の干支を変えない方針ならば、５２年条は動かしていないとみなければならないが、『日本書紀』の造作において干支は絶対に変えなかったというようなみかたが必要であろうか。

以上のような考えのもとで、「百済記」に記されていたと考える内容を整理すれば、つぎのようになろう。

３６４年　百済が卓淳に使者を派遣した。

３６６年　百済に倭人(斯麻宿禰の従者爾波移)が卓淳人(過古)といっしょにやってきた。

３６７年　百済が倭に久氐らを派遣した。

この後、倭が職麻那那加比跪を百済に派遣してきた。

３６９年　百済王近肖古王はそれを厚遇し、さらに久氐らをつけて送った久氐らは七枝刀などを記念としてもたらした。

以上のように、わたしは「加羅七国記事」が造作であると考え、当然、それによって始まったとする、日本の天皇による植民地支配(「任那官家」)も存在していないと考えるのである。

Ⅱ. 安羅と倭との関係の始まり

次の記事は継体紀７年条で、継体天皇が安羅の辛已奚と賁巴委佐らの前で、百済に己汶・滞沙を賜る恩勅を述べる記事である〔２〕。つまり、安羅の人物が倭に滞在している。この時、安羅のほか斯羅(新羅)・伴跛(大加耶)の人物も同時に倭に滞在していたというように記されているが、果たしてその通り、安羅・新羅・大加耶の人たちが倭にいたことを認めてよいかどうか、容易ではない。

ただしここでは、その問題よりもまず、これ以後、安羅と倭とが深い関わりがあることを前提にした記事がつづくことを取り上げたい。それはつまり、これ以前に、安羅と倭との関係が始まっていなければならない。「加羅七国平定」記事を造作であるとした場合、では安羅と倭との関係の始まりをどのように考えることができるか。

『日本書紀』に加耶関係記事が登場する最初は崇神紀６５年(『日本書紀』の紀年では紀元前３３年)条の「任那国」の記事である。そもそも『日本書紀』における外国関係記事の最初がその記事である。

秋七月、任那国が蘇那曷叱知を派遣して朝貢してきた。任那というのは、筑紫国から二千余里離れたところで、海を阻てて北にある。鶏林(新羅)の西南にある。

これによれば、「任那国」が蘇那曷叱知を派遣し、朝貢してきた、というのである。これにつづく記事が、垂仁紀２年(『日本書紀』の紀年では紀元前２８年)是歳条であり、

任那人の蘇那曷叱智が国に帰りたいと要請した。おそらく先皇の時代に来朝してまだ帰っていなかったためであろう。そのため蘇那曷叱智を厚く賞して、赤絹百匹を持たせて任那王に賜与しようとした。しかし新羅人が道を遮って、それを奪った。この二国の怨みは、この時から始まった。

とある。崇神はその６８年に死に、次の歳に垂仁が即位したこと

になっているから、蘇那曷叱智がやってきて５年目のことである。

ここに記すとおりに、「任那国」が遣使朝貢してきたことが事実であると考える必要はなく、『日本書紀』の構想にもとづくものであるが、『日本書紀』において、外国との交渉が、「任那国」からの遣使朝貢として始まることは重要である。実際の年代としては、４世紀の始め頃と考えてよいであろう。

ここでいう「任那国」は、金官国を指しており、またかつての狗邪国である。倭からすれば、最も近い位置にあったということができる。従って、そこから外交関係が始まったとされていることは、極めて自然なことであり、また象徴的なことでもある。現実にも、おそらく、金官国から外交関係がはじまったということであろう。

これにつづく記事が、先にあげた神功紀の４６年条である。

そこでは、倭が卓淳に使者を派遣したことを記している。卓淳はいまだに諸説があるが、南海岸に面したところでなければおかしい。百済も船でやって来ており、卓淳王も、この先の倭へは大船でなければ渡れないと述べている。現在の昌原地方であると考えてよい。卓淳は、金官国の西に位置した国である。『日本書紀』において、友好な相手として、金官国についで登場するのが卓淳であるというのは、事実としても、まったく無理のない順序ということができる。

そして、この記事が示すように、百済と卓淳との通交が成立したあとに、卓淳が仲介するかたちで倭と百済との通交がはじまる、というようになっているのは、極めて象徴的なことであり、おおまかに言えば、百済と加耶南部との関係があり、またいっぽう、日本と加耶南部との関係があり、加耶南部が仲介をするかたちで、百済と日本との関係が始まったということになろう。

百済と加耶との関係であるが、欽明紀2年(541)4月条〔5〕に、

聖明王が言った。昔、わが先祖の速古王・貴首王の世に、安羅・加羅・卓淳の旱岐らがはじめて使者を送ってきて通交するようになり、厚く親好を結んだ。子弟となって、互いに恒隆することを願った。しかし今は、新羅に誑かされ、天皇を怒らせている。

とあり、さらに同年7月条〔6〕にも、

〔聖明王が〕任那に言った。昔、わが先祖の速古王・貴首王がもとの旱岐らとはじめて和親をとりきめ、兄弟となった。こうして百済は汝を子弟とし、汝は百済を父兄として、いっしょに天皇に仕え、ともに強敵を防ごうとして、国家を安全にするようにして、今日に至っている。

とある。聖明王(聖王)が、過去の速古王・貴首王、すなわち近肖古王・近仇首王の時代(346~383)に、安羅・加羅・卓淳らと友好関係を結んだことを回想しているのである。この「加羅」は、『日本書紀』の表記では、大加耶を指すとみるのが当然なので、わたしもそのように考えてきたが、4世紀のことであるとすれば、大加耶ではおかしく、金官を指しているとみるべきではないかと考えるようになった。安羅・加羅・卓淳は、いずれも南海岸の国々であり、百済が西海岸から南海岸へと航路を採って、到達するところとしてふさわしい。百済は、大国高句麗と敵対するために、南の全羅南道の馬韓勢力と友好関係を持ち、さらに東に進んで、加耶の南部の諸国と結ぶ

ようになったと考えることができる。

この金官・卓淳よりも西側に位置するのが安羅であり、倭が関係を持つ順序としては、この次というのが自然である。しかし『日本書紀』には、「加羅七国平定」記事がつづくのである。

そこで注目されるのは、高句麗の『広開土王碑』(４１４年建立)である。周知のように高句麗は、永楽１０年(４００)に、前年の新羅からの救援要請を受けて新羅に侵攻し、そこにいる倭人を駆逐し、倭人が逃げ出した「任那加羅」にまで達している。その時に「安羅人戍兵」が登場する。

碑文の当該箇所は、次の通りである。

> 十年庚子教遣歩騎五萬往救新羅從男居城至新羅城倭滿其中官軍方至倭賊退□侵背急追至任那加羅從抜城城即歸服安羅人戍兵□新羅城□城倭潰城大□□盡更□□安羅人戍兵滿□□□□其□□□□□□□□言………□□安羅人戍兵昔新羅寐錦未有身來論事□國罡上廣開土境好太王□□□□寐錦□□□勾□□□□朝貢
>
> (十年庚子(４００)、〔広開土王が〕教(命令)して歩騎五万を派遣し、新羅に行って、救わせようとした。男居城から新羅城に至るまで、倭がその中に充ちていた。官軍が到着しようとすると、倭賊が逃げ出した。その背後から急追し、任那加羅の從抜城に至った。城はすぐに歸服した。安羅人の戍兵が、新羅城□城を□した。倭が潰滅し、城も大いに□□盡更□□、安羅人の戍兵が滿□□□□其□□□□□□□□言………□□安羅人の戍兵。昔、新羅の寐錦は、いまだかつて自らやっ

て来て論事したことがなかった。□國罡上廣開土境好太王□
□□□寐錦□□□勾□□□□朝貢するようになった。）

「安羅人戍兵」とは、安羅人の守備兵、ということであるが、最近、それとは異なる新たな釈読が提出されている。まず第一に、「安羅人」を「安羅」国の「人」とみないで、「羅人」を「安」んずる、とする読みかたである。その場合の「羅人」とは、新羅人を意味するとみる場合と、「邏人」すなわち辺境守備兵を意味するとみる場合に分かれる。この点については、新羅のほかに安羅も存在する状況の中で、新羅を省略形で記して理解されたかどうかに問題があること、また前後に、省略されないかたちで新羅があらわれており、ここのみが省略形であるというのは無理であろう。しかも同じ5字句が3回あらわれ、その場合にのみ省略されたということも、異様である。それに対して、「邏人」のほうは、そうした問題はなく、もし「安羅」を国名と考えるのでなければ、もっとも理解しやすいのが「邏人」説であるといえよう。第二に、「戍兵」のほうであるが、「安羅人」の解釈とも連動して、これを「戍兵させる」というように動詞として読もうというものである。しかし「戍」がすでに動詞でもあり、「戍らせる」ということで十分であるのに、なぜ「戍兵させる」というような、特異な表記をしたのかが問題である。そうした批判をふまえて、邏人・戍兵と並列的にみて、「羅人・戍兵を安んずる」という読みかたも提示されている。しかしその場合、邏人と戍兵の違いはいったいどのように考えるのであろうか。もし軍制として、そうした区別があると考えれば、似たような語ではあっても、制度的に異なる、とみればよいのであるが、軍制用語として、いっぽうは「人」、もういっぽうは「兵」を使うというような不統一は疑問である。従って制度的に定められた語とはみなしがたい。一般的な用語としてであれば、このような不統一は、単に修辞的に問題があるというのみで、現実にはあり得ることかも知れないが、そうであれば連続して似たような意味のことばを使うことの理由が理解できない。しかも同じ表記が３回も繰り返されるのである。このようにみれば、「安羅人戍兵」に対する新しい釈読には、疑問が多く、支持すべき積極的な理由がみいだしがたい。

この記事では、倭とその逃げ出した先である「任那加羅」との関係がうかがわれるが、「任那加羅」は金官であり、上記の倭と金官との関係を前提にすれば、当然のことである。「安羅人戍兵」は、その倭・金官の側に立って、その危機に際して進出してきたとみることができ、高句麗軍と戦っているものと考えることができる。

そういう点で、この４００年までに、倭・金官・安羅の連携が成立していたと考えることができよう。金官・卓淳・安羅を、わたしは加耶南部諸国と呼んでいるが、百済と加耶南部諸国と倭の同盟関係が４世紀後半に成立したものと考えられるのである。

Ⅲ. 新羅の金官侵攻と安羅

そのようにして成立した百済・加耶南部・倭の同盟関係は、５世紀を通しても、維持されたものと考えられるが、『日本書紀』に５世紀の安羅記事はみられない。

安羅が次の登場するのは、６世紀前半の継体紀２３年(５２９)３月是月条である〔３〕。

この月、近江毛野臣を安羅に派遣して勅を発し、新羅に対して、南加羅・喙己呑を再建するように勧めようとした。百済は将軍君尹貴・麻那甲背・麻鹵らを派遣して、安羅に行かせ、詔勅を聞かせようとした。新羅は、隣国の官家を破ったことを恐れて、身分の上のものを派遣せず、夫智奈麻礼・奚奈麻礼らを派遣して安羅に行かせ、詔勅を聞かせようとした。ここで安羅は、新たに高堂を建て、勅使を案内して昇殿させた。国主はあとにつづいて階段を登った。国内の身分の高いもので、昇殿できたものは一二であった。百済の使者である将軍君らは堂下にいた。およそ数ヶ月、二三回、堂上で謀議した。将軍君らは庭にいることを怨んだ。

みられるように、近江毛野臣(名は不明)が安羅に派遣されてきた。

近江毛野臣は、継体２１年(５２７)にも、６万の兵で「任那」に派遣されたが、九州の筑紫において、磐井の勢力に止められた。その際に、磐井と戦って、勝利しているが、「任那」に達することはできなかった。

その時の派遣の理由は、「新羅に破られた南加羅・喙己呑を復建して任那に合わせるため」であった。南加羅とは金官を指し、「任那」とは、「任那官家」を指すのであろう。

しかしこの時点ではまだ金官や隣の喙己呑が新羅に敗れ、復興されなければならない状態であったとは考えがたい。とはいえ、新羅の金官への侵攻はすでに始まっており、そうした状況のなかで、倭に対する救援の要請があったのであろう。

より詳しくいえば、百済は、すでに５１３年から、加耶の西北端に位置する己汶へ侵攻し、５１６年までにそれを確保し、ついで同じ蟾津江の流域の河口にあたる帯沙(多沙)へと侵攻し、その地も５２２年までに確保していた。己汶・帯沙は、わたしが大加耶連盟と名付けた、大加耶を中心とする諸国連合に属しており、百済の侵攻は、当然、大加耶連盟との戦いであった。しかし大加耶をはじめとする連盟諸国の抵抗にも拘わらず、百済は多沙まで進出したのであった。そのため、大加耶は、新羅と婚姻同盟を求め、５２２年に成立している。

そうした新羅との連携のもとで新羅は、５２４年に金官への侵攻を開始した。

『三国史記』巻４・新羅本紀４・法興王１１年(５２４)条の、

秋九月、王が都を出て南境を巡行し、領土を拓いた。加耶国王がやって来て会った。

という記事は、新羅の侵攻と、大加耶との連携を示すものと考えられる。

新羅が金官国をほぼ壊滅させるのは、継体紀２３年条の、上記の３月是月条よりもあとの４月是月条にみえる、上臣伊叱夫礼智干岐の攻撃によってである。

それからすると、５２７年の近江毛野臣の最初の渡海は、「新羅に破られた南加羅・喙己呑」の復建ではなく、新羅に攻撃されている南加羅＝金官に対する救援のためであった。

救援を要請したのは、攻撃を受けている金官でもよいが、金官とともに倭と同盟関係にある安羅でもよい。倭にとって４世紀後半以来の友好関係がつづく、加耶南部諸国から、新羅の侵攻を受けているので救援して欲しいという要請があったのであろう。

しかしその渡海は、筑紫の磐井勢力によって止められ、実現しなかった。磐井は、新羅と結んでいたという。

そのあと、再度、要請があって、渡海が実現したのが５２９年であった。

そうした状況のなかでの、上記のいわゆる高堂会議は、どこまで実相を伝えているのか、わたしには大いに疑問である。少なくとも、新羅が使臣を安羅に派遣したということは、にわかには認めがたい。百済は、安羅や倭と同盟関係にあり、新羅の侵攻に対する作戦の会議が開かれてもおかしくはない。

しかし実際には、４月是月条にみえるように、上臣伊叱夫礼智干岐の率いる新羅軍によって金官国を構成する４村が抄略されたのである。

５２９年の近江毛野臣の渡海は、安羅の要請によるものであろう。新羅の侵攻が強まり、安羅自身もいっそう危険が高まったといえる状況のもとである。

いわゆる高堂会議のあと(実際に開かれたとしても、数月におよんだとは考えられない)、近江毛野臣は熊川に向かい、新羅の軍勢を見て、熊川から「任那の己叱己利城」に移動したという。己叱己利城は、久斯牟羅と同じで、のちの屈自郡、すなわち卓淳と考えられる。熊川は前線といえるが、卓淳ならば全くの後退であり、つまりは退却である。

結局、要請を受けて派遣された近江毛野臣は、何もできず、新羅は４村を抄略して、金官国を壊滅させたのであった。あるものが、「多々羅などの四村が抄略されたのは、毛野臣のあやまちであった」と言ったという。

安羅は、この状況を見て、もういっぽうの同盟国である百済に対して救援を求めた。

継体２５年(５３１)条の分注には、「百済本記」をもとにした記事がある。

軍は、安羅に進軍し、乞乇城を造営した。

百済軍は、上記のように、すでに多沙まで達しており、ここで安羅の要請を受けて、安羅まで進軍してきたのである。すでに新羅は卓淳に対する攻撃をしており、百済軍はその守備に当たった。しかし結局、卓淳も、新羅が奪い取ることになった。

Ⅳ.いわゆる「任那復興会議」の安羅

このようにして、新羅が卓淳まで領有し、百済が安羅に進駐するようになって、新羅と百済とが加耶の南部で対峙しあう関係になった。それから１０年、膠着状態になるが、その間に安羅は、同盟関係にあった百濟から離れて、新羅に接近するようになったものと考えることができる。

その理由は２つある。１は、新羅の金官に対する破格の待遇である。５２９年に壊滅的な打撃を受けた金官であったが、最終的な滅亡は、５３２年である。

『三国史記』巻４・新羅本紀４・法興王１９年(５３２)条に、

金官国主の金仇亥が、妃と三人の子、長男が奴宗、まんなかが武徳、末子を武力と言うが、いっしょに連れ、国の財産・宝物を持って降伏してきた。王は礼をもって待遇し、上等の位を授け、本国を食邑とした。子の武力は、仕えて角干にまでなった。

とあるように、最後の王仇亥が、王妃と３人の子と伴って新羅に降伏したのである。それに対して新羅では、王都に住まわせ、本国を食邑とし、真骨身分を与え、また金という王の姓を与えている。それはまさに破格の待遇である。もちろん新羅の意図は、残っている加耶諸国の新羅への降伏をうながすことであり、その後も同じような待遇をするということではなかった。

２は、百済の「下韓」への郡令・城主の設置である。安羅が、多沙国まで来ていた百済軍を呼び寄せたとき、百済軍は「下韓」地域を抑えながら、安羅まで進軍した。５３１年のことであった。「下韓」地域は、多沙と安羅のあいだであり、大加耶連盟に属する国々があった。百済は５３８年に泗沘に遷都するが、その後に全国に配したのが郡将・城主であったが、それを「下韓」の地域にまでおし広げた。郡令・城主とされるが、実態は同じである。つまり百済は、「下韓」地域に対する直轄支配を進めようとしたのである。

この２つは、安羅に新羅寄りの姿勢をとらせるのに十分であった。

そして百済は、そのことに危機意識をもった。そのため、安羅の考えを変えようとして、働きかけを始めた。それがいわゆる「任那復興会議」である。

いわゆる「任那復興会議」とは、末松保和が名づけたものをうけて、便宜的にもちいる名称であり、実際に百済の聖明王が、「任那」の復建に名をかりて、加耶諸国の首長(旱岐)らを百済の王都泗沘(扶餘)に召集して主張を述べたり、安羅に使者をおくって主張を述べたりしている。『日本書紀』の欽明２年(５４１)から５年(５４４)にかけて記されている。厳密には百済において開かれた２回の会議をいうべきであろうが、ここではその間の一連の動きを、まとめてこのように呼ぶことにする。

ただし百済は、その前に、新羅に対して和議を求めている。

『三国史記』巻４・新羅本紀４・真興王２年(５４１)条に、

百済が使者を派遣して和議を要請してきたので、それを許した。

とある。それは、北の強敵高句麗に対して、協力して侵攻していこう、というもので、実際に高句麗領進出をめざす新羅にとっても都合のよいものであったが、内実は、新羅の目をそらそうとするものであった。

それでは、欽明２年から５年にかけての動きの概要をみておきたい(〔５〕~〔９〕は、その一部である)。

(ａ)二年四月、任那の旱岐らと任那日本府の吉備臣が百済へ行き、聖明王が〔南加羅・卓淳・喙己呑の三国の〕復建策を問うた。旱岐らが答えていった。「新羅と再三議したが答えがない。卓淳らと同じようなわざわいを受けることを恐れる」

と。聖明王は、速古王・貴首王代からの友好関係を強調し、「三国は新羅が強いためではなく内応などのために滅びたのであり、新羅は独力で任那を滅ぼせない、力をあわせよう」といい、旱岐らは、贈り物を受け取ってかえった。

(b)秋七月、百済は安羅の日本府と新羅が通計していることを聞いて、使者を安羅に派遣し、新羅に行った任那の執事を召して、議した。別に新羅と通計した安羅の日本府の河内直らを責めた。そして「任那」に、速古王・貴首王いらいの友好関係を再度強調し、「三国をもとにもどし、倭に朝しよう。新羅のわなにおちてはいけない」とさとした。聖明王はまた任那の日本府に、「新羅の甘言をうけて天皇をはずかしめてはいけない」といった。

(c)秋七月(あるいは三年の)、百済が倭に使者を派遣してきて、下韓・任那の政を奏し、四年四月に帰った。

(d)四年秋九月、聖明王が倭に使者を派遣し、扶南の財物などを献じた。

(e)十一月、津守連を派遣して百済に詔していった。「任那の下韓にいる百済の郡令・城主を日本府に附けるべきである」と。また宣して、「任那を早く建てれば河内直らはおのずから退くであろう」といった。聖明王は、宣勅を聞き、佐平らに問うたが、佐平らは、「郡令・城主は出すべきではありません。復建のことは勅を聞くべきです」と答えた。

(f)十二月、聖明王は前の勅を広く群臣にみせて問うた。群臣らは、「任那の執事・国々の旱岐らをよび、ともに計るべきです。河内直・移那斯・麻都らがいると復建はむずかしいので、本国に返らせるようにしましょう」といい、聖明王も自分の意見と同じであるといった。

(g)この月、百済が遣使して任那の執事と日本府の執事とをよんだが、ともに「元旦が過ぎてから行く」と答えた。

(h)五年春正月、百済がまた遣使して任那の執事と日本府の執事とをよんだが、ともに「祭が終わってから行く」と答えた。

(i)この月、百済がまた遣使して任那の執事と日本府の執事とをよんだが、ともに執事を送らず、身分の低いものを送ったので、議することができなかった。

(j)二月、百済は、使者を任那に派遣して日本府と任那の旱岐らにいった。「わが国は倭に遣使して、日本府とともによいはかりごとをするようにとの詔を受けた。また倭から使者の津守連も来た。そこで、三度、日本府・任那の執事を召集したが来ないため、謀ることができない。三月十日に倭に使者を送り、そのことを天皇に奏するつもりである。日本府の卿・任那の旱岐ら各々使者をわが使者とともに倭へ派遣せよ」と。また別に河内直にいった。「昔からおまえの悪事を聞いている。おまえの先祖たちは、ともによこしまな考えをいだいてひとを誘惑した。任那が日々損なわれるはおまえのためである。天皇にはおまえたちを本国に返せと申し上げる」と。また日本府の卿・任那の旱岐らにいった。「おまえたちが来なければ任那の復建を議することができない」と。日本府がこたえて、「任那の執事が行かないのは、わたしが遣わさないからです。天皇は、印奇臣を新羅に、津守連を百済に遣わしたから、新羅・百済には行くなといわれました。たまたま印奇臣が新羅に行くのを聞いて問うてみると、新羅に行って勅を聞けとのことでした。途中であった津守連も、百済へは郡令・城主撤退を求めに行くのみであるといいました。百済につどい勅を聞けとはしりません」といった。また任那の旱岐らも「日本府の卿が行くことを認めないので、聖明王の心情はわかるが行けません」といった。

(k)三月、百済が使者を倭に派遣して上表した。「さきに任那や日本府の執事らをよびましたが参りませんでした。それは阿賢移那斯と佐魯麻都の策謀によります。そもそも任那は安羅を兄とし、安羅の人は日本府を父として、その意にしたがっております。的臣・吉備臣・河内直らは移那斯・麻都らにしたがっております。このふたりが日本府の政をほしいままにしているのです。ふたりが安羅にいて策謀すれば、任那を復建することはできません。新羅は、・　淳をとり、わが久礼山の戍(守備兵)をおいだして占領しました。安羅に近いところは、安羅が耕種し、久礼山に近いところは、新羅が耕種しており、たがいに侵奪しておりません。ところが、移那斯・麻都は境界をすぎて耕し、逃げ去りました。わたしはかつて、新羅が春秋ごとに多くの武器を集めて安羅と荷山とを襲おうとしていると聞きました。また、加羅を襲おうとしているとも聞きました。そのころ手紙を得て、救援軍をさしむけ、任那も耕種することができ、新羅も迫らなくなりました。的臣らが新羅に通ったために耕種することができたというのは、天朝を欺くものです。佐魯麻都は、韓腹に生まれながら、日本の執事にまじって栄達し、いま新羅の奈麻礼冠を着け、新羅に赴くことをはばかりません。三国は内応によって滅んだのです。麻都らを本国に移すべきです」と。

(l)十月、百済の使者が帰った。

(m)十一月、百済が、日本府の臣・任那の執事を召集し、旱岐らは百済に行った。聖明王は、任那を復建する計略を問うた。吉備臣・任那の旱岐らは「王とともに天皇の勅を聞きましょう」といった。聖明王は、「任那を復興し、もとのとおり兄弟となりたい。聞くところによれば、新羅と安羅両国の境におおきな川があり、要害の地という。わたしはここに六城を造営し、天皇に三千の兵士を請い、新羅に耕作させないように苦しめれば、久礼山の五城はおのずから武器を捨てて降伏し、卓淳も復興するであろう。これが策の第一である。南韓に郡令・城主を置くのは、多難を救い、強敵(北敵=高句麗)をふせぎ、新羅を制するためであり、そうでなければ滅ぼされて朝聘することができない。策の第二である。吉備臣・河内直・移那斯・麻都がいては任那を復建できない。かれらを本邑に移すべきである。これが策の第三である」といった。吉備臣や旱岐らは、「三つの策は、わが心情にかなったものです。帰って日本の大臣・安羅の王・加羅の王に諮問し、天皇に奏上いたします」と答えた。

かなり長い引用になったが、これでも要約である。この一連の記事が、およそ百済三書のひとつである「百済本記」に基づくものであることは、この間９回にもわたって、分注にそれを引いていることからも理解できる。しかし、百済三書自体に造作があり、さらに『日本書紀』編修の段階でも造作が考えられることは、広く知られている。従って「百済本記」に基づくとしても、史料としては十分に注意を要する。

まず、この一連の動きは、百済系の史料であることからも無理がないといえるが、百済の積極的な働きかけが目につく。では、百済はなにを意図していたのであろうか。

(a)(b)には、先にふれたような近肖古王・近仇首王代以来の加耶南部諸国との友好関係を持ちだして、元のような関係に戻ろうと主張するのである。

しかし現実は、そのようなゆるやかな主張ではなく、より具体的な要求がみられるのである。

(k)をみれば阿賢移那斯・佐魯麻都の悪を強く説いている。

任那すなわち参席した加耶諸国は、安羅を兄とし、その意に従っているが、安羅人は、日本府を天としてその意に従っている、そして日本府は、阿賢移那斯・佐魯麻都に制されている、というのである。

この記事をはじめとして、「会議」において、百済が一貫して主張しているのは、「任那日本府」の的臣・吉備臣・河内直・阿賢移那斯・佐魯麻都らの放逐である。(j)(m)に直接述べるように、また(e)(f)からもうかがわれるように。

なぜ彼らの放逐が必要であるかといえば、彼らが新羅と通計・内応している、というのがその理由である。的臣・河内直らは新羅に往来し、佐魯麻都にいたっては、新羅の奈麻の衣冠を身につけている。これは、新羅の身分を表示するものである。

では、河内直・阿賢移那斯・佐魯麻都とは、いったいどういう人たちであるのか。

上記の(ｊ)本文と、分注に引く「百済本記」とを考えあわせると、この三人の共通の先祖は那干陀甲背(那奇陀甲背)であり、それは『日本書紀』顕宗３年(４８７)是年条に、百済に殺されたとみえる「任那の左(佐)魯那奇他甲背」と同一人物である。年代的にみて祖父ではないかとされる。とすれば、加猟直岐甲背か鷹奇岐弥が父ということになる。加猟直岐甲背と鷹奇岐弥には同一人物説もあり、その場合には三人は、兄弟ということになる。別人の場合には、三人は、どちらかふたりが兄弟で、あとのひとりはそのいとこということになる。

(ｋ)に「佐魯麻都は、韓腹にうまれながら、日本の執事にまじって栄達し……」とあった。「韓腹」とは、母親が韓人であるということで、逆に父親が倭人であることを示唆している。とすれば、三人は倭系の人物で、少なくとも佐魯麻都は韓人との二世ということになる。

甲背は百済の何らかの称号という理解が普通であるが、それは「前部木刕不麻甲背」(継体１０年５月条)や「城方甲背昧奴」(欽明２年４月条)など明らかな百済人が持っている称号だからであろう。しかし、ひるがえって「任那の左(佐)魯那奇他甲背」の「任那」に注目すれば、かならずしも百済の称号に限定できるものではないように思える。百済や「任那」における称号としておくべきである。三人の祖父那干陀は倭人で、「任那」に仕えた、ということになる。

加猟直岐甲背であるが、加猟は加羅であるとする考えがある。それでよければ、「加羅の直岐」ということで、同じように「加羅」に仕えた、と考えなければならない。

一応そのように考えるとして、那干陀の仕えた「任那」、直岐の仕えた「加羅」とはどこであろうか。「加羅」については、大加耶とみる説が多いが、この場合は、安羅をあてるのが自然であり、それで矛盾もない。それをわざわざ大加耶にあてる必然性はない。安羅を単に加羅と記すこともある。「任那」もまた安羅としてよかろう。

結局わたしは、倭人那干陀が安羅にわたり、安羅に仕え、百済と戦って死に(安羅国と百済国との戦いではない)、その子直岐(鷹奇岐弥と同一人物説では、直岐は首長の意で、鷹奇が名であるとする)もそのまま留まって安羅に仕えた。直岐が「韓腹」すなわち安羅の女性を娶って生んだのが麻都(あるいは移那斯も)である、と考える。

河内直の母はわからないが、三人は、このように、祖父の代から安羅に留まり、安羅に関わりをもってきた倭系の人物であることになる。「任那日本府」について、次にみるが、およそ日本からの使臣団とみてよい、その使臣団は、このような在地の人物を用いていたのである。

かれらの「内応」「通計」と呼ばれる行動は、安羅国と無関係であるとは考えられない。その意向に沿って、彼らが新羅と通じているものと考えられる。

「任那復興会議」とよばれるのは、新羅にほほろぼされた南加羅(金官)・旛己呑・卓淳の三国を復建することを目的とした集まりだからであるが、上に上げた史料を通してみれば、それは単なる名目にすぎないことがわかる。

百済がくりかえし述べているのは、三国が新羅の実力によってではなく内応によって滅びたということで、新羅に内応することを戒めるかたちでとりあげているのである。それは当然、参席の諸国の「内応」を警戒しているからである。

実際、「内応」は、「任那日本府」の河内直・阿賢移那斯らに限られるものではなかった。百済の非難は、かれらに集中しているが、ただ1ヶ所、(b)に安羅に行って「新羅に行った任那の執事を召して議した」とある。「任那の執事」は、たびたびみえているが、とくに(m)での用例にしたがえば、「任那の旱岐」を指しているといえる。しかし実際には、普通にいわれるように、旱岐の下の官人であろう。安羅で召していることから、特に安羅の官人かと思われる。新羅との「内応」は、安羅の意向でもあったのである。

百済が、河内直・阿賢移那斯らの放逐をくりかえし求めるのは、安羅の意向にそった倭系の人物を排除することが目的だということになる。それが、百済のねらいと関わるものであろう。百済としては、安羅が新羅に「内応」するのを止めることが最重要の課題であったのである。

そこで改めてその通計の背景を考えると、上記のように、百済が「下韓」地域に郡令・城主を設置したことが思いうかぶ。安羅にとって危険きわまりない郡令・城主を撤廃させることは、安羅の重要な課題であった。三人はこのような安羅の意向をうけて、倭の使臣団をみちびき、また直接、新羅と往来したということであろう。

安羅がそのように、新羅と通じることを選んだ背景としては、もう１つ挙げておく必要がある。それが、新羅の金官国に対する破格の待遇である。そのような新羅と百済とを対比して、どちらに就くのがみずからの利になるかを考えた場合、答えは容易に見つかったと考えられる。

百済がかれらの放逐をしつように要求したのは、百済の利害からすれば、当然の政略であったのである。

ここで、安羅の意向を体現しているというべき「任那日本府」について、考えておかなければならない。そもそも『日本書紀』において「任那日本府」という表記がみられるのは、

１)欽明紀２年４月条

２)同上

３)同年７月条

４)同上

の４例しかない。「日本府」をふくむ表記ということであれば、

雄略紀８年(４６４)２月条

「日本府行軍元帥」

欽明紀２年(５４１)７月条

「安羅日本府」２例

欽明紀２年７月条「日本府」

４年１１月「日本府」

同是月条「日本府執事」

５年正月条「日本府執事」

同是月条「日本府執事」

同上「日本府」

同２月条「日本府」５例

同上「日本府卿」３例

同３月条「日本府」２例

同１１月「日本府臣」２例

同上「日本府」２例

６年９月条「日本府臣」

９年４月条「日本府」２例

１３年５月条「日本府臣」

と増えることになる。しかし、「任那日本府」の４例すべて、および「日本府」のほとんどの例が欽明２年~５年の間の例であり、つまりこのいわゆる「任那復興会議」の一連の史料のなかに見られるものである。「任那日本府」を知るためには、この「任那復興会議」を正しく把握しなければならないということである。

「日本府」という言葉からの連想か、これを機関・官衙のように考えることがあるが、「日本」は当時の用語ではない。欽明１５年条に「安羅にいる諸倭臣」という語がある。これが実態を伝えるものであろう。しかし、機能を示すものではない。意味としては、「倭宰」が近いであろう。

「倭宰」とする理解は、『釈日本紀』にもみえるように、古くからある。「倭のみこともち」ということで倭の使臣、というか使臣団を意味する。近年、この理解を採用する論者がふえてきた。わたしもそれでよいと考える。

使臣団が卿(大臣)・臣・執事の三等官構成であってもおかしくない。また、河内直ら在地の人物を含んでいるが、一般的にはそれもおかしいことではない。

これをかつて考えてきたような統治機関とみるには、大きな飛躍が必要であることが理解されよう。その用例をどうみても、統治機関という理解は出てこないように思う。さらに、その語があらわれる年代をおおきくこえて、存在を認めようとするのは、もはや史料の限界をこえている。

この会議における倭の立場は、安羅の意向に沿ったものであるといえる。その立場で、百済を非難しているのである。この時期まで、百済・加耶南部・倭の同盟は維持されてきたと考えられるが、加耶南部と百済との利害が一致しないとき、倭は、加耶南部を選んでいる。それは、この時以外にもみられることであるが、この時にも、それが変わっていないことを見ることができる。倭としては、金官の滅んだあと、依然として最も深く友好な関係国として安羅を想定しているということである。

Ⅴ. 安羅の滅亡

百済のねらいと、安羅の意図が交錯する、いわゆる「任那復興会議」であったが、それを経ても、安羅の意向はかわらなかった。

『三国史記』巻３４・地理志１・康州・咸安郡には、

咸安郡。法興王が大兵で阿尸良國を滅ぼした【または阿郡加耶という】。

とあるが、法興王は５４０年までの在位であり、それまでに滅んだというのは明らかにおかしい。

『日本書紀』欽明紀２２年(５６１)条に、

新羅が阿羅波斯山に築城して日本に備えた。

とある。これが「阿羅の波斯山」を意味するとすれば、阿羅すなわち安羅であり、それが具体的にどこにあたるかはわからないものの、５６１年には、新羅が安羅に築城することができたということであり、一般にいう５６２年よりも前に、新羅に降っていた可能性があるということになる。

『日本書紀』欽明２３年(５６２)条には、

春正月、新羅が、任那の官家を滅ぼした【ある記録には「２１年に任那が滅んだ」とある。総じて任那といい、わけては加羅国・安羅国・斯二岐国・多羅国・卒麻国・古嵯国・子他国・散半下国・乞飡国・稔礼国という。あわせて１０国である】。

とある。これは、新羅が残った大加耶を攻撃した結果、大加耶が降り、それに伴って大加耶連盟の諸国も降ったことと対応する。この１０国に安羅国もみえているが、安羅の新羅との「内応」の意向からすれば、おそらく管山城の戦いからまもなく、新羅に完全に従属したとみてよかろう。

【引用文献】

千寛宇 1991『加耶史研究』一潮閣

末松保和 1956『任那興亡史』吉川弘文館

山尾幸久 1989『古代の日朝関係』塙書房

なお、田中俊明 1992『大加耶連盟の興亡と「任那」』吉川弘文館、田中俊明 2009『古代の日本と加耶』山川出版社を参照。

『日本書紀』安羅関係史料

〔1〕神功皇后摂政４９年(修正３６９)３月条

春三月、以荒田別・鹿我別為将軍、則與久氐等、共勒兵而度之、至卓淳国、将襲新羅。時或曰、兵衆少之、不可破新羅。更復奉上沙白・蓋盧請増軍士。即命木羅斤資・沙々奴跪【是二人、不知其姓人也。但木羅斤資者、百済将也。】領精兵、與沙白・蓋盧共遣之。倶集于卓淳、擊新羅而破之。因以平定比自炑・南加羅・喙国・安羅・多羅・卓淳・加羅七国。仍移兵、西廻至古奚津、屠南蛮忱弥多礼、以賜百済。於是其王肖古及王子貴須、亦領軍来会。時比利・辟中・布弥支・半古四邑、自然降服。是以百済王父子及荒田別・木羅斤資等、共会意流村【今云州流須祇】。相見欣感、厚礼送遣之。唯千熊長彦與百済王、至于百済国、登辟支山盟之。復登古沙山、共居磐石上。時百済王盟之曰、若敷草為坐、恐見火焼。且取木為坐、恐為水流。故居磐石而盟者、示長遠之不朽者也。是以自今以後千秋萬歲、無絶無窮。常称西藩、春秋朝貢。則将千熊長彦至都下厚加礼遇。亦副久氐等而送之。

〔2〕継体７年(５１３)条

夏六月、百済遣姐弥文貴将軍・州利即爾将軍、副穂積臣押山【百済本記云、委意斯移麻岐弥】、貢五経博士段楊爾。別奏云、伴跛国略奪臣国己汶之地。伏願、天恩判還本属。……

冬十一月辛亥朔乙卯、於朝庭引列百済姐弥文貴将軍・斯羅汶得至・安羅辛已奚及賁巴委佐・伴跛既殿奚及竹汶至等、奉宣恩勅。以己汶・滞沙賜百済国。

是月、伴跛国、遣戢支献珍宝、乞己汶之地。而終不賜。

〔3〕継体23年(529)条

春三月、百済王謂下哆唎国守穂積押山臣曰、夫朝貢使者、恆避嶋曲【謂海中嶋曲崎岸也。俗云美佐祁】、毎苦風波。因茲湿所賷全壊无色。請以加羅多沙津、為臣朝貢津路。是以押山臣為請聞奏。

是月、遣物部伊勢連父根・吉士老等、以津賜百済王。於是加羅王謂勅使云、此津従置官家以来、為臣朝貢津渉。安得輙改賜隣国。違元所封限地。勅使父根等因斯難以面賜、却還大島。別遣録史、果賜扶余。由是加羅結儻新羅、生怨日本。加羅王娶新羅王女、遂有児息。新羅初送女時、并遣百人為女従。受而散置諸県、令着新羅衣冠。阿利斯等嗔其変服、遣使徴還。新羅大羞飜欲還女曰、前承汝聘吾便許婚。今既若斯、請還王女。加羅己富利知伽【未詳】報云、配合夫婦、安得更離。亦有息児、棄之何往。遂於所経抜刀伽・古跛・布那牟羅三城。亦抜北境五城。

是月、遣近江毛野臣使于安羅。勅勧新羅、更建南加羅・喙己呑。百済遣将軍君尹貴・麻那甲背・麻鹵等、往赴安羅、式聴詔勅。新羅恐破蕃国官家、不遣大人、而遣夫智奈麻礼・奚奈麻礼等、往赴安羅、式聴詔勅。於是安羅新起高堂、引昇勅使。国主随後昇階。国内大人預昇堂者一二。百済使将軍君等、在於堂下。凡数月再三、謨謀乎堂上。将軍君等、恨在庭焉。

〔4〕継体２５年(５３１)条

春二月、天皇病甚。丁未、天皇崩于磐余玉穂宮。時年八十二。

冬十二月丙申朔庚子、葬于藍野陵。【或本云、天皇、廿八年歳次甲寅崩。而此云廿五年歳次辛亥崩者、取百済本記為文。其文云、太歳辛亥三月、軍進至于安羅、営乞乇城。是月、高麗弑其王安。又聞、日本天皇及太子皇子、倶崩薨。由此而言、辛亥之歳、当廿五年矣。後勘校者、知之也。】

〔5〕欽明２年(５４１)４月条

夏四月、安羅次旱岐夷呑奚・大不孫・久取柔利、加羅上首位古殿奚、卒麻旱岐、散半奚旱岐児、多羅下旱岐夷他、斯二岐旱岐児、子他旱岐等、與任那日本府吉備臣【闕名字】往赴百済、倶聴詔書。百済聖明王謂任那旱岐等言、日本天皇所詔者、全以復建任那。今用何策、起建任那。盍各尽忠、奉展聖懐。任那旱岐等対曰、前再三廻、與新羅議。而無答報。所図之旨、更告新羅、尚無所報。今宜倶遣使、往奏天皇。夫建任那者、爰在大王之意。祇承教旨、誰敢間言。然任那境接新羅、恐致卓淳等禍【等謂㖨己呑・加羅。言卓淳等国、有敗亡之禍。】。聖明王曰、昔我先祖速古王・貴首王之世、安羅・加羅・卓淳旱岐等、初遣使相通、厚結親好、以為子弟、冀可恆隆。而今被誑新羅、使天皇忿怒、而任那憤恨、寡人之過也。我深懲悔、而遣下部中佐平麻鹵・城方甲背昧奴等赴加羅、会于任那日本府相盟。以後繫念相続、図建任那、旦夕無忘。今天皇詔称、速建任那。由是欲共爾曹謨計、樹立任那等国。宜善図之。又於任那境、徵召新羅、問聴與不。乃倶遣使、奏聞天皇、恭承示教。儻如使人未還之際、新羅候隙、侵逼任那、我当往救。不足為憂。然善守備、謹警無忘。別汝所導、恐致卓淳等禍、非新羅自強故、所能為也。其喙己呑、居加羅與新羅境際、而被連年攻敗。任那無能救援。由是見亡。其南加羅、蕞爾狭小、不能卒備、不知所託。由是見亡。其卓淳、上下携弐。主欲自附、内応新羅。由是見亡。因斯而観、三国之敗、良有以也。昔新羅請援於高麗、而攻撃任那與百済、尚不剋之。新羅安独滅任那乎。今寡人、與汝戮力并心、翳頼天皇、任那必起。因贈物各有差。忻々而還。

〔6〕欽明2年(541)7月条

秋七月、百済聞安羅日本府與新羅通計、遣前部奈率鼻利莫古・奈率宣文・中部奈率木刕眯淳・紀臣奈率弥麻沙等【紀臣奈率者、蓋是紀臣娶韓婦所生、因留百済、為奈率者也。未詳其父。他皆效此也。】使於安羅、召到新羅任那執事、謨建任那。別以安羅日本府河内直、通計新羅、深責罵之【百済本記云、加不至費直・阿賢移那斯・佐魯麻都等。未詳也。】。乃謂任那曰、昔我先祖速古王・貴首王、與故旱岐等、始約和親、式為兄弟。於是我以汝為子弟、汝以我為父兄。共事天皇、倶距強敵。安国全家、至于今日。言念先祖、與旧旱岐、和親之詞、有如皎日。自茲以降、勤修隣好、遂敦與国。恩踰骨肉。善始有終、寡人之所恆願。未審、何縁軽用浮辞、数歳之間、慨然失志。古人云、追悔無及、此之謂也。上達雲際、下及泉中、誓神乎今、改咎乎昔。一無隠匿、発露所為。精誠通霊、深自克責、亦所宜取。蓋聞、為人後者、貴能負荷先軌、克昌堂構、以成勳業也。故今追崇先世和親之好、敬順天皇詔勅之詞、抜取新羅所折之国南加羅・喙己呑等、還属本貫、遷実任那、永作父兄、恆朝日本。此寡人之所食不甘味、寝不安席。悔往戒今之、所労想也。夫新羅甘言希誑、天下之所知也。汝等妄信、既堕人権。方今任那境接新羅。宜常設備。豈能弛柝。爰恐、陥罹誣欺網穽、喪国亡家、為人繋虜。寡人念茲、労想而不能自安矣。竊聞、任那與新羅運策席際、現蜂蛇怪。亦衆所知。且夫妖祥、所以戒行。災異所以悟人。当是、明天告戒、先霊之徴表者也。禍至追悔、滅後思興、孰云及矣。今汝遵余、聴天皇勅、可立任那。何患不成。若欲長存本土、永御旧民、其謨在茲。可不慎也。聖明王更謂任那日本府曰、天皇詔称、任那若滅、汝則無資。任那若興、汝則有援。今宜興建任那、使如旧日、以為汝助、撫養黎民。謹承詔勅、悚懼填胸。誓効丹誠、冀隆任那。永事天皇、猶如往日。先慮未然、々後康楽。今日本府、復能依詔、救助任那、是為天皇、所必褒讃、汝身所当賞禄。又日本卿等、久住任那之国、近接新羅之境。新羅情状、亦是所知。毒害任那、謨防日本、其来尚矣。匪唯今年。而不敢動者、近羞百済、遠恐天皇。誘事朝庭、偽和任那。如斯感激任那日本府者、以未禽任那之間、偽示伏従之状。願今候其間隙、估其不備、一挙兵而取之。天皇、以詔勅、勧立南加羅・喙己呑、非但数十年。而新羅一不聴命、亦卿所知。且夫信敬天皇、為立任那、豈若是乎。恐卿等輙信甘言、軽被謾語、滅任那国、奉辱天皇。卿其戒之、勿為他欺。

〔7〕欽明４年(５４３)条

四年夏四月、百済紀臣奈率弥麻沙等罷之。

秋九月、百済聖明王遣前部奈率真牟貴文・護徳己州己婁與物部施徳麻奇牟等、来献扶南財物與奴二口。

冬十一月丁亥朔甲午、遣津守連、詔百済曰、在任那之下韓、百済郡令城主、宜附日本府。并持詔書、宣曰、爾屢抗表、称当建任那、十余年矣。表奏如此、尚未成之。且夫任那者、為爾国之棟梁。如折棟梁、詎成屋宇。朕念在茲。爾須早建。汝若早建任那、河内直等、【河内直已見上文。】自当止退。豈足云乎。是日、聖明王、聞宣勅已、歴問三佐平内頭及諸臣曰、詔勅如是。当復何如。三佐平等答曰、在下韓之、我郡令城主、不可出之。建国之事、宜早聴聖勅。

十二月、百済聖明王、復以前詔、普示群臣曰、天皇詔勅如是。当復何如。上佐平沙宅己婁・中佐平木刕麻那・下佐平木尹貴・徳率鼻利莫古・徳率東城道天・徳率木刕咊淳・徳率国雖多・奈率燕比善那等、同議曰、臣等稟性愚闇、都無智略。詔建任那。早須奉勅。今宜召任那執事・国々旱岐等、倶謀同計、抗表述志。又河内直・移那斯・麻都等、猶住安羅、任那恐難建之。故亦并表、乞移本処也。聖明王曰、群臣所議、甚称寡人之心。

是月、乃遣施徳高分、召任那執事與日本府執事。倶答言、過正旦而往聴焉。

〔8〕欽明5年(544)3月条

三月、百済遣奈率阿乇得文・許勢奈率奇麻・物部奈率奇非等、上表曰、奈率弥麻沙・奈率己連等、至臣蕃、奉詔書曰、爾等宜共在彼日本府、同謀善計、早建任那。爾其戒之。勿被他誑。又津守連等、至臣蕃奉勅書、問建任那。恭承来勅、不敢停時、為欲共謀。乃遣使召日本府【百済本記云、遣召烏胡跛臣。蓋是的臣也。】與任那。倶対言、新年既至。願過而往。久而不就。復遣使召。俱対言、祭時既至。願過而往。久而不就。復遣使召。而由遣微者、不得同計。夫任那之、不赴召者、非其意焉。是阿賢移那斯・佐魯麻都、【二人名也。已見上文。】姧佞之所作也。夫任那者、以安羅為兄。唯従其意。安羅人者、以日本府為天。唯従其意。【百済本記云、以安羅為父。以日本府為本也。】今的臣・吉備臣・河内直等、咸従移那斯・麻都指撝而已。移那斯・麻都、雖是小家微者、専擅日本府之政。又制任那、障而勿遣。由是、不得同計、奏答天皇。故留己麻奴跪、【蓋是津守連也。】別遣疾使迅如飛鳥、奉奏天皇。仮使二人、【二人者、移那斯與麻都也。】在於安羅、多行姧佞、任那難建、海西諸国、必不獲事。伏請、移此二人、還其本処。勅喩日本府與任那、而図建任那。故臣遣奈率弥麻沙・奈率己連等、副己麻奴跪、上表以聞。於是、詔曰、的臣等、【等者、謂吉備弟君臣・河内直等也。】往来新羅、非朕心也。曩者、印支弥【未詳。】與阿鹵旱岐在時、為新羅所逼、而不得耕種。百済路迥、不能救急。由的臣等往来新羅、方得耕種、朕所曾聞。若已建任那、移那斯・麻都、自然却退。豈足云乎。伏承此詔、喜懼兼懐。而新羅誑朝、知匪天勅。新羅春取㖨淳。仍擯出我久礼山戍、而遂有之。近安羅処、安羅耕種。近久礼山処、斯羅耕種。各自耕之、不相侵奪。而移那斯・麻都、過耕他界、六月逃去。於印支弥後来、許勢臣時、【百済本記云、我留印支弥之後、至既洒臣時。皆未詳。】新羅無復侵逼他境。安羅不言為新羅逼不得耕種。臣嘗聞、新羅每春秋、多聚兵甲、欲襲安羅與荷山。或聞、当襲加羅。頃得書信。便遣将士、擁守任那、無懈息也。頻発鋭兵、応時往救。是以、任那随序耕種。新羅不敢侵逼。而奏百済路迴、不能救急、由的臣等、往来新羅、方得耕種、是上欺天朝、転成奸佞也。暁然若是、尚欺天朝。自余虚妄、必多有之。的臣等、猶住安羅、任那之国、恐難建立。宜早退却。臣深懼之、佐魯麻都、雖是韓腹、位居大連。廁日本執事之間、入栄班貴盛之例。而今反着新羅奈麻礼冠。即身心帰附、於他易照。熟観所作、都無怖畏。故前奏悪行、具録聞訖。今猶着他服、日赴新羅域、公私往還、都無所憚。夫喙国之滅、匪由他也。喙国之函跛旱岐、弐心加羅国、而内応新羅、加羅自外合戦。由是滅焉。若使函跛旱岐、不為内応、旛国雖少、未必亡也。至於卓淳、亦復然之。仮使卓淳国主、不為内応新羅招寇、豈至滅乎。歴観諸国敗亡之禍、皆由内応弐心人者。今麻都等、腹心新羅、遂着其服、往還旦夕、陰構奸心。乃恐、任那由茲永滅。任那若滅、臣国孤危。思欲朝之、豈復得耶。伏願天皇、玄鑒遠察、速移本処、以安任那。

〔9〕欽明5年(544)11月条

十一月、百済遣使、召日本府臣・任那執事曰、遣朝天皇、奈率得文・許勢奈率奇麻・物部奈率奇非等、還自日本。今日本府臣及任那国執事、宜来聴勅、同議任那。日本吉備臣、安羅下旱岐大不孫・久取柔利、加羅上首位古殿奚・卒麻君・斯二岐君・散半奚君児、多羅二首位訖乾智、子他旱岐、久嵯旱岐、仍赴百済。於是、百済王聖明、略以詔書示曰、吾遣奈率弥麻佐・奈率己連・奈率用奇多等、朝於日本。詔曰、早建任那。又津守連奉勅、問成任那。故遣召之。当復何如、能建任那。請各陳謀。吉備臣・任那旱岐等曰、夫建任那国、唯在大王。欲冀遵王、倶奏聴勅。聖明王謂之曰、任那之国、與吾百済、自古以来、約為子弟。今日本府印岐弥、【謂在任那日本臣名也。】既討新羅、更将伐我。又楽聴新羅虚誕謾語也。夫遣印岐弥於任那者、本非侵害其国。【未詳。】往古来今、新羅無道。食言違信、而滅卓淳。股肱之国、欲快返悔。故遣召到、倶承恩詔、欲冀、興継任那之国、猶如旧日、永為兄弟。竊聞、新羅安羅、両国之境、有大江水。要害之地也。吾欲拠此、脩繕六城。謹請天皇三千兵士、毎城充以五百、并我兵士、勿使作田、而逼悩者、久礼山之五城、庶自投兵降首。卓淳之国、亦復当興。所請兵士、吾給衣粮。欲奏天皇、其策一也。猶於南韓、置郡令・城主者、豈欲違背天皇、遮断貢調之路。唯庶、剋済多難、殲撲強敵。凡厥凶党、誰不謀附。北敵強大、我国微弱。若不置南韓、郡領・城主、脩理防護、不可以禦此強敵。亦不可以制新羅。故猶置之、攻逼新羅、撫存任那。若不爾者、恐見滅亡、不得朝聘。欲奏天皇、其策二也。又吉備臣・河内直・移那斯・麻都、猶在任那国者、天皇雖詔建成任那、不可得也。請、移此四人、各遣還其本邑。奏於天皇、其策三也。宜與日本臣・任那旱岐等、倶奉遣使、同奏天皇、乞聴恩詔。於是、吉備臣・旱岐等曰、大王所述三策、亦協愚情而已。今願、帰以敬諮日本大臣【謂在任那日本府之大臣也。】安羅王・加羅王、倶遣使同奏天皇。此誠千載一会之期、可不深思而熟計歟。

〔10〕欽明9年(548)4月条

夏四月壬戌朔甲子、百済遣中部杆率掠葉礼等奏曰、徳率宣文等、奉勅至臣蕃曰、所乞救兵、応時遣送。祇承恩詔、嘉慶無限。然馬津城之役、【正月辛丑、高麗率衆、囲馬津城。】虜謂之曰、由安羅国與日本府、招来勧罰。以事准況、寔当相似。然三廻欲審其言、遣召而並不来。故深労念。伏願、可畏天皇、【西蕃皆称日本天皇、為可畏天皇。】先為勘当。暫停所乞救兵、待臣遣報。詔曰、式聞呈奏、爰覿所憂、日本府與安羅、不救隣難、亦朕所疾也。又復密使于高麗者、不可信也。朕命即自遣之。不命何容可得。願王、開襟緩帯、恬然自安、勿深疑懼。宜共任那、依前勅、戮力倶防北敵、各守所封。朕当遣送若干人、充実安羅逃亡空地。

〔11〕欽明１３年(５５２)５月条

五月戊辰朔乙亥、百済・加羅・安羅、遣中部徳率木劦今敦・河内部阿斯比多等奏曰、高麗與新羅、通和并勢、謀滅臣国與任那。故謹求請救兵、先攻不意。軍之多少、随天皇勅。詔曰、今百済王・安羅王・加羅王、與日本府臣等、倶遣使奏状聞訖。亦宜共任那、并心一力。猶尚若茲、必蒙上天擁護之福、亦頼可畏天皇之霊也。

〔12〕欽明１４年(５５３)８月条

八月辛卯朔丁酉、百済遣上部奈率科野新羅・下部固徳・休帯山等、上表曰、去年臣等同議、遣内臣徳率次酒・任那大夫等、奏海表諸弥移居之事。伏待恩詔、如春草之仰甘雨世。今年忽聞、新羅與狛国通謀云、百済與任那、頻詣日本。意謂是乞軍兵、伐我国歟。事若実者、国之敗亡、可企踵而待。庶先日本軍兵、未発之間、伐取安羅、絶日本路。其謀若是。臣等聞茲、深懐危懼。即遣疾使軽舟、馳表以聞。伏願、天慈速遣前軍後軍、相続来救。逮于秋節、以固海表弥移居也。若遅晩者、噬臍無及矣。所遣軍衆、来到臣国、衣粮之費、臣当充給。来到任那、亦復如是。若不堪給、臣必助充、令無乏少。別的臣敬受天勅、来撫臣蕃。夙夜乾々、勤修庶務。由是、海表諸蕃、皆称其善。謂当万歳、粛清海表。不幸云亡。深用追痛。今任那之事、誰可修治。伏願、天慈速遣其代、以鎮任那。又復海表諸国、甚乏弓馬。自古迄今、受之天皇、以禦強敵。伏願、天慈多・弓馬。

〔13〕欽明１５年(５５４)条

冬十二月、百済遣下部杆率汶斯干奴、上表曰、百済王臣明、及在安羅諸倭臣等、任那諸国旱岐等奏、以斯羅無道、不畏天皇、與狛同心、欲残滅海北弥移居。臣等共議、遣有至臣等、仰乞軍士、征伐斯羅。而天皇遣有至臣、帥軍以六月至来。臣等深用歓喜。以十二月九日、遣攻斯羅。臣先遣東方領物部莫奇武連、領其方軍士、攻函山城。有至臣所将来民竹斯物部莫奇委沙奇、能射火箭。蒙天皇威霊、以月九日酉時、焚城抜之。故遣単使馳船奏聞。

〔14〕欽明２３年(５６２)

廿三年春正月、新羅打滅任那官家。【一本云、廿一年、任那滅焉。総言任那。別言加羅国・安羅国・斯二岐国・多羅国・卒麻国・古嵯国・子他国・散半下国・乞飡国・稔礼国、合十国。】